LE CONSOMMATEUR
ENTREPRENEUR

La Société des consommateurs, 1995,
prix 1996 de l'Académie des sciences commerciales

ROBERT ROCHEFORT

LE CONSOMMATEUR ENTREPRENEUR

LES NOUVEAUX MODES DE VIE

EDITIONS
ODILE JACOB

© ÉDITIONS ODILE JACOB, OCTOBRE 1997

15, RUE SOUFFLOT, 75005 PARIS

INTERNET : http://www.odilejacob.fr

ISBN : 2-7381-0511-4

Pour Agnès,
pour Thomas,
pour Vincent.

INTRODUCTION

> Nous vivons une époque dangereuse
> et magnifique dans laquelle s'enlacent
> désespérément la fin d'un monde et
> la naissance d'un autre – une confusion
> apparente en est l'aspect immédiat.
>
> Fernand LÉGER, 1947
> Catalogue de l'exposition,
> Paris-New York, 1997-1998.

Nous sommes plusieurs dans la file d'attente du guichet automatique de paiement d'un parking souterrain. Quand vient le tour de l'homme qui me précède, sa fille, d'une dizaine d'années, lui demande brusquement : « Papa, pourquoi faut-il payer pour le parking ? » Son père, calme – cela semble être dans sa nature –, mais un peu crispé – cela fait quelque temps que nous attendons –, lui répond suffisamment fort pour que tout le monde entende : « Parce que aujourd'hui il faut payer pour tout ! Tu verras, demain il faudra même payer l'air pur pour avoir le droit de respirer ! » Le pire, c'est qu'il a peut-être raison. N'est-ce pas ce qui se passe déjà avec l'eau [1] ? Cet envahissement de la logique mar-

---

1. Évian utilise ce slogan : « L'eau que vous buvez est aussi importante que l'air que vous respirez. » Ne peut-on inverser la proposition ?

chande est insupportable. Tout devient objet de consommation, et ça va continuer. Je m'y refuse.

Quelques jours plus tard, la vie me réservait un de ces moments dramatiques comme on aimerait en connaître le moins possible, et pourtant inévitables. À l'hôpital depuis plusieurs mois, ma mère allait mal, très mal. On me dit, le soir venu, que le terme est sans doute proche. Cette attente prend une intensité vite insoutenable. Ce sont les toutes dernières heures de sa vie consciente. Ma mère s'endormira avant de s'éteindre trois jours plus tard sans avoir repris conscience. Celle avec qui, depuis plus de vingt ans, je partage tout de ma vie n'est pas là. Elle me manque atrocement. De retour d'un colloque à Venise, son avion a atterri à Roissy une heure auparavant. Nous étions convenus de nous retrouver à la maison... plus tard dans la soirée... c'est-à-dire trop tard. Elle a depuis peu un Itinéris. Je fais plusieurs tentatives sans succès, puis la joins finalement dans son taxi. Elle demande au chauffeur de se dérouter et me rejoint à l'hôpital, gagnant ainsi deux longues heures. La présence d'Agnès apaise ma douleur. Lorsque j'y repense, je ne peux m'empêcher de louer l'inventeur du téléphone portable. Jamais je n'aurais pensé que, quelques mois seulement après l'avoir acheté, ce *nouveau bien de consommation* nous serait d'un tel secours. Comment n'y serais-je pas favorable ? Tous ceux qui chercheront à me convaincre qu'il s'agit d'un gadget de plus, ostentatoire et inutile, devront sérieusement affûter leurs arguments !

Plus la consommation nous envahit, plus il est indispensable de la comprendre. *La Société des consommateurs* avait cet objectif : retracer ce demi-siècle qui nous a fait passer de la pénurie collective à l'aisance individuelle. Mais il lui fallait une suite. C'est l'objet de ce livre : décrire les changements en cours dans nos modes de vie qui créeront des attentes et réorienteront la consommation.

Dans un pays riche, l'acte de consommer est à la fois simple et complexe. Il obéit à une double logique. Chaque bien acheté, chaque service consommé, doit répondre à un besoin ressenti par le consommateur. C'est sa logique fonctionnelle. Il doit aussi rencontrer une attente imaginaire du consommateur, qui stimule ses envies, son plaisir de consommer. Chaque bien ou service incorpore pour cela une dimension immatérielle qui s'exprime à travers la marque, le design, l'emballage, la publicité, etc.

Le consommateur ne sépare pas son besoin et son attente imaginaire, ces deux composantes s'imbriquent l'une dans l'autre pour former la demande. De même, le produit de consommation doit synthétiser les dimensions fonctionnelle et immatérielle pour constituer une offre attirante.

La dimension fonctionnelle évolue grâce à l'innovation technique. Elle progresse par la satisfaction toujours plus marchande des besoins du consommateur qu'acceptent aisément les jeunes générations, et avec plus de réticence les plus âgés. La dimension immatérielle suit l'évolution des attentes imaginaires des consommateurs qui dépendent elles-mêmes des systèmes de valeurs de la société tout entière.

On peut repérer plusieurs étapes depuis un demi-siècle. Dans les années 1950 et 1960, le salariat est intégrateur, les classes sociales sont hiérarchisées, et la société repose sur une organisation familiale assez rigide. Les consommateurs sont fiers d'arborer les signes de leur enrichissement : voiture, appareils électroménagers, vacances... Nous entrons simultanément dans la production standardisée et dans la consommation de masse.

Les années 1970 et 1980 se caractérisent par la tertiarisation des emplois et la qualification de la main-d'œuvre. On parle déjà de mobilité. La structure familiale ne contraint plus les comportements, l'individu est flatté dans son narcissisme. L'immatériel de la consommation s'y emploie activement : hypersegmentation des consommateurs, prolifération artificielle de l'offre, publicités fondées sur les styles de vie.

Les années 1990 marquent un revirement brutal. Le chômage est massif, précipitant les consommateurs dans l'inquiétude. La peur de l'avenir tétanise les comportements et incite au repli sur soi. La consommation marque le pas, et certains parlent même de la fin de la société de consommation ! Avec quelques autres, je me suis employé à montrer qu'il n'en était rien mais que nous assistions à un changement des comportements des consommateurs. Un nouvel immatériel de la consommation a vu le jour, lié à ces temps de crise : la rassurance. Les thèmes qui lui sont associés sont le terroir, la famille, la tradition, la santé et, dans une certaine mesure et de façon ambiguë, la solidarité.

À la fin des années 1990, les choses commencent de nouveau à changer, et c'est ce que ce livre veut mettre en évidence. Le consommateur commence à sortir petit à petit du carcan un peu régressif de la seule rassurance. Et ça va progressivement s'accélérer. Cela se traduit par la redécouverte encore timide du sens de l'initiative et de la responsabilité. Le contexte l'y incite ou l'y contraint. Une fois encore, l'influence des changements qui touchent l'emploi est déterminante. En effet, que nous le voulions ou non, nous sommes en train de sortir avec douleur de la société salariale. Beaucoup regrettent tout ce qu'elle avait de protecteur, mais nombreux sont aussi ceux qui n'entretiennent plus le rêve d'y revenir sous peu. Certes, nous cherchons ici et là à en freiner les effets, à trouver des amortisseurs et des garde-fous pour préserver un avenir viable, mais sur le fond nous savons qu'il faut faire face à une nouvelle donne. Sans qu'il soit aisé d'en repérer tous les contours, la société postsalariale se laisse peu à peu deviner. Le mode d'organisation du travail dont elle s'inspire est celui de l'autonomie individuelle. Cela ne veut pas dire que tout le monde va se mettre à son compte, loin s'en faut, mais que l'on s'en inspire dans toutes les situations professionnelles, y compris lorsque subsiste un contrat de travail traditionnel. Il est demandé à chacun de faire preuve d'autonomie, de responsabilité, de ne plus attendre d'être pris en charge du début jusqu'à la fin de sa carrière.

Chacun, jour après jour, commence à faire la dure expérience de ces changements, ou, s'il en est encore préservé, voit ses proches ou ses enfants en subir les contraintes. Ce sont les ruptures souvent brutales d'employeur, le changement, volontaire ou non, de secteur d'activité, la reprise d'une formation, le chômage, le passage obligé par les contrats à durée déterminée, le démarrage à son compte, la nécessité de concilier plusieurs temps partiels avec des employeurs ou des statuts différents. Dans les entreprises mêmes, il faut se comporter autrement : tout en critiquant l'intensification du travail et une politique très frileuse des rémunérations, on ne revendique plus comme un droit la progression de carrière, on doit se remettre régulièrement en cause, se perfectionner, être inventif, bref ne jamais perdre de vue que l'essentiel repose sur ses propres épaules... Chacun doit largement assumer pour son propre compte sa capacité à occuper un emploi.

On pourrait parler d'une forme de libéralisme qui s'instaure de fait dans nos pratiques et qui s'insinue du coup dans nos mentalités : mais il n'a que peu à voir avec les querelles idéologiques. Il repose, comme c'était le cas dans la pensée des précurseurs des siècles passés, sur le fait que l'individu se pense et qu'il est de plus en plus pensé comme point de référence. Et cela, bien sûr, a des conséquences sur nos comportements bien au-delà du travail, dans la consommation en particulier.

Ce nouveau mode d'organisation du travail fait émerger un nouvel imaginaire de la consommation. Je propose de l'appeler « l'imaginaire du consommateur entrepreneur ». Il se construit à la fois dans la continuité et en rupture avec la rassurance. Progressivement, il viendra organiser autrement la consommation et la redynamiser.

Une nouvelle façon de penser l'articulation entre la sphère domestique et la sphère professionnelle voit le jour. Celles-ci ne s'opposent plus, ne sont plus exclusives l'une de l'autre, comme c'était le cas jusqu'à présent, mais au contraire s'interpénètrent résolument. Les nouveaux objets de consommation vont peu à peu répondre simultanément à des besoins personnels et professionnels : téléphone portable, voiture, logement, produits culturels... Et même lorsque le consommateur dispose d'un emploi protégé, il participe à ce modèle en transférant dans sa vie privée des compétences acquises au travail. Il devient exigeant, négociateur, apte à gérer des rapports de forces avec les commerçants, professionnel de la consommation en quelque sorte.

Autre caractéristique des nouveaux objets phares de cette nouvelle consommation : ils sont au service de la communication, de l'échange interpersonnel ou avec un plus grand nombre d'interlocuteurs. L'individu isolé et solitaire est une impasse. La responsabilité et l'autonomie vont de pair avec la capacité de rester relié aux autres en permanence. C'est le besoin de *reliance*. L'individu apeuré des années 1990 avait besoin de rassurance. Le consommateur entrepreneur aura besoin de reliance, l'un n'excluant d'ailleurs pas l'autre. Le téléphone mobile, le fax domestique, c'est à la fois la reliance et la rassurance. Seul, on ne peut pas grand-chose...

Décrire les transformations dans nos modes de vie et de consommation ne veut pas dire les avaliser toutes. Dans les pages qui vont suivre, mon propos sera d'en dessiner les évolutions les plus probables pour les années à venir. Ce n'est pas la société idéale qui se dessine à l'horizon, mais ce n'est pas non plus la pire. Il est difficile d'échapper aux simplifications. Qui veut parler aujourd'hui de consommation en termes sereins prend le risque de paraître défendre un système longtemps considéré comme aliénant par nature. N'a-t-on pas trop tendance, par facilité, à diaboliser la consommation en lui faisant porter la responsabilité de tous nos maux alors qu'elle est, dans une large mesure, l'expression et le reflet de ce que nous sommes ?

L'émergence du consommateur entrepreneur traduit les contraintes qui pèsent aujourd'hui sur chacun d'entre nous. Cela comporte des chances et des risques que nous envisagerons : chances pour chacun d'accéder à la responsabilité, à la reliance, à l'autonomie, mais risques aussi d'accentuation des inégalités sociales. Cependant, rien n'est encore joué. L'Histoire n'est jamais écrite à l'avance. Tout est affaire de volonté collective, à condition toutefois de repérer correctement les enjeux.

Un de ces enjeux : l'envahissement de tout l'espace privé par les rapports marchands. Comment l'empêcher ? Plus l'échange payant gagnera du terrain, plus l'échange gratuit devra découvrir de nouveaux espaces. Comment les prévoir ? Plus la liberté des personnes s'affirmera, plus devra s'imposer à eux un renoncement conscient à aller jusqu'au terme de ce qu'elle recèle : l'atomisation porteuse de désagrégation sociale. Comment être à la fois plus autonome et davantage solidaire, plus impliqué dans l'échange économique et conscient qu'il ne peut être une finalité en soi ?

Remerciements

Tout d'abord à ceux qui m'ont apporté leur précieux et permanent concours : Gérard Jorland, des Éditions Odile Jacob, et Agnès Rochefort-Turquin, pour la clarification des idées et la précision de la rédaction ; puis à Élisabeth Hatchuel, mon assistante, pour la mise en forme matérielle du manuscrit. Ma gratitude est sans mesure.

À mes collègues et collaborateurs du CRÉDOC, dont les travaux constituent la source continue de mes réflexions : Georges Hatchuel, directeur adjoint ; Christophe Fourel, secrétaire général ; Isabelle Aldeghi, Patrick Babayou, Franck Berthuit, Anne-Delphine Brousseau, Gloria Calamassi-Tran, Corinne Chessa, Aude Collerie de Borely, Anne-Bénédicte de Montaigne, Patrick Dubéchot, Catherine Duflos, Ariane Dufour, Sonia Eugène, François Gardes, Frédéric Gardin, Françoise Gros, Pascale Hébel, Christine Henriot, Pierre Le Quéau, Stéphane Loire, Jean-Pierre Loisel, Joëlle Maffre, Bruno Maresca, Michel Messu, Philippe Moati, Guy Poquet, Laurent Pouquet, Thierry Racaud, Marie-Odile Simon, Jean-Luc Volatier, directeurs de recherche et chargés d'études. Aux assistants, secrétaires, personnels des services administratifs et à la centaine d'enquêteurs sans lesquels leurs travaux ne seraient pas possibles. À Franck Lehuédé, responsable des interventions extérieures grâce auxquelles je suis amené à confronter sans cesse mes analyses à celles et à ceux qui sont sur le terrain.

À celles qui entretiennent le fonds documentaire, le rendent disponible et contribuent ainsi à valoriser, tant vers l'extérieur du CRÉDOC qu'en son sein, la centaine d'études et de recherches effectuées chaque année : Marie-Hélène Charruel, Brigitte Ezvan, Jeannine Lacoste.

Bien entendu, selon la formule consacrée mais qui se trouve parfaitement justifiée, les idées et les analyses développées ici ne sauraient les engager, ni *a fortiori* le CRÉDOC dans son ensemble.

Chapitre 1

TOUT S'ACCÉLÈRE

> Vouloir être de son temps,
> c'est déjà être dépassé.
> Eugène IONESCO,
> *Notes et contre-notes*, Gallimard.

On consomme vraiment de plus en plus... Faisons ensemble une expérience toute simple : dressons la liste de tous les services et biens nouveaux que nous achetons aujourd'hui banalement et que nous ignorions à peu près totalement il y a tout juste quinze ans : magnétoscope, four à micro-ondes, branchement au câble ou au satellite, abonnement au vidéo-club, billets d'avion ou de TGV fréquents, nettoyeur à haute pression pour moquette, pizzas livrées à domicile, club de remise en forme, cabines d'UV pour préparer l'été ou le prolonger, Disneyland (ou Futuroscope, ou Parc Astérix ou Parc de la Villette, si vous préférez), foire aux vins dans les hypermarchés (surtout ne ratez pas le premier jour, c'est celui où l'on fait vraiment des affaires !), chaussures à la mode chez les adolescents (Nike, Reebok, Caterpillar, Doc Martens) et qui ne valent pas moins de 400 F, mensuels en quadrichromie sur notre hobby préféré (sport, musique, informatique, maquettisme, jeux de rôles) et salon annuel pour les passionnés... Arrêtons-nous là. Vous voyez, la liste est longue, beaucoup plus longue qu'on ne le croirait, sans faire d'effort pour l'établir, même si évidemment chacun d'entre nous ne consomme pas tout cela à la fois.

Plus la consommation nous envahit, plus elle nous crée des dépendances qui nous répugnent et qui pourtant accroissent nos potentialités. Cette consommation tout à la fois nous asservit et nous libère. La tentation régressive d'une société *de nature*, sans artifice, nous guette sans cesse. Nous voulons alors nous convaincre que nous ne sommes pas dépendants *à ce point*. Nous cherchons à retrouver la part d'*autonomie* qu'il y a en chacun d'entre nous. Cela peut prendre différentes formes : traverser à pied le désert tunisien, se convertir à l'alimentation biologique, bouder pendant une semaine son téléviseur, réparer courageusement un robinet qui fuit au lieu d'appeler un plombier qui l'aurait immanquablement remplacé par un neuf, suivre une session de relaxation et de redécouverte de soi-même, ou passer huit jours dans un ermitage... Autant de petites victoires de plus en plus fréquentes et qu'il ne faut pas mépriser. Mais elles sont plus ambiguës qu'on ne le croit. Ce que l'on pense être le refus d'un système économique envahissant est en réalité l'activation *sous une autre forme* de la logique marchande : on a tout de même donné du travail à un organisateur de voyages, on a augmenté le chiffre d'affaires d'un commerce d'alimentation naturelle ou d'une grande surface de bricolage, on a fourni aux salles de cinéma quelques entrées de plus... Loin d'avoir fait la grève de la société de consommation, on a tout simplement *consommé autrement*. En cherchant à être davantage acteur de sa consommation, on en est devenu partiellement l'*entrepreneur*, en quelque sorte le *coproducteur*.

Si la consommation est toujours plus présente dans nos vies, elle n'est plus ce *processus final de destruction* symétrique de la production, seule *créatrice de richesse* comme nous l'enseignaient les manuels d'économie. Elle est un mode de régulation, d'appropriation, de socialisation et donc de coproduction de la société. Elle est une immense circulation d'argent et de signes qui se fait à la fois en masse et dans la diversité par capillarité, selon une nouvelle logique de réseaux. La consommation n'est plus le long fleuve tranquille des décennies passées. Elle est le reflet de nos modes de vie, de nos façons de penser, de nos envies collectives, qui ont bien changé.

Or, en ces domaines, tout s'accélère et se fragmente. *La Société des consommateurs* [1] rendait compte du basculement au début des années 1990, qui nous a fait passer du *consommateur hyper-individualiste* des années 1970-1980 au *consommateur en quête de rassurance* des temps d'inquiétude de la décennie 1990. Mais déjà, au tournant du millénaire, une nouvelle figure se dessine, avant de s'imposer vraisemblablement bientôt pour devenir dominante, celle du consommateur entrepreneur qu'on pourrait appeler également le *consommateur professionnel* ou bien même le *consommateur producteur*. De quoi s'agit-il ? Principalement, des conséquences sur les modes de vie et la consommation du changement radical de notre rapport à l'emploi ; secondairement, d'une bien plus grande qualification générale des façons de se comporter en tant que consommateur : aptitude à choisir, à attendre, à négocier... bref, à être de moins en moins passif et bien plus souvent acteur et même *coproducteur* de sa propre consommation.

Pour le dire en peu de mots, et en guise d'entrée en matière, l'économie des biens et des services de consommation sera en court-circuit : il n'y aura plus, d'un côté, des producteurs et, de l'autre, des consommateurs aux rôles bien différents, mais des acteurs qui rempliront, au moins en partie, les deux rôles à la fois. D'où le risque qu'ils soient écartelés entre ces deux fonctions, mais aussi l'espoir qu'ils développent la capacité de les réconcilier. Dans le meilleur des cas : des personnes capables d'un peu mieux maîtriser leur destin.

Nous sortons du monde salarial qui a dominé la seconde moitié du XXe siècle. C'est l'une des causes majeures des changements présents et à venir dans la consommation. Élément fondateur de la croissance économique, le salariat était aussi très satisfaisant car sécurisant et intégrateur. Outre la protection du contrat de travail, la sécurité de l'emploi et même le droit à la *carrière*, la société salariale était dotée de nombreuses caractéristiques annexes dont, au fil du temps, presque tout le monde avait fini par bénéficier : Sécurité sociale généreuse, protection sociale complémentaire (mutuelle, caisses de retraite), subvention de l'accès à la propriété, société des loisirs financée par les comités

---

1. Robert Rochefort, *La Société des consommateurs*, Paris, Odile Jacob, 1995.

d'entreprise... Dans le cas de la France, il faut y ajouter un État omniprésent, pourvoyeur d'emplois publics et de marchés protégés, redistributeur de revenu, mais insouciant des effets réels. Bien sûr, beaucoup de ces bénéfices étaient de portée plus limitée que les intentions (la démocratisation du système scolaire ou l'aspect redistributif de la fiscalité, par exemple), mais ils formaient ensemble une politique cohérente et rassurante. Sans se donner trop de peine, on pouvait imaginer un avenir balisé et favorable à tous.

Au cours des vingt dernières années, la crise a ébranlé ce système, mettant à bas des pans entiers, les uns après les autres. Seule la robustesse de la construction peut expliquer qu'elle ne se soit pas encore effondrée. Mais rien n'est épargné, tout se fragilise, car tout est lié. Nous le ressentons et cela nous fait peur. Lorsqu'on craint de perdre son emploi, l'existence d'un puissant système de compensation sociale ne peut nous rassurer, car le nombre croissant de ceux qui perdent leur emploi l'affaiblit en retour. Initialement prévu pour compenser les *accidents* d'un système salarial robuste, il n'est pas en mesure de s'y substituer lorsque ce sont ses fondements mêmes qui sont en crise. On ne peut se consoler de voir sa carrière stagner en espérant que ses enfants feront mieux, comme il y a encore une génération, car on sait aujourd'hui qu'ils auront une vie professionnelle plus vagabonde et chaotique.

Telle une minuterie infernale parfaitement programmée, chaque année voit s'ébranler un peu plus l'un ou l'autre des piliers de l'ancien contrat social. C'est le taux croissant du ticket modérateur pour les soins de ville qui rompt de plus en plus profondément avec les principes fondateurs du système d'assurance maladie, car il faut désormais une mutuelle pour être correctement remboursé. L'année suivante, c'est la réduction massive des emplois dans le secteur public, autrefois jalousé par le *secteur exposé*, qui confirme l'affaiblissement du *secteur protégé*. Puis ce sont les fonds de pension qui font cruellement ressortir l'insuffisance congénitale des systèmes traditionnels de retraite.

Face à cela, ou plus exactement *à travers cela*, le monde postsalarial se dessine peu à peu. Son type organisationnel est celui de l'entrepreneur. Non pas que tous soient appelés à exercer des professions libérales ou à devenir des chefs de petites entreprises, même s'il doit y en avoir davantage demain. Cela signifie plutôt que, pour s'adapter au monde nouveau, il nous faut fonctionner de la même manière qu'eux. C'est la figure qui est transposable : *autonomie* et *responsabilité* sont les deux maîtres mots peu à peu déclinés dans toutes les situations professionnelles et, simultanément, dans l'organisation de ses affaires personnelles et familiales.

L'individu est pris au mot de son aspiration à davantage de reconnaissance. Il voulait se voir flatté dans sa spécificité ; depuis les années 1970, son obsession était de ne pas être confondu avec les autres. Le voici comblé, mais au-delà de ses espérances. En effet, il aspirait à la reconnaissance individuelle dans sa vie privée, son mode de vie, sa consommation, et voilà qu'on lui reconnaît sa singularité jusque dans sa vie professionnelle, ce qui, bien entendu, est beaucoup plus difficile. Même lorsqu'il demeure un salarié, l'individu au travail est jugé sur ses résultats et non plus sur sa docilité ou son obéissance au règlement intérieur. On lui demande de savoir s'adapter à des situations changeantes, à des rythmes de plus en plus rapides. Il doit apprendre à se recycler, souvent par lui-même, car, s'il attend que ce soit l'entreprise qui s'en charge comme on avait pu le lui promettre il y a encore dix ans, cela risque fort d'être bien trop tard. Le changement est considérable, et seule sa progressivité en atténue quelque peu la violence. Mais il ne faut pas se tromper, aucun secteur n'est à l'abri de cette évolution. Qu'il soit dans la sphère industrielle ou des services, que ce soit dans une PME ou une très grosse entreprise (forcément appelée à se déconcentrer), que son employeur soit privé ou public, chacun devra *à terme* prendre sur lui au moins une partie de ces changements.

Il en découlera des nouveaux modes de vie, des nouveaux profils de consommation, que l'on esquissera ici, en les subsumant sous le terme générique de *consommateur entrepreneur*.

La principale différence, voire opposition, entre le consommateur entrepreneur et les modèles antérieurs, traditionnels, des rapports à la consommation est le décloisonnement des différents temps et des différents lieux de vie. Fini le temps de travail séparé de celui consacré à la vie familiale et aux loisirs, ceux-ci s'interpénétreront indissolublement ! Fini le lieu du travail étanche à celui de la vie privée, les deux coexisteront toujours, mais de façon moins tranchée, ils seront moins séparés que par le passé et davantage dans le prolongement l'un de l'autre. Finie la jouissance de l'instant présent comme caractéristique évidente de la consommation sans souci du lendemain, et place à la recherche de l'équilibre sur le long terme, à la prise en charge responsable de son capital humain en termes de santé et de formation.

Par mimétisme social ou parce que le fait de vivre en société oblige à partager des représentations communes, toutes les catégories sociodémographiques seront concernées par cette évolution, y compris celle des *inactifs*, sachant que ce terme sera de moins en moins approprié. Étudiants et retraités, par exemple, vivront comme des consommateurs entrepreneurs. Les premiers parce qu'ils anticiperont leur vie professionnelle à venir, les seconds parce que ce sera adapté à une tranche de vie plus longue que pour les générations précédentes, et au cours de laquelle il faudra s'organiser pour maîtriser son temps et gérer son budget, s'engager dans des activités bénévoles et associatives ou venir en aide aux membres de sa famille, ou bien encore reprendre une activité rémunérée à temps partiel [2].

On peut définir le consommateur entrepreneur par trois caractéristiques : l'obligation d'assurer dans sa vie privée une partie croissante de son engagement professionnel, l'utilisation à des fins privées d'une panoplie d'outils réservés jusqu'à présent au champ professionnel, la capacité à gérer son univers domestique de façon professionnelle. En voici trois exemples : ramener du travail à la maison pour le faire sans aller au bureau pendant un ou deux jours, utiliser son téléphone portable mis à disposition par son employeur pour prendre des nouvelles de ses enfants ou, à l'inverse, celui qu'on s'est offert pour appeler un collègue de travail, mettre en concurrence plusieurs agents généraux pour prendre en charge l'ensemble des contrats d'assurance du ménage.

---

2. Nous travaillerons demain jusqu'à un âge plus avancé qu'aujourd'hui. Ou bien cette mesure sera appliquée d'une façon générale pour assurer le financement des systèmes de retraite, ou bien on restera sur les âges actuels (voire avancé pour quelques catégories professionnelles, encore que la tentation du départ à 55 ans soit totalement utopique même si elle est forte) et, dans ce cas, on verra se multiplier les personnes qui, passé le départ à la retraite, continueront à avoir une activité rémunérée, très souvent à temps partiel, parfois avec un statut d'indépendant ou, on peut le craindre, fréquemment dans le cadre du travail au noir.

Le programme est ambitieux, il demande un effort constant, et il n'est pas sûr qu'on arrive aisément à le remplir. C'est pourquoi tous ne mettront pas la barre au même niveau. Il serait erroné de penser que ces nouveaux modes de vie sont réservés à l'élite masculine ou féminine de l'avenir. Certains le vivront d'une façon moins systématique que d'autres. Le maître mot de la réussite sera l'*harmonie* entre des temps et des lieux beaucoup moins différenciés qu'auparavant, le bonheur résultera des équilibres construits par chacun. Ce qui ne veut évidemment pas dire qu'il sera aisé d'y parvenir.

Nous serons néanmoins confrontés à un défi majeur : la société salariale était intégratrice, sa logique était *centripète*. Prix de l'autonomie accordée à chacun, le postsalariat sera d'abord *centrifuge*. Il diversifiera les situations individuelles, il les fragilisera en rendant plus temporaires les avantages acquis par chacun. Pour contrecarrer cette tendance, il faudra cultiver sa capacité à être relié avec d'autres, à éviter le piège de l'isolement et de la diabolisation de l'autre toujours susceptible d'être un concurrent alors qu'il faut, au contraire, en faire un allié. C'est la raison fondamentale qui explique le besoin des nouveaux biens et services de communication.

Quelle sera la proportion de ceux qui ne rentreront pas dans les nouveaux modes de vie ? Quel destin la société leur réservera-t-elle ? On craint la réponse anglo-saxonne déjà à l'œuvre qui a une fâcheuse tendance à se répandre, celle de la précarité pour tous ceux qui seront cantonnés dans des tâches de pure exécution : des engagements sur des durées le plus courtes possible et avec un salaire ne permettant pas d'échapper à la pauvreté. Trouver une autre réponse est un défi majeur.

Nos hésitations face au modèle libéral

Dans l'économie de marché de demain, qui sera tirée par cette émergence du consommateur entrepreneur dans les pays riches et par l'accession à la consommation de masse de nombreux peuples des autres régions du monde, l'Europe a un rôle essentiel à jouer : amender le modèle ultra-libéral, le forcer à prendre une dimension sociale, c'est-à-dire collective. Des pistes existent : favoriser, par des interventions publiques, la création d'activités génératrices d'emploi pour tous, ce qui ne veut pas dire forcément subventionner les entrepreneurs, mais par exemple moduler la fiscalité ou bien financer le conseil et la formation pour faciliter leur développement ; maintenir une fiscalité directe aux vertus redistributives, car il est aussi dans l'intérêt de l'entrepreneur d'avoir des clients solvables, élaborer un droit social communautaire qui préserve le développement de l'entrepreneuriat et la solidarité collective.

Il n'est pas du tout sûr que l'Europe y parvienne, car tous les pays membres ne sont pas convaincus au même degré ; or l'urgence dans ce domaine ne s'accommode pas des inerties nationales, tant bureaucratiques que politiques. Il est frappant de voir à quel point tous les grands partis politiques, y compris les plus européens dans leur programme, sont étroitement cloisonnés dans leurs frontières nationales. Mais, au-delà de l'union monétaire, la régulation de nos sociétés par une politique humaniste et sociale est vraisemblablement la mission historique nouvelle de l'Europe, et un échec en ce domaine la banaliserait. Tout en promouvant l'esprit d'entreprendre et en favorisant son épanouissement chez le plus grand nombre de citoyens, il s'agit de rester persuadé que le bien-être de chacun dépend aussi, jusqu'à un certain point, du bien-être de tous, et réciproquement. Il s'agit d'affirmer par là que la réalisation de l'autonomie individuelle exige simultanément l'acceptation par chacun de sa responsabilité à être dans un rapport de communication et de solidarité avec les autres. C'est ce que l'on dénomme aujourd'hui sous le terme de « reliance ». Nous y reviendrons.

Jusqu'où ne pas aller trop loin dans le libéralisme ? Aujourd'hui, le débat politique n'oppose pratiquement plus des idéologies radicalement distinctes, mais ceux qui souhaitent accélérer l'évolution libérale en supprimant toutes les entraves et ceux qui, au contraire, désirent soit la freiner, soit en canaliser le courant. Mais c'est bien par rapport au libéralisme que tous se positionnent [3]. Les différences de sensibilité sont loin d'être secondaires,

---

3. Cela ne veut pas dire qu'il en sera toujours ainsi. De même qu'il y a eu, il n'y a pas si longtemps, un « avant-libéralisme » – au cours des Trente Glorieuses et jusqu'à la fin des années 1970, même les libéraux étaient largement sociaux-démocrates –, il y aura vraisemblablement un « après-libéralisme » qui n'est pas aujourd'hui sorti des limbes.

comme on le pense souvent (lorsque, par exemple, on fustige la pensée unique), mais elles ne se manifestent plus avec la même virulence rhétorique. En outre, les cartes sont distribuées autrement, tant il est vrai que ces nouveaux débats traversent souvent les camps politiques traditionnels plus qu'ils ne les opposent. On trouve d'ardents promoteurs de l'entreprise flexible à droite comme à gauche, certes avec quelques nuances. On rencontre de fougueux défenseurs d'idées humanistes, qui croient nécessaire de rappeler que l'économie n'est pas vertueuse et doit donc rester subordonnée à un principe supérieur, dans l'un ou l'autre des camps politiques actuels. D'ailleurs, des réunions *trans-partis* ont lieu sur ces questions essentielles. Il m'arrive d'y participer. Il est vrai que, sans être clandestines, ces rencontres sont toujours informelles, mal vues par les appareils qui préfèrent s'en tenir à des discours convenus, tout faits, prêts à être ressortis et imprimés en formats standard pour les campagnes électorales à venir. Et l'on se plaint ensuite du divorce entre l'opinion et les élites politiques de la nation !

De tous les pays occidentaux, la France est celui qui freine le plus ces évolutions libérales et qui donne ainsi souvent l'impression d'aller vers l'avenir à reculons. C'est facile à comprendre, presque normal : notre pays est celui qui a le plus à y perdre à court terme, et peut-être même à moyen terme. Nous avons inventé un système original fondé sur l'économie mixte, qui protège une fraction beaucoup plus importante de notre population que chez nos voisins et partenaires. Malgré les remises en cause progressives de ce modèle, il reste des niches dans lesquelles certains peuvent espérer rester abrités... du moins encore quelques années. Mais notre pays ne pourra pas préserver grand-chose tout seul.

Notre hésitation face à l'ultra-libéralisme est évidemment à la fois une faiblesse et une force. La faiblesse, c'est le record de notre pays en matière de chômage, le fait que notre taux de croissance constaté se situe depuis le début de la décennie 90 à la moitié de son taux potentiel. À quoi sert d'avoir le plus beau système social des pays riches si nous avons en prime le taux de chômage le plus élevé ? Notre faiblesse, c'est aussi notre immense talent pour les demi-mesures. Dès qu'une mesure est prise, une contre-mesure vient en atténuer les effets. Nous hésitons, nous faisons des compromis, aboutissant finalement à mécontenter tout le monde, sans véritable gage d'efficacité.

Notre force, ce sont les racines culturelles profondes qui nourrissent notre hésitation libérale. Nous appartenons à un pays à la fois ancestralement catholique et profondément laïque, qui a théorisé l'idée de nation, inventé l'intégration républicaine, obsédé par l'égalité, dont l'humanisme n'est pas feint. Nous ressentons grâce à cela, plus que d'autres, le risque d'être broyé par la seule logique économique, la puissance d'implosion que recèlent des inégalités à nouveau croissantes entre les individus. Mais soyons honnêtes : nous sommes aujourd'hui meilleurs pour poser des questions que pour inventer des réponses.

Nous nous mobilisons pour promouvoir certains garde-fous contre la suprématie nord-américaine ou contre le danger d'une construction monétaire européenne sans le contrepoids d'un gouvernement économique et politique. Nous sommes parfois écoutés, rarement compris. Lorsque le dollar remonte enfin, c'est d'abord parce que la Banque centrale de Washington l'a décidé par crainte d'une surchauffe et d'un retour de l'inflation. Nous bénéficions alors d'un effet indirect. Il est positif pour nous, joue un rôle essentiel dans l'amélioration prévisible de la conjoncture économique pour 1997, tant mieux, mais encore une fois nous subissons. Ce n'est pas nous, les Français, qui choisissons le mode libéral, c'est le monde qui nous entoure et dans lequel nous sommes immergés.

Une croissance possible et nécessaire

Mais, en fait, avons-nous encore réellement besoin d'une croissance durable de la consommation ? Oui, tant sur le plan économique que social. Ne frôlerions-nous pas un seuil de saturation absolue en ce domaine, comme on le dit couramment ? Non, l'émergence des nouvelles attentes démontre le contraire. Néanmoins, cela ne sera-t-il pas plus difficile dans les années à venir, malgré l'émergence de la figure du consommateur entrepreneur et de ses besoins spécifiques, que cela avait pu l'être par le passé ? Si, malheureusement pour tous ceux dont c'est le métier : inventeurs, industriels, artisans, commerçants, grands distributeurs, publicitaires, etc., et heureusement pour les consommateurs qui seront moins manipulables.

Reprenons tout cela dans l'ordre. La croissance de la consommation est une nécessité économique et sociale. Sur le plan économique tout d'abord, la consommation représente 60 % du PIB, autant dire qu'une consommation faible ne peut que plomber la production. Or, si la croissance économique n'est pas une condition suffisante à la création d'emploi et à la réduction du chômage, elle n'en demeure pas moins une condition strictement nécessaire. Les performances à l'exportation sont un atout, mais elles ne peuvent être suffisantes à elles toutes seules. Quant à l'investissement – troisième composante de la croissance –, il n'existe que par anticipation d'une progression de la demande finale, c'est-à-dire de la consommation. On s'en est cruellement rendu compte au début de cette seconde moitié des années 1990 en France. Un parc de machines vieillissant devait entraîner *mécaniquement* une forte hausse de l'investissement par un effet de cycle ; or il n'a pas généré la croissance attendue [4].

La plupart des chefs d'entreprise se retiennent de passer commande des nouveaux outillages industriels nécessaires. Dans l'incertitude sur leurs marchés à moyen terme, ils préfèrent rester prudents et garder leurs anciens équipements déjà amortis. La baisse sensible des taux d'intérêt n'a pas eu l'effet escompté. En économie, tout est lié, et la consommation est bien le but final de la production. Jusqu'à présent, on savait qu'il n'y avait pas de reprise durable de l'activité sans redémarrage de l'investissement ; on sait dorénavant qu'il n'y en a pas non plus sans anticipation d'un dynamisme minimal de la consommation. Il ne sert donc à

---

4. De ce point de vue, l'année 1996 a été bien paradoxale. Avec un taux de croissance de 1,9 % en volume, la consommation a réalisé son année la plus forte depuis le début de la décennie (certes dopée par la prime Juppé pour l'achat d'une voiture neuve), tandis que, en deçà des plus pessimistes prévisions possibles, l'investissement a même reculé de quelques dixièmes de point. Le redémarrage de la consommation en 1996 n'a pas été perçu comme suffisamment durable par les chefs d'entreprise pour les entraîner à investir. Ils ont ainsi freiné la reprise. Et l'année 1997 a démarré sous les mêmes auspices. Toujours peu d'investissements. Cette fois, c'est la modification des parités monétaires qui favorise les exportations, et c'est ce dernier poste, aidé par la nécessaire reconstitution des stocks, qui tirera la croissance. On espère, pour 1998, un entraînement vertueux qui soit le signe d'une véritable reprise...

rien de savoir si la reprise se fait soit par la consommation, soit par l'investissement, les deux sont bel et bien liés et c'est vrai aujourd'hui encore plus qu'hier.

Que les entreprises fabriquent des biens de consommation intermédiaire (à destination d'autres entreprises) ou des biens de consommation finale (à destination des consommateurs), elles sont aujourd'hui confrontées à la même difficulté : la capacité de se projeter dans l'avenir, de faire des prévisions, de simuler, d'*arbitrer* entre le présent et l'avenir. À l'occasion de mes nombreuses conférences, je rencontre des chefs d'entreprise dont la plupart – quelle que soit la taille du bâtiment dont ils sont le capitaine – me confient leur angoisse pour l'avenir : de quoi seront faits les marchés dans cinq ans ? Nos produits ont-ils encore un avenir ? Quels sont ceux qu'il faut inventer pour demain ? À ces questions ils ne savent pas répondre, même lorsque leurs comptes d'exploitation sont florissants.

Certains conseillers habiles, surtout désireux de gonfler leurs honoraires, amplifient les peurs des chefs d'entreprise en leur laissant croire que les trois quarts des produits qui se vendront dans dix ans ne sont pas encore inventés, ce qui évidemment est totalement faux. Même si l'innovation peut s'accélérer (ce qui reste d'ailleurs à démontrer), il y a une certaine inertie dans l'acquisition des nouveaux produits par les consommateurs [5]. Les responsables d'entreprise gèrent donc en prenant le minimum de risques et en faisant preuve de la plus extrême prudence. C'est aussi ce comportement qui explique leur réticence à embaucher ou à augmenter les salaires, alors que leur bonne santé pourrait les autoriser à le faire. Bien entendu, ce comportement, lorsqu'il se répète et s'agrège, produit l'attentisme et l'atonie caractéristiques de l'époque actuelle.

Si le redémarrage de la consommation est une condition mécanique absolument nécessaire à une stimulation suffisante de l'activité économique et donc à la création d'emplois, il en est

---

5. Environ 70 % des produits nouveaux de grande consommation ne vivent pas plus de deux ou trois ans. Les innovations dont ils sont porteurs sont soit très mineures, soit rejetées par les consommateurs. Ainsi, il n'est pas contradictoire *statistiquement* de voir apparaître beaucoup de produits nouveaux et pourtant de consommer très longtemps à peu près la même chose.

aussi une condition morale. Car enfin quelle serait la finalité ultime de l'activité économique si ce n'était la satisfaction des besoins et l'amélioration des conditions de vie des hommes et des femmes ? Chaque séquence de croissance doit certes dégager les moyens d'accumuler le capital collectif et individuel afin de préparer l'avenir, mais elle doit aussi améliorer la situation *hic et nunc* de tous les citoyens et si possible de chacun d'entre eux. Ajoutons même du moins favorisé d'entre eux. C'est l'une des conditions posées par John Rawls, désormais devenu une référence, pour considérer qu'un système inégalitaire, ce qui est le cas de la consommation, puisse tout de même être considéré comme équitable. En ce sens, les choses évoluent mal, en ce moment, dans la plupart des pays occidentaux.

Mais est-il encore possible de croire que l'amélioration de notre situation individuelle et collective dépend de notre possibilité de consommer davantage ? N'aurions-nous pas, au contraire, à refuser une nouvelle prolifération d'objets devenus des gadgets inutiles, signes de gaspillage et de superflu, tant notre vie quotidienne en paraît déjà encombrée ? Je ne le crois pas. Bien entendu, on doit toujours s'interroger sur le contenu qualitatif de la croissance économique. Mais, sur ce point, les années 1990 semblent plus porteuses de recentrage à la fois sur l'utilitaire et sur le *sens* que la décennie précédente. C'est même la fin du gaspillage et de l'ostentatoire au profit du durable et de l'utile qui est présentée, à raison, comme l'une des causes de la crise de la consommation du début des années 1990. Nous verrons plus loin que les nouveaux thèmes porteurs, les nouveaux secteurs appelés à se développer dans l'avenir, que ce soit l'éducation, la culture, les voyages, l'art, la communication, le bien-être corporel et mental, tendent à nous rapprocher davantage de ce qui est essentiel à la vie humaine. À condition de savoir se les approprier en conséquence.

Bien entendu, cela ne veut pas dire que la façon dont tous ces besoins seront satisfaits par le marché, dont le marketing et la publicité s'en empareront, se signalera par sa finesse et sa subtilité. Ici comme ailleurs, demain comme hier, se côtoieront le meilleur et le pire. Les nouvelles techniques de marketing, d'espionnage consenti, ont de quoi faire peur. Mais il n'y a pas lieu de supposer que l'*aliénation* du consommateur soit vouée à s'amplifier. L'hypothèse contraire a de sérieux arguments en sa faveur : un consommateur plus diplômé, plus expérimenté par les décennies passées sera plus exigeant et plus sélectif. C'est bien ce qui compliquera les choses pour les industriels et pour les distributeurs. De plus, le modèle émergent du consommateur entrepreneur que nous avons annoncé accroîtra l'exigence à l'égard d'une consommation au service d'une recherche de construction et de cohérence de la personne.

Et puis, il y a tous ceux qui ne se considèrent pas saturés par les éléments de confort moderne, et qui, au contraire, compte tenu de leur pouvoir d'achat limité, aspirent aux standards de consommation supérieurs. À eux seuls, ils offrent une raison bien suffisante de vouloir un progrès de la consommation. Malheureusement, il n'est pas sûr que l'avenir leur soit favorable à tous. Nous sommes entrés dans une période d'accroissement des inégalités sociales dont rien ne laisse prévoir qu'elle sera de courte durée, ne serait-ce que parce qu'elle est liée à la remise en cause du modèle salarial traditionnel. Le consommateur entrepreneur coexistera vraisemblablement avec le *consommateur assisté,* disposant d'un revenu étriqué fait de minima sociaux, ce qui laisse planer la menace qu'au fil du temps leur consommation se démarque de plus en plus l'une de l'autre. C'est l'un des points les plus préoccupants dont il nous faudra également reparler.

Mais revenons à la possibilité effective de voir la consommation reprendre de la vigueur. Peut-on s'en convaincre en regardant ce qui se passe à l'étranger ? Si, au premier abord, on est frappé de constater que certains pays connaissent une langueur comparable à la nôtre, force est de reconnaître que ce n'est pas le cas de tous. La consommation en volume a progressé à un rythme annuel moyen de 1,4 % entre 1992 et 1996 en Allemagne, de 1,1 % en Italie et en Espagne et de 0,9 % au Japon, soit du même ordre de grandeur qu'en France : 1,3 % sur la même période.

Mais la situation en Grande-Bretagne a été plus favorable : 2,1 %. Et que dire des États-Unis ? Là-bas, la consommation a connu un rythme de croissance annuel de 2,6 % entre 1992 et 1996. Il s'agit pourtant du pays au niveau de vie le plus élevé de tous ceux que nous venons de citer, c'est-à-dire celui dans lequel on pourrait prétendre que, pour une large partie de la population, les besoins primaires sont satisfaits, même si l'on sait que la pau·

vreté est loin d'y avoir disparu. Qu'est-ce qui différencie tout de suite ces deux pays anglo-saxons des autres ? La réponse est simple : la conjoncture de l'emploi y a été plus favorable au cours de la période considérée. Il ne s'agit pas seulement du niveau du chômage, mais aussi du sens de son évolution, même si la plupart du temps ce n'est pas sans rapport. Bien que déjà assez bas en 1992 – 7,4 % –, le taux de chômage américain est descendu à 5,6 % en 1996, et il atteint même 4,7 % à la fin mai 1997, seuil que les analystes tendent à considérer comme incompressible, compte tenu de la mobilité indispensable du travail. De même en Angleterre, le chômage a évolué à la baisse, de 9,9 % à 7,7 %. À l'inverse, si l'on prend un cas extrême comme le Japon, le chômage apparemment très bas [6] a évolué dans le mauvais sens, au cours de la période, passant de 2,2 % à 3,5 %. L'Italie a connu un taux de chômage somme toute assez stable (autour de 12 %). En Espagne, la situation s'est nettement dégradée, de 18,3 % à 22 %. Quant à la France, on connaît les chiffres : le taux est passé de 10,3 % en 1992 à 11,8 % en 1996. Et que dire de l'Allemagne qui, elle aussi, a atteint en ce domaine un record historique au début de 1997 : 12,5 % de chômeurs, soit 4,3 millions de personnes.

Une mauvaise répartition freine la croissance

Mais la situation de l'emploi n'est pas tout. Le carburant de la consommation de chaque ménage, c'est l'évolution du pouvoir d'achat. Certains économistes affirment d'ailleurs que cette variable influence plus la confiance des ménages que le niveau du

---

6. Il y a une contestation sur l'objectivité du taux de chômage au Japon et une suspicion qu'il sous-estime fortement la réalité. Certains analystes pensent aussi que le taux de chômage britannique est trop beau pour être vrai, qu'il n'inclut pas des chômeurs bien réels... D'une façon générale, les comparaisons statistiques internationales doivent être faites avec beaucoup de prudence. Il est rare, malgré les efforts conjugués des statisticiens et des organismes internationaux – BIT, Eurostat... –, que les champs d'observation et les méthodologies soient identiques. Il en est de même dans un pays donné, au fil des réformes successives : que dire lorsqu'en France on transfère l'inscription des chômeurs de l'ANPE aux Assedic... ou bien lorsque l'on radie des listes les chômeurs ayant oublié de renvoyer leur carte mensuelle d'actualisation, sans attendre, comme on le faisait avant, les effets d'une lettre de rappel ?

chômage [7]. Bien entendu l'un et l'autre sont liés. Si 40 % des couples actifs craignent – ce qui est actuellement le cas – qu'à relativement court terme l'un des deux conjoints se retrouve au chômage, cela induit évidemment une anticipation de baisse possible du pouvoir d'achat. D'ailleurs, une lecture strictement économique du marché de l'emploi va dans ce sens : c'est parce que la réserve de main-d'œuvre est considérable qu'il y a aujourd'hui si peu de revendications à la hausse du pouvoir d'achat.

On a souvent rappelé dans les décennies 70 et 80 que la part des salaires dans la valeur ajoutée des entreprises était trop importante, qu'il fallait la diminuer en faveur des profits. Ce fut fait dans les quinze dernières années au-delà de toute espérance ! Les chiffres parlent d'eux-mêmes : en 1980, la France répartissait sa valeur ajoutée très nettement en faveur des revenus du travail (71,7 %) par rapport à ceux du capital (28,3 %). À titre de comparaison, la part des revenus du travail pour la même année, aux États-Unis, était de 66,1 % et de 70,8 % au Royaume-Uni. En 1995, les proportions se sont profondément modifiées. En France, le travail ne recueille plus que 60,3 % de la valeur ajoutée (c'est le taux le plus bas au moins depuis les années 1920 !), tandis qu'il continue à s'en voir attribuer 66,5 % aux États-Unis et 68,5 % en Grande-Bretagne [8] ! Complexée d'avoir été trop généreuse avec ses salariés, la France est devenue trop pingre à leur égard et cela lui joue de très mauvais tours en essoufflant sa demande intérieure. Certes, les profits se portent bien, les taux d'autofinancement battent des niveaux records, il en est de même pour la Bourse, mais l'investissement ne repart pas... justement parce que la demande est trop faible.

Depuis plusieurs années, le pouvoir d'achat global progresse trop lentement, mais derrière l'évolution moyenne se cachent des

---

7. C'est le cas de Raymond Courbis, directeur du GAMA, interrogé dans *Le Figaro* du 11 juillet 1996. À l'inverse, Denis Stoclet (sociologue) affirme dans *La Tribune* du 21 janvier 1997, modèle statistique à l'appui, que le niveau du chômage est la principale variable susceptible de relancer la consommation. Le débat est important. Selon l'hypothèse privilégiée, il modifie l'attitude à l'égard de la réduction du temps de travail, nous y reviendrons...

8. Cf. Thomas Piketty, *L'Économie des inégalités*, Paris, La Découverte, coll. Repères, 1997.

disparités qui, elles non plus, ne sont pas favorables à la consommation.

Pour certaines catégories sociales – celles qui ont le plus de besoins à satisfaire –, le pouvoir d'achat est même en régression certaines années et seulement stagnant à moyen terme. Prenons l'année 1995, l'une des meilleures pour les revenus puisque le contexte de l'élection présidentielle a favorisé la générosité financière comme de coutume. Certes, le chiffre officiel de la progression globale du pouvoir d'achat calculé par l'INSEE apparaît satisfaisant – + 2,5 % en un an –, mais sans être trompeur il est à interpréter. L'essentiel provient des redistributions sociales, des prestations en tout genre, dont beaucoup sont d'ailleurs en nature (comme les remboursements de l'assurance maladie) et non pas en espèces. Il est difficile – même si ce n'est pas faux d'un point de vue strictement économique – de se considérer plus riche parce qu'on a avalé plus de boîtes de médicaments que l'année précédente ! De plus, cet enrichissement par les prestations sociales se fait à crédit, c'est-à-dire au prix d'un endettement toujours plus important qu'il faudra bien rembourser un jour.

Mais si l'on s'intéresse au pouvoir d'achat du salaire net, c'est-à-dire de l'argent qui reste disponible après tous les prélèvements à la source (cotisations, CSG, RDS...), il n'a augmenté que de 0,4 % en 1995. Et encore, pour en arriver à un aussi piètre résultat, il faut prendre en compte la progression du niveau moyen des qualifications. En neutralisant cet effet, c'est-à-dire en regardant ce qui se passe pour un salarié qui n'a pas amélioré sa qualification, son gain de pouvoir d'achat n'a été que de 0,1 %, autant dire rien du tout. En 1995, le salaire net moyen s'est établi à 10 390 F, mais, comme l'indique l'INSEE, « la moitié des salaires nets sont inférieurs à 8 540 F et un quart à 6 670 F ». Et il s'agit presque d'une année faste, avec une progression de 4 % du SMIC le 1er juillet 1995, certes contrebalancée par la suppression de la remise forfaitaire de 42 F liée à la CSG. En fin de compte, les smicards ont vu leur pouvoir d'achat progresser de 1 % en 1995 alors qu'il avait baissé de 0,7 % en 1994 et de 0,8 % en 1993.

Continuons dans le préoccupant : le pouvoir d'achat du salaire des cadres a baissé de 0,7 % et celui des employés de 0,2 %. Certes, il faut toujours être prudent avec les statistiques, la *moyenne* du salaire des cadres (21 000 F nets mensuels en 1995) est tirée vers le bas du fait de la féminisation croissante de cette catégorie sociale ; mais il s'agit là d'une triste réalité – la sous-rémunération féminine – dont il faut malheureusement tenir compte.

Les cadres jouent un rôle essentiel dans la consommation. Forts d'un pouvoir d'achat nettement supérieur à la moyenne, ce sont eux qui permettent traditionnellement aux nouveaux marchés d'apparaître, qui achètent quand c'est encore cher et qui préparent ainsi la démocratisation à venir. Or ce processus est dorénavant largement en panne. Non seulement le salaire des cadres stagne et diminue même parfois, mais cela va de pair avec la montée de leur inquiétude pour leur retraite ou l'avenir de leurs enfants dorénavant soumis à la « galère » pour leur insertion professionnelle, presque autant que les enfants des autres catégories sociales. Tout cela les incite à la prudence et à l'épargne, pas à la consommation.

Abandonnons l'observation de la seule année 1995 pour faire un bilan plus significatif de la décennie qui l'a précédée. Les cadres s'en sont un peu mieux tirés que les autres catégories de salariés, mais pas beaucoup. Disposant en 1984 d'un budget moyen de 152 000 F par unité de consommation [9] (avant impôts, mais en intégrant les allocations familiales, en francs 1994), ils ont atteint la somme de 172 000 F en 1994. En dix ans, la progression n'est que de 13,2 % (soit un peu plus de 1 % par an). Et que dire des autres catégories de salariés ? Les professions intermédiaires (enseignants, infirmières...) sont passées de 103 000 à 106 000 F, la progression a été quasiment nulle. Les employés n'ont rien gagné de plus, stagnant à 80 000 F, et les ouvriers qua-

---

9. Le calcul en unités de consommation diffère de celui qui est fait par nombre de personnes, car il tient compte des économies d'échelle réalisées lorsqu'on vit ensemble. Ainsi, un couple comptera pour 1,7 unité de consommation, tandis que deux adultes habitant séparément vaudront deux unités de consommation. De même, chaque enfant de moins de 15 ans vivant au domicile de ses parents vaut 0,5 unité de consommation. Ces pondérations sont celles de l'échelle d'Oxford. De nouveaux calculs réalisés tant à l'INSEE qu'à l'OCDE tendraient à prouver que les économies d'échelle sont plus importantes encore. Un couple pourrait ne compter que pour 1,5 unité de consommation. Les variations de ces coefficients ont des conséquences importantes lorsqu'on cherche à comparer le niveau de vie des actifs à celui des retraités.

lifiés ont un peu gagné (68 000 à 71 000 F), ce que les ouvriers non qualifiés ont en revanche un peu perdu (60 000 à 57 000 F). Il n'y a pas lieu de faire un long discours pour comprendre le malaise des classes moyennes dont on parle si souvent !

Parmi les actifs, les indépendants ont connu une sensible progression de leurs ressources. De l'ordre de 15 % sur les dix ans pour les agriculteurs, artisans, commerçants et petits industriels (avec beaucoup de disparités interindividuelles et du fait de la cessation d'activité des plus pauvres d'entre eux), elle est beaucoup plus significative pour les membres des professions libérales (38,7 % en dix ans, passant d'un budget individuel de 173 000 F en 1984 à 240 000 F en 1994 [10]). Révélateur des nouvelles positions sociales respectives, anticipatrices de l'avenir, ce constat montre une dévalorisation relative du salarié comparée à celle du travailleur indépendant. Il n'en demeure pas moins vrai que ces évolutions ont joué un rôle négatif sur la demande finale, compte tenu des poids démographiques respectifs de chacune de ces catégories.

Si elle demeure fondamentale, la relation privilégiée qui lie le revenu disponible et la consommation varie tout de même assez sensiblement au cours du temps. On a ainsi constaté que, de 1982 à 1987, les Français avaient consommé davantage que ne le permettait la stricte progression de leur pouvoir d'achat. Alors que celui-ci ne progressait qu'au taux annuel moyen de 1,3 %, la croissance de la consommation en volume s'est maintenue au rythme double de 2,6 %. C'est exactement le contraire qui s'est produit ensuite : de 1988 à 1993, les deux grandeurs – pouvoir d'achat et consommation – ont progressé aux rythmes annuels respectifs de 2,4 et de 1,8 %. Et lorsque nous rappelions un peu plus haut qu'en 1995 le pouvoir d'achat avait réussi à progresser de 2,5 % grâce aux transferts sociaux, la consommation, quant à elle, n'a été majorée que de 1,7 %. C'est évidemment par le taux d'épargne et le crédit à la consommation que les deux grandeurs s'ajustent. De 1982 à 1987, le taux d'épargne a chuté et le crédit s'est très bien porté (trop bien d'ailleurs, provoquant des cas trop nombreux de surendettement qui furent à l'origine de la loi Neiertz). De 1988

---

10. Cf. INSEE, « Revenus et patrimoines des ménages », *Synthèses*, n° 5, 1996.

à 1995, le taux d'épargne n'a cessé de progresser pour atteindre le taux élevé de 14,5 % fin 1995. De nouveau, il a chuté de deux points au cours de l'année 1996, et a remonté aux alentours de 13 % au cours du premier semestre 1997.

Enfin, il nous faut parler des retraités. Le fait que leur revenu progresse plus vite que celui des actifs n'est pas à proprement parler une très bonne chose pour la consommation.

Aujourd'hui, les retraités ont un pouvoir d'achat **par tête** supérieur de quelques points (entre 3 % et 8 % selon les calculs) à celui des actifs. Ces enquêtes sur l'évolution des inégalités depuis le début des années 1980 (INSEE, CRÉDOC, CERC puis CSERC) sont unanimes : ce sont les grands gagnants de cette période. Leur revenu par unité de consommation est passé de 86 000 F en 1984 à 106 000 F en 1994, enregistrant une progression de 23,9 % en dix ans. Entendons-nous bien. Il ne s'agit pas de critiquer la situation des retraités, il faut au contraire s'en réjouir. Il s'agit plutôt de corriger ce que ce résultat révèle en creux, à savoir l'appauvrissement relatif et même parfois absolu de certaines générations beaucoup plus jeunes. Il faut en tout cas que les mesures fiscales et sociales à venir n'accroissent pas ce contraste et visent *prioritairement* à favoriser le redressement du pouvoir d'achat des plus jeunes. Bien entendu, cela nécessite de la croissance. Là encore, seule la croissance est capable d'assurer à la fois l'enrichissement des jeunes actifs et un niveau de vie satisfaisant des retraités. Sinon, c'est le dilemme, l'opposition d'intérêt et peut-être un jour la guerre des générations.

Le cycle de vie fait que les besoins à satisfaire apparaissent surtout du démarrage au milieu de la vie d'adulte. Ils se tassent par la suite, et il en est de même de la frénésie de consommer. Certes, on peut toujours se consoler du fait que les grands-parents financent en partie la consommation de leurs enfants et de leurs petits-enfants, ce qui risque de durer.

Nous allons, dans les pages qui suivent, chercher à mieux comprendre la dynamique du consommateur entrepreneur. Cette réflexion qualitative sur la consommation n'est pas déconnectée des raisonnements macroéconomiques qui précèdent. Bien au contraire, les deux sont liés. Il faut que le pouvoir d'achat revienne chez les actifs pour stimuler la demande et la croissance économique générale. Mais cela ne se fera plus selon les formes traditionnelles du salariat. C'est sous les nouveaux habits de l'activité et de l'emploi que s'amplifiera la nouvelle demande de consommation. On peut accélérer ce processus économique, ou au contraire le freiner, selon qu'on se donne les moyens de le penser, de le comprendre et de le maîtriser plutôt que de le subir.

Chapitre 2

LA SOCIÉTÉ POSTSALARIALE

> Le monde ne saurait changer
> de face sans qu'il y ait douleur.
>
> François-René de CHATEAUBRIAND,
> *Mémoires d'outre-tombe*,
> 1848-1850, XLIV, 9.

Commençons par le récit de deux aventures individuelles, bien différentes l'une de l'autre. Deux histoires comme il en existe des milliers. Celles-ci se passent dans l'univers des travailleurs indépendants. Elles vont nous permettre de camper de façon très utile les nouvelles situations professionnelles qui aboutissent à l'émergence du consommateur entrepreneur. Mais il va de soi qu'à des degrés moindres ces évolutions dans les modes de vie et dans les façons de penser dont elles témoignent sont vécues par un nombre grandissant de salariés.

Aujourd'hui, Pierre-Yves vend des piscines. À l'âge de 35 ans, il a décidé de quitter le Crédit agricole où il était entré douze ans plus tôt. La vie de bureau était si tranquille qu'elle en devenait ennuyeuse, les promotions régulières mais trop modestes. Ses diplômes ne lui auraient pas permis d'accéder à de très hautes responsabilités et il le savait.

Il a donc franchi le pas, il y a quatre ans. Notre doux pays est le deuxième au monde pour la densité des piscines privées – on ne le sait pas –, juste derrière les États-Unis. Là-bas, elles se montrent, ici elles se cachent. Signe que la diffusion commence à s'élargir, les produits d'entretien sont vendus en hypermarchés depuis le milieu des années 1990. C'est aujourd'hui un marché susceptible de décoller, et les perspectives sont plutôt bonnes. Le climat est favorable dans tout le sud de la France, et dès que l'on franchit la Loire vers le nord, il suffit d'adapter le produit – abri télescopique à effet de serre, circuit de chauffage de l'eau – pour qu'il soit aisé de profiter de ses agréments. Pierre-Yves est aujourd'hui concessionnaire exclusif dans son département de la marque Jean Desjoyaux. Cette entreprise familiale, qui porte le nom de son fondateur, est le premier fabricant d'Europe. Basée à Saint-Étienne, elle produit cinq mille piscines par an et ambitionne de devenir le premier constructeur mondial. Sans que l'on puisse déjà parler de démocratisation, le marché de la piscine s'étend et se rajeunit (4 propriétaires sur 10 ont moins de 33 ans). Pour peu que la surface du jardin soit suffisante, l'installation d'une piscine de gamme intermédiaire peut se faire avec un budget d'environ 100 000 F. C'est à peine plus cher qu'une voiture d'occasion et cela *valorise* le bien immobilier ; ce n'est donc pas une dépense nette. Dans les années de repli sur la famille et sur le logement face à un monde extérieur dangereux et dépressif, la piscine est devenue un équipement rêvé de *cocooning*. Est-ce un bien ? ou un mal ? Hormis les plaisirs objectifs qu'elle procure, cette dimension immatérielle explique en grande partie son succès croissant. Il se construit environ vingt-cinq mille piscines nouvelles par an en France, et l'on considère que ce marché pourrait exploser si l'on était capable d'arriver à un prix d'appel d'environ 50 000 F [1].

La grande distribution et les surfaces spécialisées en bricolage commercialisent également des piscines hors sol démontables et modulables qui sont bien loin de n'être que des bains de pieds dérisoires. On peut s'y amuser en famille et même, assez souvent,

---

1. La piscine est un produit avec une fourchette de prix très large qui dépend notamment de la part du travail d'installation que décide son acheteur. Certains bons bricoleurs, disposant du temps nécessaire, acquièrent un kit et effectuent tout le travail de montage par eux-mêmes. Dans ce cas, leur piscine peut déjà leur revenir à moins de 50 000 F.

faire quelques brasses. Selon les modèles, les prix sont alors beaucoup plus accessibles, ils varient de 5 000 à 20 000 F. Deux millions de ménages en sont déjà équipés, et ce marché connaît une progression annuelle moyenne de 15 % depuis 1992. Signe de l'intérêt pour ces produits, il arrive désormais couramment que ces magasins fassent des opérations commerciales de début d'été sur ce nouveau produit.

Mais revenons à Pierre-Yves. Ce qui nous intéresse particulièrement ici, c'est la forme de son activité professionnelle. Bien que rapidement devenue l'une des concessions qui marchent le mieux, le statut de son activité est celui d'une EURL : entreprise unipersonnelle à responsabilité limitée. Comme presque tous ses collègues, Pierre-Yves a le statut d'entrepreneur individuel. Officiellement, il n'emploie que sa secrétaire et il peut déclarer ses revenus sur sa feuille d'impôt de simple particulier. Il profite à fond de tous les avantages fiscaux et il n'est pas embarrassé par tous les désagréments et les tracas habituels d'un employeur. Souvent, une dizaine de personnes travaillent simultanément avec lui. Mais tous sont organisés en petites sociétés au statut artisanal dont Pierre-Yves a suscité la création et qu'il utilise comme sous-traitants.

D'ailleurs, le contrat type qu'il propose à chacun de ses clients est de *cotraitance*. Il y est explicitement indiqué que d'autres prestataires que lui-même interviendront sur le chantier : terrassiers, maçons, électriciens... Très étroitement surveillés par Pierre-Yves, appliquant scrupuleusement le cahier des charges établi par les ingénieurs de la maison mère, ils sont néanmoins réglés directement par le client, sur la base d'un devis que Pierre-Yves aura lui-même préparé. S'il n'y a pas de travail l'hiver, s'il faut au contraire terminer à la hâte un chantier pour le 14 juillet, ces travailleurs indépendants sauront s'adapter. Si, à la suite d'une maladresse répétée sur deux chantiers successifs, Pierre-Yves souhaite renouveler l'équipe de monteurs de piscines, aucune disposition du Code du travail ne viendra l'en empêcher ou même le retarder. Il lui suffira de ne plus passer de commande à ce sous-traitant et d'en susciter d'autres qu'il aidera à s'installer comme artisans. Ainsi, toute la chaîne de travaux, mis à part la construction industrielle des éléments de la piscine, sera réalisée en faisant appel non plus à des salariés, mais à des travailleurs indépendants.

Est-ce légal ? Oui, s'il ne s'établit pas de lien de subordination direct entre Pierre-Yves et ceux qui travaillent avec lui sans être ses salariés, et si, au cours de l'année, ils ont l'occasion d'intervenir sur d'autres chantiers que ceux de notre constructeur de piscines. Dans le cas inverse, il s'agirait de fausse sous-traitance. La limite entre le légal et l'illégal n'est pas toujours facile à établir. Dans certains secteurs d'activité, la fausse sous-traitance prolifère. Cela semble être le cas dans les transports. *Le Monde* relate le cas d'une entreprise bordelaise, qualifiée de « pionnière de l'innovation sociale », qui avait incité une cinquantaine de salariés à se mettre à leur compte tout en travaillant toujours pour elle. Mais il faut dire que les ficelles étaient un peu grosses : travaillant parfois soixante heures par semaine, ces chauffeurs « indépendants » louaient leur véhicule à l'entreprise, celle-ci apposait son logo sur les carrosseries, garantissait le dépannage si nécessaire ainsi que le remplacement du chauffeur en cas de maladie. L'entreprise s'est vu dresser un procès-verbal par l'Inspection du travail pour « travail clandestin par dissimulation de salariés [2] ». Dans un autre cas, également condamnée, une entreprise avait quarante véhicules et pas un seul salarié ! Pierre-Yves doit être vigilant à ne pas franchir le seuil de l'illégalité...

Autre région, autre situation sociale : traversons la France pour nous retrouver dans les contreforts pyrénéens, là où Jacques a décidé de vivre. Bien qu'il soit originaire du Pas-de-Calais, à 30 ans il se sent aujourd'hui chez lui dans cette région si belle, tellement ensoleillée et qui lui offre, à l'intérieur d'un périmètre étroit, les joies réunies de la montagne et de la mer. Les dix premières années de sa vie d'adulte furent à la fois joyeuses et difficiles. Il a beaucoup bourlingué et parfois galéré. Très tôt brouillé avec ses parents, il a connu l'échec scolaire, les stages sans débouchés, les déplacements qui ne mènent nulle part. Il a passé de longues soirées avec des copains à jouer de la musique et à boire de la bière, il en est même arrivé à toucher le RMI. Et puis, il a rencontré Patricia : ce fut sa chance. Dans une société qui

---

2. *Le Monde-Emploi* du 7 mai 1997, article de Francine Aizicovici.

collectivement ne fait plus de bébés, ils ont eu deux enfants coup sur coup. Voilà soudainement Jacques désireux d'assumer ses responsabilités pour la première fois de sa vie, vraiment adulte en quelque sorte.

Très vite, il a voulu sortir de sa situation où il se sentait pris au piège des prestations sociales et du travail au noir. C'est pourtant assez tentant. Les aides ne sont pas négligeables lorsqu'on a des enfants en bas âge et des revenus officiels en deçà des seuils de déclenchement des nombreuses prestations dites « à garanties de ressources ». Ses charges fixes ne sont pas excessives : le loyer qu'il paie pour la petite maison nichée dans ce village qui a perdu les quatre cinquièmes de ses habitants en un demi-siècle est comme on dit « symbolique ».

Avec le temps, Jacques a appris à se connaître et à savoir quelles sont ses qualités. Débrouillard, il est plutôt habile de ses mains et sait faire *du beau*. Il s'est attaché à comprendre et à aimer la culture locale dans laquelle peu à peu il s'enracine ; ce terroir est devenu le sien. Aujourd'hui, il a des clients, une quinzaine de réguliers auxquels s'ajoutent les occasionnels. Grâce à la déduction fiscale liée aux travaux ménagers et à la formule du chèque service qui évite de nombreuses formalités, ceux-ci ont compris que leur intérêt n'était plus forcément de faire appel à du travail au noir. Il faut dire que la plupart de ses clients sont des retraités qui, sans être riches, ont des revenus confortables, surtout ceux qui ont passé l'essentiel de leur vie professionnelle en région parisienne. Ce que Jacques préfère ? L'entretien des jardins, surtout les plus étendus, ceux dans lesquels il ne sert à rien de vouloir domestiquer la nature qui finit toujours par reprendre ses droits, dans lesquels il faut au contraire négocier un compromis végétal toujours provisoire. Mais il sait aussi reprendre les pierres d'un sentier de petite montagne pour le rendre à nouveau carrossable, retaper un cabanon depuis trop longtemps à l'abandon, et faire tant d'autres choses...

Au terme de parcours tellement différents, Pierre-Yves et Jacques sont tous les deux des nouveaux actifs. Le premier avait une vocation d'entrepreneur, sa nouvelle vie résulte d'un choix délibéré, ce qui n'est pas tout à fait le cas du second qui a dû s'adapter. Le premier gagne aujourd'hui de l'argent – beaucoup plus que lorsqu'il était salarié du Crédit agricole – et il en dépense en conséquence. Le second s'est habitué à une consommation sélective, parfois frugale ; en revanche, il a beaucoup de temps libre dont il sait profiter. Pourtant, tous les deux s'épanouissent dans leur travail respectif. Ils savent que leur activité profession-nelle est fragile ; rien ne dit, ni pour l'un ni pour l'autre, qu'ils seront encore en mesure de l'exercer dans dix ans. Il leur faudra peut-être alors se reconvertir, repartir de zéro dans de toutes nou-velles directions. À leur manière, comme une multitude d'autres, ils sont les mutants de notre fin de siècle, ceux qui sont déjà entrés un peu plus tôt que les autres dans la société postsalariale.

Nous vivons la fin d'une époque. Le salariat protecteur, inté-grateur, des Trente Glorieuses est définitivement derrière nous. De même que le travail des femmes et la baisse des taux de fécon-dité observée dès le milieu des années 1960 ont constitué une rup-ture sociologique majeure, les nouveaux rapports au travail vont bouleverser en profondeur les relations sociales. Avec le vieillis-sement démographique, ce sera la mutation essentielle des années à venir. Du fait de ces changements, à leur tour, les modes de vie et de consommation se trouveront considérablement transformés.

Salariés et non-salariés dans le postsalariat

La fin du modèle salarial ne signifie pas l'abandon de la forme juridique du contrat de travail à durée indéterminée, même si sa fréquence va en diminuant, à mesure que progressent les diffé-rents statuts d'entrepreneurs individuels et alors que se développe déjà d'une façon impressionnante le salariat précaire : CDD plutôt que CDI [3], temps partiels contraints, contrats dérogatoires (CES, etc.). L'avenir sera d'ailleurs vraisemblablement à une alter-nance des statuts dans le parcours professionnel de chacun avec tout de même plus de temps passé comme salarié que sous d'autres statuts.

Au gré de sa vie professionnelle – est-ce justifié de continuer à parler de « carrière » ? –, on connaîtra probablement plusieurs

---

3. D'après l'enquête de l'INSEE sur l'emploi, en 1995, plus de 60 % des embauches des 25-50 ans se faisaient en CDD, et ce taux dépasse même les 80 % pour les moins de 25 ans.

statuts successifs : salarié en début de carrière, à son compte à la suite d'une restructuration, en formation un certain temps, salarié de nouveau mais à temps partiel, puis consultant libéral... Certains partageront même leur activité entre différents temps partiels, régis chacun par un statut différent.

Cette alternance et ce cumul des statuts concernent de plus en plus de métiers, et pas seulement les cadres. Il est devenu de règle, dans les journaux où le nombre de permanents salariés dans la rédaction est inférieur à celui des pigistes, que certains évoluent au gré des postes d'un statut à l'autre ou complètent leur activité principale dans un titre par des collaborations occasionnelles ou régulières dans d'autres. La plupart des réalisateurs de télévision sont des travailleurs indépendants choisis par le producteur au coup par coup. Les maquilleuses des plateaux de télévision sont presque toutes des intermittentes du spectacle, y compris dans les chaînes de service public. Il en est de même désormais, on ne le sait qu'assez rarement, des cameramen, ingénieurs du son, etc. Les professionnels des études de marché, des spécialistes de bilan social dans les entreprises ou de conseils en tous genres, sont couramment à cheval entre différents statuts : salariés intégrés à une grosse entreprise quelques années, travailleurs indépendants, collaborateurs à un cabinet de conseil sous cette forme ou sous l'autre.

Un nombre de plus en plus important d'universitaires, qui sont fonctionnaires, complètent leur activité par du conseil en entreprise et sont rémunérés en tant que professions libérales. C'est d'ailleurs le motif inavoué du ministère du Budget pour ne pas revaloriser leurs traitements. Cela concerne potentiellement toutes les disciplines : les physiciens vont aider les entreprises industrielles, tandis que les économistes vont intervenir dans les banques, certains historiens vont contribuer à reconstituer l'histoire d'une institution ou d'une entreprise, des philosophes vont conseiller des P-DG... et des juristes vont contribuer par leurs conseils à ce que toutes ces collaborations rentrent dans un cadre à peu près légal. Le statut d'universitaire est d'ailleurs d'une postmodernité étonnante, il permet pratiquement toutes les formes de cumul d'emplois : on peut garder son poste et son traitement (et les quelques heures minimales d'enseignement qui y sont attachées) tout en étant rédacteur en chef d'un magazine, député et même ministre ! Des exemples récents l'ont montré.

L'évolution est identique dans des secteurs d'activité manuelle et bien souvent à l'autre extrémité de l'échelle sociale. Nous avons déjà vu que les maçons qui travaillaient pour Pierre-Yves étaient déjà leurs propres patrons, au moins du point de vue de l'URSSAF. Mais, en ce domaine, le cas le plus remarquable concerne sans doute celui des personnes recrutées pour effectuer des travaux domestiques (nous voici plutôt du côté de Jacques). De 1987 à 1995, le nombre d'emplois créés dans ce secteur se situe à 70 000 en équivalents temps plein (c'est-à-dire à plusieurs centaines de milliers de temps partiels, plus fréquents, dans ces activités). Nous verrons plus loin la large palette des fonctions susceptibles d'être remplies en ce domaine, mais ce qu'il est important de souligner ici, c'est la non moins grande variété des statuts sous lesquels elles peuvent s'exercer.

L'époque du domestique à temps plein, nourri et logé, est bien révolue, sauf peut-être pour quelques ménages très aisés, plus nombreux aujourd'hui qu'il y a quinze ans (c'est ce qui ressort de toutes les enquêtes sur l'accroissement des inégalités) en raison de l'élargissement de l'avantage fiscal porté de 12 500 à 45 000 F en 1995 [4]. Officiellement, les employés de maison sont des salariés, mais en pratique la situation est bien moins claire. On assiste à l'émergence de nouvelles situations. Il y a tout d'abord le cas du salarié d'employeurs multiples qui fonctionne de fait comme un travailleur indépendant. Il doit rechercher ses clients et il est de plus en plus souvent rémunéré avec des chèques services. Mais il peut arriver que ce salarié soit à cheval entre des employeurs de statuts distincts (un particulier et une entreprise), rémunéré à des taux horaires différents, avec des cotisations sociales employeurs versées à des caisses de prévoyance et de vieillesse distinctes. Selon le cas, il peut lui arriver de devoir lui-même envisager de

---

4. Un rapport de la Cour des comptes montre qu'en cumulant ces avantages en matière d'impôts sur le revenu avec ceux résultant de l'AGEP (allocation remboursement des charges sociales correspondant au salaire d'une garde d'enfants de moins de 3 ans à domicile et dont les deux parents travaillent) une famille peut, dans ce cas, ne payer finalement qu'un tiers du coût salarial global de cette aide familiale, soit 3 000 F par mois pour un temps plein (d'après un article du *Monde* du 22 septembre 1996).

se trouver un (ou des) remplaçant(s) durant ses périodes de congé, pour lesquelles il doit d'ailleurs songer à épargner car elles lui sont payées chaque mois sous forme d'une prime qui s'ajoute à son salaire mensuel. Il est clair également que les éventuels conflits entre l'employeur et l'employé s'apparentent davantage à des insatisfactions d'un client à l'égard d'un fournisseur, comme dans le cas d'une activité libérale.

Toutes ces situations inaugurent ou développent des formes d'emplois qui, en contrepartie de la souplesse qui les caractérise, semblent accumuler au moins autant de désagréments que d'avantages, comparées au salariat traditionnel. Les premières études sur les utilisations du chèque service sont éloquentes : l'activité moyenne est de cinquante-deux heures par mois en 1995, pour un revenu mensuel moyen de moins de 2 000 F par mois [5] (sans tenir compte, il est vrai, du fait qu'une partie de l'activité continue vraisemblablement assez souvent à s'effectuer au noir). D'ailleurs, dans de nombreux cas, il existe une très forte aspiration à être intégré dans une structure salariale classique. Il est fréquent, par exemple, que les personnes exerçant des travaux à domicile, lorsqu'elles bénéficient d'une formation qualifiante destinée à renforcer leurs compétences dans ce secteur d'activité, visent non pas l'amélioration de leur performance chez les particuliers, mais leur intégration comme salarié à plein temps dans des maisons de retraite, des groupes scolaires...

Au-delà de la forme juridique de leur activité, salariés et non-salariés d'un jour ou d'une période plus longue devront inventer ensemble, avec certainement beaucoup de difficultés, ce nouveau rapport au travail. Nous allons en développer les principales caractéristiques.

Le premier changement tient à l'éclatement des lieux de travail. Une enquête de l'IFOP nous apprend que, dès maintenant, le tiers de la population active française utilise son domicile pour y travailler au moins occasionnellement en moyenne 6 heures 30 par semaine, soit l'équivalent d'une journée de travail. Ce taux, déjà important, dépassera dans quelques années les 50 %. Cela signifie qu'au-delà des professions libérales ce sont tous les cadres qui

---

5. Serge Zilberman, « Le chèque emploi service : un an d'expérimentation », DARES, *Premières Informations*, n° 502, décembre 1995.

sont concernés et, derrière eux, bien d'autres catégories de travailleurs intermédiaires et d'employés. À l'avenir, il y aura vraisemblablement deux variantes dans cette progression du travail à la maison. Celle dans laquelle le bureau continuera à être un point fixe où l'on se rendra une partie importante de la semaine et celle où, au contraire, il aura complètement disparu. Selon les secteurs professionnels et les cultures d'entreprises, on adoptera l'un ou l'autre de ces modes d'organisation. En France, on restera certainement plus longtemps attaché au lieu de travail collectif que dans les pays anglo-saxons, mais cela n'empêchera pas le développement d'une partie du temps de travail à la maison.

En 1996, l'une des filiales parisiennes d'Arthur Andersen vient, en déménageant son siège central, de s'adapter à cette nouvelle donne. Les consultants n'y disposent plus d'un bureau permanent : l'entreprise propose un pool de bureaux moins nombreux mais polyvalents, que l'on peut utiliser à tour de rôle selon ses besoins. À condition de le signaler à l'avance, chaque consultant trouve, dans le bureau qui lui est affecté pour un jour ou deux, une ligne de téléphone qui répond à son numéro habituel et un meuble à roulettes contenant ses dossiers en cours de traitement. D'autres sociétés de consultants se sont empressées de copier la formule...

En Amérique du Nord, le responsable de la première chaîne de grande distribution Wall-Mart pour la Nouvelle-Angleterre ne dispose déjà plus d'un siège régional physiquement identifié. Comme la plupart de ses collègues, ce haut responsable travaille, selon les circonstances, à son domicile, dans sa voiture ou dans chacun des magasins du large périmètre dont il s'occupe. Dans certains pays d'Europe, General Electric ou Rhône-Poulenc commencent aussi à faire la même chose. IBM a considéré que les besoins en bureaux fixes de ses agents commerciaux en Île-de-France pouvaient être réduits de 12 à 4 m^2 par personne, réalisant du coup une économie de 180 millions de F par an et un gain de productivité indéniable : sans bureau permanent, les commerciaux ont accru le temps passé chez les clients, ce qui a augmenté le chiffre d'affaires [6].

---

6. Exemple rapporté par Paul Molger dans le dossier qu'il a réalisé sur le télétravail, dans *Les Échos* du 22 janvier 1997.

Il y aura de moins en moins d'unicité du lieu de travail. Celui-ci se fera à la fois, et selon les circonstances, au domicile, en voiture, au bureau, à l'hôtel, dans les transports en commun, chez ses clients ou chez ses fournisseurs. Bien entendu, cela bouleversera les rapports hiérarchiques. Mais la société postsalariale n'aura plus besoin de petits chefs. L'autorité sera négociée, coproduite par l'ordonnateur et l'exécutant. Même lorsque la forme juridique restera celle du salariat, les rapports hiérarchiques seront remplacés par des relations de passeurs d'ordres à sous-traitants. Les nostalgiques des horloges pointeuses en seront pour leurs frais. Évidemment, dans la situation intermédiaire où nous sommes, cette vision effraie plus qu'elle ne réjouit nombre de responsables d'entreprise habitués aux règles du passé [7].

Les grèves françaises de décembre 1995 ont, bien involontairement, accéléré les prises de conscience et les expérimentations. En région parisienne, beaucoup de salariés de petites entreprises ont été dans l'impossibilité de se rendre quotidiennement sur leur lieu de travail durant plusieurs semaines. Après s'être épuisés en déplacements qui dépassaient souvent six heures par jour, certains ont convaincu leur hiérarchie de les laisser emporter du travail à la maison. Cette derniere eut l'heureuse surprise de constater l'efficacité de ce compromis. Loin du bureau, les salariés – souvent des employés – n'avaient pas comme premier souci de s'ébattre dans la nature, mais bien au contraire de réaliser le travail en cours et, fiers de prouver ainsi leur conscience professionnelle, de démontrer qu'ils méritaient cette confiance que les circonstances leur avaient permis d'obtenir. On découvrit aussi à cette occasion que la productivité pouvait être bien supérieure chez soi, sans être dérangé comme on l'est toujours au bureau. Depuis plusieurs années, leurs patrons, lorsqu'ils devaient rédiger une note stratégique nécessitant une forte concentration, en avaient déjà fait l'expérience.

---

7. Certaines tentatives sont des échecs et forcent à des retours en arrière. Ainsi l'Institut géographique national, qui a envisagé de transformer ses cartographes en travailleurs à domicile avec le statut de travailleurs indépendants. Les causes de l'échec sont liées au coût d'équipement, au fait que cela visait des personnels recrutés dans les années 1960. « Cette mutation s'est heurtée à des freins techniques et psychologiques », indique Jacques Savignac, l'un des responsables de l'Institut dans *Les Échos* du 22 janvier 1997.

C'est d'ailleurs à l'issue de cette grève que le Conseil régional d'Île-de-France décida de financer le programme, plusieurs fois reporté, de stations de télétravail en libre-service à proximité de certains équipements publics traditionnels : les bureaux de voisinage. Encore un peu futuristes, ils pourraient permettre aux salariés de se passer, certains jours, des longs et fastidieux trajets dans les transports en commun ou dans leur voiture particulière.

Le premier site de ce genre sera installé dans la ville de Provins [8] où 1 500 personnes se déplacent chaque jour dans la capitale pour travailler, ce qui leur demande en moyenne 3 heures 20 de trajet. Selon une étude réalisée par le Catral (agence régionale d'Île-de-France pour l'aménagement du temps), plus du tiers des emplois urbains dans les grandes métropoles d'Europe consisterait en une activité pouvant être réalisée à 20 % sous forme de télétravail : rédaction de dossiers, envoi de correspondances, mises à jour de fichiers... Le Catral estime que l'Île-de-France couvrirait ses besoins en installant une centaine de ces bureaux de voisinage, dont le coût individuel serait de 3 millions de F. Les entreprises devraient s'abonner pour que leurs salariés puissent profiter des équipements mis à leur disposition : bureaux permanents ou à la demande, espaces de services communs partagés, centres de transmission de données, salle de réception des clients ou des partenaires... Le poste de travail devrait leur être facturé de 400 à 600 F la journée. Il n'y a pas que les salariés que le Catral devra peu à peu séduire, mais aussi les entreprises.

Les perspectives de développement du télétravail sont considérables. Pour s'en convaincre, il suffit d'observer la variation de la proportion de télétravailleurs des grandes entreprises implantées en France. Ainsi, en informatique, 45 % des emplois sont concernés chez Digital et 11 % chez Compaq, contre seulement 1 % chez IBM et 3 % chez Bull. Chez Axa, c'est 5 % des emplois et chez France Télécom près de 4 %, contre seulement 0,6 % à EDF et moins de 0,1 % au Crédit Lyonnais [9]. La recherche de réduction des frais généraux, première motivation des

---

8. L'ouverture est prévue fin 1997-début 1998. Devraient suivre très vite quatre autres implantations, à Gif-sur-Yvette, Marly-le-Roi, Rueil-Malmaison et Issy-les-Moulineaux.

9. Cf. *Télétravail Magazine*, journal lancé en décembre 1995.

employeurs, forcera le développement du télétravail. Plus encore pour les très grandes entreprises que pour les plus petites, l'organisation laissant une place importante au télétravail, elle nécessitera une déconcentration des pouvoirs, une promotion de la responsabilité individuelle et de la logique des réseaux.

Aux États-Unis, 9 millions d'Américains sont déjà des télétravailleurs. Les estimations avancent le chiffre de 12 millions de « télécommuters » avant l'an 2000 ; quatre patrons sur cinq estiment que le travail à distance sera appelé à se développer dans leur entreprise [10]. D'un côté comme de l'autre de l'Atlantique, les arguments sont les mêmes : gains de productivité (amélioration de 20 % chez Hewlett-Packard pour les télétravailleurs), réduction de la pollution atmosphérique par élimination des trajets entre le domicile et le travail, meilleure qualité de vie grâce au choix de ses moments de travail et de détente.

On sous-estime le développement du travail à domicile en France car on veut trop le définir par opposition au travail traditionnel en entreprise. Thierry Breton, auteur en 1994 d'un rapport célèbre [11], et dorénavant aux commandes du groupe Thomson, donne une définition extrêmement restrictive du télétravail : il doit s'effectuer « à distance, hors de toute possibilité physique pour le donneur d'ordres de surveiller l'exécution de la prestation [...], au moyen des outils informatiques et/ou de télécommunications, ce qui implique nécessairement la transmission [...] des données utiles à la réalisation du travail ». À ce compte-là, il est clair qu'il n'y aura vraisemblablement qu'un petit nombre d'actifs concernés. Il faut élargir la définition pour embrasser toute la diversité des situations prévisibles : d'abord, ceux qui travaillent sur leur micro-ordinateur personnel et qui se contenteront d'en transmettre les disquettes lorsque cela sera nécessaire, en allant plusieurs fois par semaine physiquement au bureau pour assister à certaines réunions, ou tout simplement pour rester en phase avec la culture de l'entreprise et travailler quelque temps à l'intérieur de ses murs. Il y aura également ceux qui, selon la conception traditionnelle du travail posté avec des horaires

---

10. Cf. *Capital*, n° 187, août 1996, dossier spécial « Amérique ».
11. Thierry Breton, *Le Télétravail en France*, La Documentation française, 1994.

imposés, exécuteront à domicile des tâches sous le contrôle extrêmement strict de leur responsable hiérarchique : enquêteurs ou prospecteurs téléphoniques, par exemple. D'un côté, c'est la suppression de toute surveillance pointilleuse, de l'autre, c'est au contraire une survivance du taylorisme.

Quoi qu'il en soit, les Français croient au télétravail. Une enquête révèle d'ailleurs que 54 % d'entre eux pensent même qu'il est en mesure de créer des emplois. Ce sont les femmes, les moins de 25 ans, les cadres, les dirigeants d'entreprise et les Parisiens qui le pensent le plus. Pour 70 % des personnes interrogées, le télétravail « apporte souplesse et autonomie », et la formule du « double mi-temps » qui partage la semaine en deux moitiés passées l'une au bureau et l'autre au domicile a la faveur de 59 % des personnes interrogées [12], c'est ce que l'on dénomme parfois le « télétravail pendulaire ». En Europe continentale, et plus particulièrement en France, c'est cette formule en temps partagé qui s'imposera. Le télétravail non pas en opposition au travail effectué au bureau, mais en complémentarité, comme une façon d'en diversifier les modalités tout en minimisant le principal inconvénient déclaré dans cette enquête : « le fait d'avoir moins d'échanges avec les collègues ».

Bien entendu, le travail chez soi, au moins à temps partiel, nécessitera certains aménagements du logement, de sa taille et de son équipement. Nous les envisagerons plus loin, comme l'un des nouveaux marchés de consommation. Mais indiquons tout de suite qu'on assistera également à une évolution symétrique : les bureaux deviendront plus souvent « des lieux de travail pour vivre », marquant bien là l'évolution de fond, celle qui remet en cause le cloisonnement entre les lieux de la vie professionnelle et ceux de la vie domestique. Si le travail à la maison est susceptible de développer l'« entreprise virtuelle », l'aménagement des bureaux pour les grandes entreprises accordera plus d'importance à l'« entreprise cocooning » : site considéré comme un village avec boutiques, agences de voyages, marchands de journaux,

---

12. Enquête BVA-CT Métrie réalisée pour les entreprises françaises de l'ameublement, rendue publique le 2 août 1997 dans le colloque organisé par le Conseil régional d'Île-de-France « Comment travaillerons-nous demain ? ».

cafés [13]... Quant aux plus petites, elles développeront davantage de convivialité et il n'est pas exclu que leur aménagement se fasse avec une partie de mobilier jusqu'à présent réservé aux logements.

Le second changement de taille dans les modes de travail à venir est le passage d'une logique des qualifications à une logique plus complexe des compétences. Comment distingue-t-on les deux notions ? La qualification est un savoir technique sanctionné par un diplôme ou une reconnaissance spécifique à l'entreprise ou à la branche professionnelle. Une compétence est beaucoup plus large, elle inclut une capacité à utiliser des qualifications distinctes, à les combiner et à les mettre à jour. Dans un cas, le savoir est rigidifié et son application standardisée, au moins pour une certaine durée ; dans l'autre, le savoir est adaptatif et son application changeante avec les situations et les cas. Mais un point est essentiel : il faut « remettre le *sujet* au centre de la compétence. L'individu peut être considéré comme *constructeur* de ses compétences [14] ». Il est clair que les qualifications appartenaient à l'arsenal des conditions nécessaires au système de production fordiste et que les compétences sont au contraire ce que requiert le postsalariat. Comprenons-nous bien : les compétences incluent les qualifications, ce qui signifie qu'il faudra bien continuer à acquérir ces dernières.

Dans une large mesure, le système éducatif n'a pas encore intégré cette mutation ; bien qu'ayant longtemps refusé, en France, de s'adapter au besoin de qualifications précises des entreprises au cours des Trente Glorieuses – ce qui lui fut souvent reproché –, il se retrouve paradoxalement bien placé pour répondre à l'appel des compétences. Encore faut-il savoir reconnaître celles qui sont aujourd'hui indispensables. La première de toutes n'est autre que le fait d'apprendre à apprendre. Il faudra savoir apprendre très vite une nouvelle langue, une nouvelle logique informatique, un savoir technique industriel, une nouvelle réglementation internationale. La compétence relationnelle sera

---

13. Alain Lebaube, « Des lieux de travail pour vivre », *Le Monde-Emploi*, 2 avril 1997.

14. Guy Le Boterf, « Pour une définition plus rigoureuse de la compétence », *Le Monde Initiatives*, 2 juillet 1997.

aussi primordiale. Parce que les machines accompliront l'essentiel des tâches d'exécution et de transaction, elles ne sauront être simples et se laisser piloter. L'intelligence que nécessiteront leur conception, leur introduction, leur paramétrage et leur maintenance sera collective. Il faudra en permanence négocier, convaincre et s'adapter. Quel que soit son secteur d'activité, chacun devra posséder un minimum de compétence commerciale car tous auront à acheter ou à vendre quelque chose [15].

Une formation seulement théorique et trop longue est tout autant inadaptée que le serait la remise au goût du jour de la vieille idée de placer dès l'adolescence des bataillons de jeunes dans les entreprises. L'avenir nécessitera l'alternance des temps et des lieux. Avoir un contact précoce et effectif avec l'entreprise – grande ou petite – et garder simultanément une insertion la plus durable – pourquoi pas toute la vie ? – dans les structures d'enseignement, tel sera l'enjeu. Dans le fond, envoyer très tôt les jeunes faire des stages professionnels se justifie par une raison essentielle : c'est le seul moyen de découvrir le pragmatisme qui y est à l'œuvre. Il ne s'agit pas de rapprocher l'école et l'entreprise pour laisser croire que les lieux peuvent se ressembler. Au contraire, c'est parce qu'ils sont radicalement différents qu'ils doivent se compléter.

On acquiert des compétences par l'alternance entre la pratique et sa relecture critique qui nécessite bagage culturel et capacité d'abstraction. Ce sera de plus en plus nécessaire tout au long de la vie. Il en découlera une demande accrue pour la consommation de produits culturels. N'est-ce pas ainsi que s'explique le développement des programmes éducatifs à la télévision : marché estimé à 6 milliards de dollars, à la fois stimulé par des mesures réglementaires (aux États-Unis, amendement de la Federal Communication Commission qui impose un quota de 3 heures de programmes éducatifs par semaine) et par le succès auprès des téléspectateurs (5,5 % d'audience en moins de 3 ans pour La Cin-

---

15. Dans une recherche récente, le CRÉDOC a montré que cette tendance concernait également les métiers du social et que cela participait au malaise des travailleurs sociaux. Cf. Patrick Dubéchot, « Construction et analyse des compétences dans le secteur éducatif et social », *Cahier de recherche du CRÉDOC*, n° 86, mai 1996.

quième en France, diffusion dans 140 pays de Discovery Chan-
nel) ? C'est aussi cette tendance qui justifie le changement de posi-
tionnement du *Monde de l'éducation*, devenu aujourd'hui *Le
Monde de l'éducation, de la culture et de la formation* afin d'élargir
son lectorat bien au-delà des enseignants.

Tous les métiers seront concernés par ce passage de la qualification à la compétence, du haut en bas de l'échelle sociale. Lorsqu'on met aujourd'hui en exergue des situations apparemment
paradoxales, telles que celles de *polytechniciens au chômage*, c'est
bien de cela qu'il s'agit. Les systèmes de sélection par concours
de nos élites ne garantissent pas que ceux qui en sortent brillam-
ment disposent de la souplesse d'adaptation nécessaire, ou qu'ils
l'acquerront rapidement au bout de quelques années [16]. Le raisonnement vaut également pour un grand nombre de cadres – y
compris supérieurs – écartés de l'emploi entre 50 et 60 ans. Il y a
une certaine élégance à dire qu'ils sont remerciés parce qu'ils coûtent trop cher. La réalité est plus cruelle : bien souvent, les jeunes
cadres recrutés à leur place disposent tout simplement d'une
capacité d'adaptation bien plus grande et, *en plus*, ils coûtent
moins cher. Les plus âgés n'ont pas mécaniquement davantage
d'*expérience* utilisable. Si celle-ci a été acquise dans des formes
d'organisation extrêmement traditionnelles, elle paraît même
constituer un handicap – parfois à raison, parfois à tort – pour
faire face aux défis du futur. Bien entendu, dire cela ne disculpe
pas tous ceux qui les ont licenciés ou précipités vers une prére-
traite, au moins responsables de ne pas avoir prévu cette évolution à temps et de n'avoir rien fait pour permettre aux personnes
concernées de se former à d'autres disciplines, d'acquérir de nouvelles compétences.

---

16. D'une façon générale, ce changement devrait entraîner une relativisation
de la logique des diplômes. Il existe déjà des techniques de recrutement alternatives à celles des diplômes comme, par exemple, celle dite des « habiletés ».
Il s'agit de repérer, pour les postes vacants, les « habiletés » qu'ils requièrent et
de faire passer des tests aux candidats à l'embauche pour savoir s'ils les possèdent ou s'ils ont la capacité de les acquérir. C'est selon cette méthode cana-
dienne, importée en France par le directeur départemental de l'ANPE des Deux-
Sèvres, que l'ANPE d'Aix-en-Provence eut à aider au recrutement d'environ
800 opérateurs et 400 techniciens pour deux grosses sociétés dont l'une, filiale
du Groupe Thomson. France Télécom s'intéresserait aussi à cette méthode
(d'après Frédéric Lemaître dans *Le Monde* du 23 novembre 1996).

Cette évolution profonde, dont on voit les risques, recèle aussi des opportunités. L'appel aux compétences peut s'avérer un peu moins injuste socialement que la hiérarchie figée des diplômes et des concours, censés établir une fois pour toutes les compétences. C'est lorsque l'avenir est incertain, lorsque rien n'est écrit à l'avance, que les aventures individuelles deviennent possibles et que l'initiative et l'imagination peuvent être récompensées. La logique de la reproduction sociale, si elle existe toujours, devient un peu moins facile et doit cohabiter avec des trajectoires individuelles plus nombreuses qui parfois la transcendent. À leur grand désespoir, nombre de cadres supérieurs ou de professions libérales qui ont réussi savent que leurs enfants n'en feront pas autant. Doit-on se lamenter sur cet affaiblissement prévisible de l'héritage social [17] ?

---

17. Lorsque, dans les années 1970, Jean-Jacques Servan-Schreiber propose d'équiper massivement d'ordinateurs toutes les écoles, il formule une proposition réellement subversive pour l'ordre social de l'époque, et c'est probablement la raison de son échec. On aurait alors découvert que, sans connaissances préalables, les enfants des banlieues difficiles – elles existaient déjà ! – auraient pu faire aussi bien que ceux des quartiers favorisés. Prendre vingt ans d'avance, c'était risquer d'anticiper sur la remise en cause des avantages de l'héritage social dont jouissait la partie supérieure des classes moyennes. On avait déjà connu pareille situation avec les programmes de mathématiques dans les années 1960. L'émergence brutale de la théorie des ensembles et la systématisation de l'enseignement des *maths modernes* bouleversaient l'ordre tranquille des classes sociales. Les parents culturellement aisés ne comprenaient plus rien aux nouveaux programmes et n'étaient plus en mesure d'aider leurs enfants. La sélection par l'enseignement risquait de s'ouvrir socialement. On la critiqua bien vite pour revenir à des programmes plus traditionnels qui rétablissaient l'ordre social. J'en parle en connaissance de cause, car je dois à ces quelques années d'anticonformisme dans les programmes d'avoir échappé à une logique purement sociale de sélection. En CEG, faisant du « fer » et du « bois », je découvre avec passion les *maths modernes* et elles m'amusent. Grâce à elles je rejoins le lycée en seconde classique avec seulement deux autres camarades. En 1985, Laurent Fabius, alors Premier ministre, lança « le plan informatique pour tous » destiné à équiper tous les établissements scolaires et à initier tous les enfants aux nouvelles technologies. En 1996, il n'y avait toujours qu'un micro-ordinateur pour 45 élèves d'école primaire, un pour 30 élèves de collège, un pour 12 élèves de lycée d'enseignement général et un pour 8 élèves de lycée professionnel. À nouveau, en février 1997, François Fillon, ministre délégué à la Poste, aux Télécommunications et à l'Espace, annonce le lancement d'un vaste plan d'informatisation des écoles et de raccordement de l'ensemble des établissements scolaires à Internet. Jacques

Troisième changement lié à l'entrée dans la société postsala-riale : le renversement radical de l'importance relative des grosses et des petites structures d'emplois. De ce point de vue, la situation américaine est éloquente. De 1990 à 1994, les PME ont créé aux États-Unis environ 7 millions et demi d'emplois. Ce sont les entre-prises qui occupent seulement de une à quatre personnes qui ont réalisé pratiquement la moitié de cette performance : 3,4 millions d'emplois créés. Celles qui emploient de 5 à 20 personnes ont créé 2,9 millions d'emplois. La tranche des entreprises aux effectifs situés entre 20 et 100 salariés a généré 1,2 million d'emplois sup-plémentaires, tandis que celle des 100 à 500 salariés n'a ajouté que 0,2 million d'emplois [18]. Même au sein des PME, ce sont donc les toutes petites entreprises qui sont créatrices d'emplois. On sent bien qu'en réalité, dans la majorité des cas, il s'agit d'entre-prises individuelles. Outre-Atlantique, Pierre-Yves et Jacques ont eu de nombreux précurseurs. Le développement des petites entre-prises va de pair avec la concentration des très grosses entreprises à un niveau mondial, l'émergence de géants dans tous les secteurs industriels. En effet, pour être gouvernables, ces entreprises mas-todontes font une large place à la déconcentration des décisions, transformant ainsi leurs responsables d'unités locales en chefs de petites entreprises virtuelles, qui d'ailleurs externalisent de nom-breuses tâches vers des petites entreprises bien réelles.

Contrairement à une vision trop souvent réductrice et dédai-gneuse du redémarrage américain des années 1990, les emplois créés dans ces petites entreprises ne sont pas seulement composés de petits boulots, liés au service à domicile : livreurs de pizzas ou nettoyeurs de moquettes. Beaucoup de ces très petites entreprises sont spécialisées dans l'interface informatique, communication. Elles créent des logiciels, construisent des réseaux, gèrent des banques de données, fabriquent des accès aux autoroutes de l'information... Elles emploient donc un personnel très compétent qui est souvent très correctement rémunéré.

Il faut dire que tout est fait aux États-Unis pour encourager la

---

Chirac confirme à la télévision cet engagement, quelques semaines plus tard, dans le cadre de son émission centrée sur les questions de la jeunesse.

18. Source : statistiques de la Small Business Administration, *Entrepreneur-The small business authority*, septembre 1996.

création de petites entreprises : dispositions fiscales très avantageuses, nombreuses sociétés de capital-risque (environ 700),
bourse accordée aux PME de haute technologie : le Nasdaq,
National Association of Securities Dealers Automated Quotations,
dont la capitalisation atteint des sommets depuis deux ans, au
point de représenter déjà un cinquième du fameux Nyse : New
York State Exchange. Le Nasdaq cote plus de 5 200 entreprises,
ce qui constitue le record mondial, dont Microsoft et Netscape
qui sont restées fidèles à la place boursière qui a permis leur spectaculaire développement.

Qu'en est-il de l'Europe ? Les très petites entreprises (TPE), par
convention celles qui emploient moins de 10 salariés, représentent environ le tiers de l'emploi. En France, elles sont 2,2 millions
dont la moitié sont des entreprises individuelles. Elles emploient
3,5 millions de salariés, soit 26 % de l'emploi comptabilisé par
l'Unedic (hors secteur public et agricole), ce taux variant de 17 %
en Allemagne à 48 % en Italie. En France, on atteint un peu moins
du tiers des emplois en incluant les entreprises dont l'effectif était
compris entre 10 et 20 salariés et même plus des deux cinquièmes
en allant jusqu'à 50 personnes. Mais c'est bien la direction vers
laquelle nous allons. Selon l'Unedic, la progression des effectifs
salariés dans les TPE de 1985 à 1995 a été de 20,1 % tandis que
celle de l'ensemble des PME n'a été que de 5,7 %, les grandes
entreprises enregistrant, quant à elles, une régression de 29,6 %
au cours de la même période (hors grands groupes nationaux soumis à des processus de concentration)[19]. Bien entendu, ces
chiffres n'incluent pas les membres des professions libérales (près
de 600 000 inscrits, soit à peu près 1,3 million d'actifs avec leurs
collaborateurs). Il est vraisemblable également que dans nombre
de TPE on trouve des conjoints collaborateurs qui ne sont pas
comptabilisés, comme ce qui a longtemps prévalu dans le
commerce et l'agriculture, avant que des statuts spécifiques
n'aient été élaborés.

Ainsi, trente ans après l'avoir écrit, E. F. Schumacher a finale-

---

19. Elyes Bentabet et Philippe Trouré, « Les très petites entreprises : pratiques
et représentations de la formation continue », *Bref CEREQ*, n° 123, septembre
1996, et Bénédicte Épinay, « La très petite entreprise », *Les Échos*, 11 février
1997.

ment raison : « Small is beautiful [20] ». Il ne faut toutefois pas se méprendre. La petite taille semble être une condition favorable, mais certainement pas suffisante. Dire à tous les artisans ou petits commerçants qu'après avoir connu de longues décennies de disgrâce leur heure de gloire est arrivée serait erroné, pire, démagogique. Le petit entrepreneur qui ne s'est pas modernisé, qui continue à croire que les conditions du marché n'ont pas profondément changé, ne survivra pas longtemps. Même certains métiers d'art ou des professions traditionnelles remises au goût du jour doivent savoir combiner la séduction de leurs pratiques à l'ancienne avec l'efficacité de la gestion moderne nécessitant l'usage performant de l'informatique ainsi que du talent pour les relations commerciales. De la même façon, on sait dorénavant que le créateur d'entreprise qui démarre tout seul sans chercher à s'insérer dans un réseau, ni à s'appuyer sur un conseil, a seulement une probabilité de 50 % de survivre au bout de trois ans, alors que dans le cas contraire ses chances de succès sont de 80 %. Là encore, l'autonomie de l'entrepreneur doit aller de pair avec sa capacité à être en réseau avec d'autres. D'où la nécessaire « reliance », aptitude à la relation sincère et équitable qui bâtit un univers de proximité, locale ou professionnelle, reposant sur la confiance partagée. Chacun aura la responsabilité de faire que ça soit le cas, ce qui nécessitera beaucoup d'efforts et n'ira pas de soi, tant jusqu'à présent ce sont au contraire les caractéristiques d'affrontement et d'agressivité qui ont été valorisées.

Comme l'écrivent Pierre-André Julien et Michel Marchesnay, on fait souvent « la confusion entre le patron, propriétaire dirigeant de son affaire et " l'entrepreneur ", c'est-à-dire une personne dotée des capacités entrepreneuriales [...]. On peut considérer que la plupart des patrons ne possèdent pas en réalité toutes les vertus de l'esprit d'entreprise, alors que des salariés, des bénévoles, des fonctionnaires peuvent se révéler très entreprenants [21] ». C'est, bien sûr, à la revalorisation de la capacité d'entreprendre que l'on assiste avec l'émergence du postsalariat, bien plus qu'à celle du

---

20. Ernst Friedrich Schumacher, *Small is Beautiful. Une société à la mesure de l'homme*, 1973 ; trad. Éditions Contre-temps/Seuil, 1978.

21. Pierre-André Julien et Michel Marchesnay, *L'Entrepreneuriat*, Paris, Economica, série Gestion Poche, 1996.

statut juridique spécifique de l'entrepreneur individuel. C'est pourquoi cette évolution concerne une très large partie de la population, bien au-delà des seuls travailleurs indépendants. Il est d'ailleurs assez fréquent, dans le cas français, que deux ou trois amis qui décident de se mettre à leur compte optent finalement pour la SARL plutôt que de s'inscrire comme indépendants, même si, en pratique, c'est bien selon ce dernier mode qu'ils vont fonctionner.

On peut dire, à l'inverse, qu'il est assez probable qu'un certain nombre d'entrepreneurs ne possèdent pas toutes les qualités pour être des patrons, c'est-à-dire pour encadrer un effectif de collaborateurs. D'où la vocation de plus en plus fréquente des petites entreprises à ne pas grandir. Cette caractéristique s'observe aux États-Unis et semble liée à l'arrivée massive des femmes entrepreneurs. Elles sont passées de 6,4 millions en 1992 à 8 millions en 1996. Alors que le nombre de petites entreprises a progressé de 26 % de 1987 à 1992, celui des petites entreprises créées ou dirigées par des femmes a connu une croissance de 43 % dans le même temps. Comment peut-on caractériser ces entreprises *féminisées* ? Elles ont un taux de survie supérieur à la moyenne, elles sont plus souvent dans le domaine des services aux particuliers, leur taille est inférieure à la moyenne [22]. On constate même que les femmes qui les dirigent font souvent le choix tout à fait conscient de leur garder une toute petite taille à la fois pour rester très proches de leurs clients, et pour préserver leur vie de famille. En effet, ces femmes sont la plupart du temps mariées et ont des enfants. Ainsi, lorsqu'on évoque la montée des *valeurs féminines* dans la consommation, cela concerne également la logique professionnelle. Les femmes sont à la recherche de la conciliation entre l'univers professionnel et celui de la vie familiale, quand la société salariale typiquement masculine avait organisé leur séparation extrêmement cloisonnée. Il nous faut développer ce point essentiel.

---

22. Cf. *American Demographics*, décembre 1996.

Vie privée et vie professionnelle s'interpénètrent

Tous ces changements vont entraîner un bouleversement considérable dans les modes de vie et c'est ce qui va nous retenir maintenant. L'aspect le plus radical se situe dans la remise en cause de la coupure entre la vie privée et la vie professionnelle. Alors que le salariat s'était justement caractérisé par l'établissement d'une frontière très étanche entre les deux, nous allons retrouver ce qui était beaucoup plus fréquent, voire la règle générale dans le passé – sociétés rurale et préindustrielle de l'artisanat et du commerce –, l'interpénétration des temps et des lieux consacrés à l'une ou l'autre de ces fonctions. Pourtant, il ne s'agit pas de revenir en arrière, car la société de consommation est bien là, et la satisfaction des besoins passe dorénavant par le marché. À de rares exceptions près, il n'y aura pas de retour à l'autarcie, à l'autoproduction et à l'autoconsommation. Au contraire, le règne de l'échange et de la transaction économique s'intensifiera encore. Par contre, le besoin de *sur mesure*, tant en termes de biens que de services, développera la logique de la *coproduction*. Le consommateur sera forcément associé à la définition précise d'une large part de ce qu'il consommera.

La consommation sortira donc du cadre de la satisfaction des attentes de la vie privée, elle englobera celle des nouveaux besoins professionnels. Interpénétration des lieux et des temps de travail et des loisirs, de vie familiale et sociale. Tout cela n'est-il pas redoutable ? N'est-ce pas le travail qui risque d'imposer en dernier ressort sa logique à tout le reste ? Il est difficile de le dire. Raisonner ainsi revient d'ailleurs à ne pas avoir complètement intégré ce changement, c'est faire comme si l'on pouvait encore séparer clairement les instances. À l'inverse, ne pas exprimer cette crainte serait pécher par excès d'optimisme, car, malgré tout, il existe bien des sphères de l'intimité humaine, un tabernacle affectif et spirituel qu'il faut préserver des ingérences extérieures et, surtout, de toute tentative marchande. Ce qui veut dire du même coup qu'il y a bien un danger essentiel à ce que la logique professionnelle occupe trop de place, occupe toute la place.

Pour comprendre comment les prémices sont déjà en place,

prenons quelques exemples. Le téléphone mobile est l'un des deux ou trois nouveaux biens de consommation caractéristiques du milieu des années 1990 qui initient ces transformations. On le sait, la France est en retard, mais l'arrivée sur le marché de nouveaux opérateurs privés accélère sa diffusion. Le téléphone mobile est à l'origine un bien professionnel, le téléphone de voiture pour cadres dirigeants et chefs d'entreprise très occupés. Sa miniaturisation, les progrès dans la transmission simultanée de très nombreuses communications, ont permis sa diffusion. Le téléphone mobile pourrait ainsi devenir un bien de consommation privée comme les autres ; pourtant, il ne le sera jamais. Il convient plutôt de dire qu'il est l'un des biens de consommation de la nouvelle génération, c'est-à-dire à la fois un bien professionnel et un bien privé. Son usage permet et amplifie l'interpénétration entre les sphères de la vie professionnelle et de la vie privée. À la limite, il va même jusqu'à les confondre.

Avoir un téléphone mobile, c'est risquer d'être dérangé à tout moment – par exemple sur la plage – par sa secrétaire, son patron, son collègue, son fournisseur ou son client. Il peut y avoir une difficulté imprévue, une décision rapide à prendre, qui justifie cette consultation impromptue. Le premier réflexe est de trouver insupportable une telle ingérence. Est-ce ainsi que la question se pose ? Rien n'est moins sûr ! Dans ces années où la production industrielle et de services doit être sans cesse optimisée et où règne le *juste à temps,* un tel dérangement peut être d'une grande utilité et peut éviter un stress encore plus pénible : celui de trouver le soir, en rentrant à l'hôtel ou dans sa résidence de vacances, un petit mot indiquant qu'il faut rappeler d'urgence son correspondant. Le règlement du problème en temps réel nécessitant de soustraire dix minutes à son temps de vacances peut être préférable à l'angoisse de la nuit passée en ignorant sa nature et en redoutant l'appel téléphonique qu'il faudra bien donner le lendemain matin à l'interlocuteur pressé. Bien entendu, tout cela ne peut se comprendre que par l'emprise du principe de responsabilité dans l'exercice professionnel. Il y a seulement quelques années, quand prévalait ce qu'on appelait alors péjorativement une « logique de fonctionnaire », y compris dans le secteur privé, on aurait eu de grands scrupules à pourchasser le vacancier, ne serait-ce que pour lui laisser un message sollicitant son rappel.

Inversement, le téléphone portable permet l'ingérence de la vie privée dans le temps professionnel. Conjoint, parents, amis, peuvent, en disposant du numéro d'appel, vous contacter presque partout et à toute heure. Fini le barrage des secrétaires intraitables, la sonnerie retentit même en pleine réunion. Il est toujours amusant de voir un monsieur très occupé, avec de grandes responsabilités, interrompu en pleine discussion stratégique et devoir répondre que, bien entendu, il n'oubliera pas de rapporter le dessert commandé pour le dîner auquel sont invités les très chers amis d'enfance de son épouse.

Mais c'est dans l'usage qu'en font les femmes que se comprend encore mieux tout le potentiel du téléphone nomade. Signalons tout d'abord qu'au début rares ont été celles qui en ont disposé. Souvent payé par l'entreprise, le téléphone portable est un nouvel attribut dont la distribution n'échappe pas au sexisme des relations professionnelles. À niveau de responsabilités identique, les hommes ont bien plus souvent un téléphone portable que les femmes. Mais, pour celles qui en ont, ce nouvel accessoire est vite devenu indispensable pour atténuer un peu l'écartèlement douloureux qu'elles vivent entre leurs responsabilités maternelles et professionnelles. Les mères qui ont un téléphone portable vous avoueront volontiers qu'il leur arrive souvent, lorsqu'elles rentrent tard à la maison, de parler sur le chemin du retour avec leurs enfants au moment critique de la tombée de la nuit et de la préparation du coucher. C'est en quelque sorte le *câlin virtuel* dont on a peine à croire qu'il vaille le câlin réel, mais qui présente l'immense avantage d'éviter le *pas de câlin du tout*.

L'interpénétration des instances vie privée-vie professionnelle sur laquelle repose le développement du téléphone portable a forcé les services de marketing à innover. Car, traditionnellement, on ne communiquait pas de la même façon sur le marché des entreprises et sur celui des particuliers. On a vu le basculement se faire en 1996, amplifié en France par l'arrivée d'un troisième opérateur venu s'ajouter aux deux premiers que sont France Télécom et SFR qui appartient à la Lyonnaise des Eaux : Bouygues Télécom. D'entrée de jeu, Bouygues communique sur le thème du produit de grande consommation. Les autres suivront très vite, et le point d'orgue se situera au moment des fêtes de fin d'année 1996. Les trois réseaux se livreront à une concurrence sans merci, comprenant bien que le petit portable pourra demain être un cadeau idéal. L'utilitarisme est de retour. On offre ainsi à son conjoint, à son fils ou à son père un bien très symbolique d'entrée dans l'ère du consommateur entrepreneur [23].

À la fin du mois de juin 1997, il y a en France un peu plus de 3,4 millions d'abonnés au téléphone mobile (2 millions à France Télécom, 1,2 million à SFR et près de 200 000 à Bouygues Télécom au bout d'un an d'existence), soit près d'un million et demi de plus qu'à la fin 1996, en juste six mois. Le taux de croissance annuel moyen devant se situer à près de 40 %, on table sur près de 8 millions d'abonnés en l'an 2000. Certes, le retard de la France est important : en décembre 1996, le taux de pénétration y était de 4,5 % contre 7,8 % en Allemagne, en Espagne ou aux Pays-Bas, plus de 10 % en Italie et en Grande-Bretagne et près de 25 % dans les pays scandinaves. Mais tout va très vite, le taux de pénétration en France devrait être de plus de 7 % à la fin 1997 et de 12 % à l'horizon de l'an 2000, et la progression continuera au début de la décennie suivante. Bien entendu, ce marché est mondial : il y aurait eu sur la planète 6 millions d'abonnés aux normes GSM en 1994, 13 millions en 1995, et 33 millions fin 1996. On en attend 100 millions en 1999.

Il y a encore aujourd'hui beaucoup d'opposants au téléphone portable qui dénoncent à la fois le côté gadget du produit et sa fâcheuse tendance à envahir l'espace privé. Leur argumentation est rigoureusement la même que celle de mon grand-père à la fin des années 1960, m'expliquant que le téléphone n'était pas indispensable et qu'il valait mieux s'en passer pour conserver sa liberté. Mon grand-père, que j'aimais beaucoup, s'est trouvé contredit par les faits et les grands-parents d'aujourd'hui sont de très gros utilisateurs du téléphone qui constitue le lien privilégié avec leur

---

23. La publicité de Bouygues Télécom pour Noël 1996 est révélatrice : on y voit un téléphone en plastique multicolore, jeu de tout petit enfant bien connu, avec ces légendes : « la dernière fois qu'on vous a offert un téléphone, il avait des roulettes », « la dernière fois qu'on vous a offert un téléphone, il avait un fil ». Outil fonctionnel, le téléphone mobile est aussi un objet de plaisir, celui de rester branché avec ses proches. C'est sa dimension immatérielle. Cette publicité illustre aussi une nouvelle tendance : celle de plonger le consommateur dans une douce régression au stade de l'enfance. On en voit un exemple dans le renouveau du commerce des bonbons.

descendance. Gageons que dans à peine une, voire deux décennies les grands-pères de l'époque auront leur portable ainsi d'ailleurs que les grand-mères et leurs petits-enfants...

Pour stimuler le marché, les trois opérateurs préparent le lancement d'une formule d'achat d'un capital de communication par chaque abonné, qui lui permettrait notamment de changer d'opérateur sans devoir changer de numéro d'appel. Tout ce qui se traduira par une plus grande liberté du consommateur est évidemment souhaitable. En élargissant leur diffusion, les opérateurs vont peut-être découvrir des consommateurs plus raisonnables qui surveilleront le montant de leur facture et d'autres plus malins qui passeront d'un opérateur à l'autre chaque fois que cela permettra de bénéficier des dernières promotions commerciales.

Les jeunes, pour lesquels il va de soi que le téléphone portable est l'avenir, n'ont évidemment pas les moyens de se le payer. Le *pager*, ou récepteur de messagerie, est en quelque sorte un substitut provisoire et économique[24]. Ce petit boîtier, acheté de 300 à 600 F, permet de recevoir des messages composés de quelques phrases, sans payer d'abonnement. Le parc a doublé en 1996, passant de 400 000 à 820 000 récepteurs[25] ; on en compte plus d'un million à la fin du premier semestre 1997 et on en prévoit 4 millions en l'an 2000. On retrouve les mêmes réseaux que pour le téléphone portable : Tam-Tam pour SFR, Tatoo pour France Télécom (le leader actuel), Kobby pour Bouygues (Infomobile). C'est une nouvelle façon de communiquer, mais aussi de voir le monde. Initiative intéressante, là encore issue du transfert vers la vie privée d'un appareil dont l'usage est professionnel à l'origine. Les entreprises ont utilisé durant de nombreuses années ces messageries pour rester en contact avec leurs réseaux de cadres, de représentants ou de livreurs ; aujourd'hui, 80 % du marché est

---

24. Aux États-Unis, le marché des *pagers* n'est pas réservé aux *teenagers*, car il se développe un usage complémentaire entre le téléphone portable et le messager de poche. L'Américain moyen tend à posséder les deux équipements à la fois : le recepteur de messagerie capte mieux les messages dans les sous-sols et dans le métro et il permet de recevoir une information de façon passive, sans être obligé de répondre. Si en Europe l'évolution d'usage devenait identique, le marché ne pourrait que s'en bien porter.

25. Les moins de 25 ans représentent 60 % des usagers grand public de Tam-Tam et de Kobby et 50 % de Tatoo. Cf. *Le Journal du téléphone*, janvier 1997.

constitué par le grand public. De même que l'on commence à voir des réunions professionnelles au cours desquelles il est demandé d'éteindre son téléphone portable, de nombreux professeurs ordonnent à leurs élèves de déconnecter leur *pager* durant les horaires de classe. Objet d'indépendance pour les jeunes, il est aussi au service de la sécurisation des mamans : on observe un pic d'appels aux horaires de sortie de classe.

Tam-Tam adresse plusieurs fois par jour à tous ses abonnés de courtes dépêches rédigées par Associated Press qui condensent l'actualité du moment, et Kobby fait de même avec l'AFP. Les jeunes, que l'on sait peu intéressés par l'écoute des programmes d'information sur les médias, retrouvent ainsi des flashs généraux mêlés à leurs messages personnels, et le mélange des deux semble parfaitement leur convenir. Gageons qu'ils adopteront vite le téléphone portable au fur et à mesure que se développeront les possibilités d'acquérir des cartes prépayées et que l'obtention du boîtier lui-même pourra se faire quasi gratuitement sans avoir le besoin de souscrire à un abonnement. En avril 1997, France Télécom mobile a lancé, à grands renforts de publicité, la pochette « mobicarte ». Vendue dans les bureaux de tabac, elle contient un numéro personnel d'appel, un crédit de communications de 30 minutes valable deux mois et elle peut être rechargée à la demande. C'est une formule « sans facture, sans abonnement [26] » qui connaît déjà un franc succès en Espagne et en Belgique. Elle doit ouvrir le marché du mobile aux utilisateurs temporaires (vacanciers ou professionnels se déplaçant quelques semaines) et aux proches d'un abonné. D'une façon générale, elle serait rentable pour tout utilisateur régulier dont la consommation ne dépasserait pas les 30 minutes par mois.

Le téléphone portable et le *pager* sont des exemples admirables du nouveau besoin : celui de l'« autonomie reliée ». Plus l'individu gagne en capacité d'autonomie et en mobilité, plus il a besoin d'être en permanence relié aux autres, au monde. Inversement,

---

26. Cette formule est tellement libre qu'elle en devient parfaitement anonyme, au point d'avoir alarmé le ministère de l'Intérieur. Il a été décidé *in extremis* d'exiger de chaque acheteur la déclaration de son identité avec présentation d'une pièce officielle pour la justifier.

plus il est en relation avec d'autres, plus il se doit de s'assumer dans sa responsabilité propre, dans son autonomie.

Prenons un second exemple qui témoigne des changements en cours. Que regardent les Français le dimanche soir à la télévision en cette fin des années 1990 ? Nombreux sont les cadres ou les étudiants, mais aussi bien d'autres, qui ne se partagent plus seulement entre le film de TF1 et celui de France 2, mais qui passent un certain temps à regarder *Capital* sur M6. Que font-ils alors ? Sont-ils encore en train de jouir du salutaire repos dominical, ou bien n'ont-ils pas, avant l'heure, déjà repris leur activité courante de la semaine ? Dix ans plus tôt, il aurait été impensable que les dernières heures du week-end ne soient pas consacrées à se distraire. Le dimanche, c'était relâche, et l'on ne renfilait la blouse ou la cravate que le lundi matin, qui arrivait déjà bien assez vite comme cela.

En effet, que fait-on réellement en regardant *Capital* ? Certes, dans de nombreux cas, on s'informe sur des sujets qui, de près ou de loin, touchent au secteur dans lequel on travaille, ou bien dans lequel on souhaiterait s'insérer, mais simultanément on se distrait. *Capital* n'est pas, à proprement parler, une émission strictement professionnelle. Chaque numéro est conçu comme une enquête, une investigation. Bien souvent l'émission dramatise quelque peu un sujet, une entreprise, pour créer une intrigue. Elle organise un suspens, d'ailleurs largement amplifié. Les spécialistes de chacun des sujets traités trouvent qu'il est abordé de façon simpliste et caricaturale, c'est-à-dire ni tout à fait bien ni tout à fait mal.

Mais, comme le téléphone portable, l'émission de M6 constitue la prémice d'une nouvelle consommation qui se caractérise par la réponse à l'imaginaire d'un consommateur qui accepte l'interpénétration de sa vie privée et de sa vie professionnelle. Dire que ce nouveau bien et ce nouveau service répondent à des besoins dans les deux temps de l'existence est juste, mais insuffisant. En réalité, ils contribuent à abolir la frontière qui séparait ces deux instances, ils sont les vecteurs d'une mutation considérable. De même, plus l'insertion de chacun dans l'entreprise est fragile et provisoire, plus il doit rester relié, en lien avec l'extérieur, avec les autres, y compris d'une façon collective, pour suivre les évolutions professionnelles ; c'est ce que permet *Capital*.

Et comment ne pas parler de l'émission qui, toujours sur M6, suit immédiatement *Capital*, le dimanche soir ? *Culture Pub* décode les stratégies publicitaires dans tous les domaines et dans tous les pays. Nous passons de l'autre côté de l'affiche, ce qui évidemment ne peut que contribuer à la démythifier. Alors que la publicité était le ressort magique de la consommation, d'un seul coup, elle est expliquée et nous pénétrons un peu dans l'intimité des professionnels, nous découvrons leurs méthodes et leurs trucs. Christian Blachas, producteur et animateur de cette émission, est aussi le patron du magazine *CB News* qui fait un travail similaire dans la presse écrite spécialisée. Avec son concurrent *Stratégie*, ces deux magazines de grand format sont désormais en vente chez un grand nombre de marchands de journaux. Cela ne veut pas dire que l'on soit en quelque sorte « vacciné » contre la publicité qui nous influencerait en conséquence beaucoup moins. Nous pouvons la prendre simultanément au premier et au second degré, à la fois comme un spectateur médusé et comme un expert qui connaît les ficelles.

Plus qu'à une compréhension du monde moderne, c'est à une initiation quasi professionnelle que l'on participe. Bien entendu, les jeunes raffolent de cet apprentissage spectacle. À une heure moins tardive, avec un public plus familial mais là aussi forcément composé de jeunes, Jérôme Bonaldi et son équipe ont fait un travail similaire, bien que moins spécialisé, jusqu'en juin 1997, dans la première partie de *Nulle part ailleurs* sur Canal +. Cette fois, il ne s'agissait plus seulement de publicité, mais aussi de nouveaux produits. Présentés d'une façon désinvolte, mais avec un très grand professionnalisme, les fautes de goût, les mauvaises inventions ont été implacablement dénoncées. Pendant les années 1970 et 1980, les émissions de télévision à tendance consumériste nous aidaient à choisir et à ne pas nous laisser piéger. Dorénavant, des émissions comme *Capital* ou *Culture Pub* nous donnent une connaissance quasi professionnelle. Elles proposent, organisent, mettent en scène l'immatériel du consommateur entrepreneur. Nous verrons un peu plus loin comment les autres secteurs de la consommation peuvent être atteints par ce changement.

Comment atténuer la violence du passage au postsalariat ?

Revenons au défi que représente l'entrée dans la société post-salariale. Si rien n'est fait pour en atténuer la violence, nous le sentons bien, celle-ci sera terrible. Ce sera la logique libérale appliquée au marché du travail dans toute sa brutalité. Peut-on l'atténuer ? Le salariat traditionnel se voit reproché d'être trop coûteux, inapte à permettre de nouveaux gains de productivité suffisants et surtout trop rigide, à la fois dans l'espace et le temps. Comment le réformer sans aller trop loin ?

Remarquons tout d'abord que le basculement dans le postsa-lariat ne s'effectue pas pour tous en même temps. Dès aujour-d'hui, un clivage apparaît à cet égard entre les générations. Les jeunes de moins de 30 ans constituent la première cohorte à laquelle s'imposent les nouvelles règles du jeu. Leurs conditions d'emploi et leur statut n'ont plus rien à voir avec ce que leurs aînés ont connu, et ce n'est pas à leur avantage. « Depuis le début des années 1990, la classe d'âge des moins de 30 ans accuse une baisse de son niveau de vie moyen », titrait une étude de l'INSEE publiée en septembre 1996. C'est d'ailleurs parmi les ménages de moins de 25 ans que le retournement est le plus net. Entre 1989 et 1994, leur niveau de vie comparé a chuté de 15 %. En 1994, selon cette enquête, les salariés de moins de 25 ans perçoivent un salaire mensuel moyen de 5 000 F, contre 5 800 F en 1984 (en francs constants 1994).

La société postsalariale tolère encore des entrées dans le salariat traditionnel, à condition de le vider de tous ses avantages précé-dents : sécurité de l'emploi, plein-temps assuré, progression des carrières à l'ancienneté. Aujourd'hui, tous ces critères sont inversés. L'ascenseur social n'est plus en panne pour les jeunes, il est en train de redescendre et, selon l'INSEE, la proportion de pauvres parmi les moins de 30 ans est passée de 9 % à 18 % du milieu des années 1980 à celui des années 1990. Un peu plus tôt, le CRÉDOC avait déjà attiré l'attention sur ce même phénomène, analysé de façon inverse, ce qui donne une image peut-être pire : parmi les pauvres, on voit une proportion croissante de personnes disposant d'un emploi, de l'ordre de 20 % en 1995 ou, en d'autres termes, « pour certains, le travail n'empêche plus la pauvreté [27] ». On l'observe aux États-Unis depuis assez longtemps déjà. Mais là-bas aussi le phénomène s'amplifie. Il a d'ailleurs donné naissance à une expression très claire, les *working poor*, les « travailleurs pauvres ». On estime que la proportion de ces travailleurs, qui, bien que disposant d'un emploi, ont un revenu qui les situe en deçà du seuil de pauvreté, est passée de 10 % au début des années 1970 à près de 20 % au début de la décennie 90. Dorénavant, il n'y a plus besoin de traverser l'Atlantique pour les rencontrer. Il nous appartient cependant de faire en sorte d'enrayer le phénomène.

En conclusion de son enquête sur les jeunes, l'INSEE pose l'alternative suivante : « Ou bien il ne s'agit que d'un retard de calendrier dans le début de la vie active qui sera vite compensé par un accroissement du niveau de vie en début de carrière ; ou bien cette (jeune) génération connaîtra durablement un niveau de vie relativement plus bas et conservera les traces d'une conjoncture défavorable à l'entrée sur le marché du travail. » Pour légitime qu'elle soit, cette interrogation révèle dans sa formulation même une prise en compte insuffisante de la situation nouvelle. Il ne s'agit ni d'un accident au démarrage ni d'une translation à la baisse de trajectoires homogènes traditionnelles, mais de nouvelles formes de parcours qui seront chaotiques dès leur début et très contrastées d'un individu à l'autre. Beaucoup aimeraient d'ailleurs y échapper : comment expliquer autrement le nouvel attrait pour la fonction publique ? Selon une enquête réalisée en 1996 par l'Institut de gestion sociale avec le soutien de l'Éducation nationale, sur un échantillon de 40 000 élèves de première et de terminale, les secteurs qui attirent le plus les jeunes sont les suivants : fonction publique 36 %, commerce et services 23 %, industrie 11 %, artisanat 3 %... (autres professions 27 %). On aimerait croire à de nombreuses vocations suscitées par la noblesse du service public, mais ce n'est pas le cas. Ces chiffres reflètent tout simplement, par peur de l'avenir, une tentative régressive d'être individuellement protégé en acquérant un statut qui pourtant perdra lui aussi peu à peu ses avantages et, en tout cas, concernera moins de monde.

Bien entendu, le contraste entre ce que vit cette génération

---

27. *Consommation et modes de vie*, n° 100, septembre-octobre 1995, par Marie-Odile Gilles-Simon et Michel Legros.

émergente et ce qu'ont vécu les précédentes est considérable. En effet, ces dernières vivent encore sur le modèle traditionnel du salariat, et si celui-ci est de moins en moins protecteur, même à leur égard, s'il s'effrite et s'érode année après année, il leur préserve *statistiquement* un ensemble d'avantages nettement supérieurs à ceux que n'ont plus leurs propres enfants. De plus, les systèmes de péréquation à l'intérieur et à l'extérieur de l'entreprise sont d'une cruauté absolue : les avantages des aînés reposent sur des prélèvements auxquels les plus jeunes contribuent fortement sans être sûrs d'en jouir un jour, et, bien souvent, les statuts des plus âgés ne sont préservés que parce que les plus jeunes sont dans une situation extrêmement précaire [28]. La revue mensuelle de l'INSEE a publié en mai 1997 une étude sur le salaire des personnes de 30 ans dont le début du résumé est éloquent : « Hier, un fils de 30 ans pouvait couramment gagner plus que son père sans que ce dernier ait jamais vu diminuer son salaire. Il n'en va plus de même aujourd'hui où le salaire du père est presque toujours supérieur à celui du fils [29]. »

Lorsqu'on parle d'un risque de guerre de générations, on aurait tort de le limiter à une opposition entre *actifs* et *retraités*, comme on le fait souvent en arguant du niveau de vie plus élevé par tête dont bénéficient aujourd'hui ces derniers. Des réactions de violence entre les générations peuvent avoir lieu, à l'intérieur même des catégories d'actifs, entre les plus jeunes et les plus âgés. À cet

---

28. C'est bien pour cela que, sous sa forme naïve, l'aspiration à la retraite à 55 ans qui apparaît en 1996 et en 1997 est tout à fait irréaliste, voire irresponsable. Bien sûr, l'idée qu'il vaut mieux payer des retraités à jouir d'un repos bien mérité que des jeunes chômeurs qui aspirent à travailler mais qui ne le peuvent pas est apparemment pleine de bon sens. Toutefois, comme le rappelle Denis Clerc, en moyenne un retraité coûte 130 000 F à la collectivité, alors que l'indemnisation d'un chômeur ne représente que 50 000 F. « Remplacer le second par le premier coûterait de l'ordre de 60 milliards de F. » Il faudrait donc augmenter les cotisations ; or « on ne peut demander aux 25-30 ans, qui ont galéré pour s'insérer et qui sont payés moins cher que leurs aînés, de cotiser plus pour ces derniers et de travailler ensuite plus longtemps qu'eux, parce que la démographie, entre-temps, se sera retournée » (*Alternatives économiques*, n° 146, mars 1997). On le voit, le « bien des jeunes » peut cacher en réalité la défense des intérêts d'une autre génération.

29. Christian Baudelot et Michel Gollac, « Le salaire du trentenaire : question d'âge ou de génération », *Économie et statistique*, n° 304-305, 1997, 4/5.

égard, l'action des syndicats de salariés est piégée, et de nombreux responsables s'en rendent compte. Comment ne pas se battre pour préserver le plus longtemps possible les acquis des statuts du passé ? Et, lorsque certaines victoires sont remportées sur ce terrain, comment ne pas être complice du fait que la direction de l'entreprise considérée se rattrape en traitant d'une autre façon – en mettant hors statut – les jeunes embauchés, *via* par exemple la sous-traitance ou l'abus des contrats à durée déterminée [30] ? Ou encore, ce qui peut paraître bien étrange, l'officialisation de plusieurs « grilles » qui s'appliquent à des générations successives d'embauchés. Elles comportent parfois, pour un travail identique, des décalages considérables ; ainsi en est-il par exemple des pilotes du groupe Air-France. Alain Madelin reconnaît une vertu libérale à ce mode de gestion lorsqu'il dit : « Un avantage acquis c'est un contrat, donc cela ne se supprime pas. Cela se rachète, s'échange ou encore s'éteint pour de nouveaux entrants [31]. »

Une question bien plus fondamentale surgit en toile de fond : le postsalariat semble bien synonyme d'insécurité ; or peut-on vivre ainsi durablement et collectivement ? Le débat est ouvert. La société libérale américaine semble avoir provisoirement répondu par l'affirmative. Les peuples européens aspirent manifestement à autre chose. Sauront-ils pour autant le bâtir ? Quel modèle alternatif serait-il possible d'élaborer pour tenir compte à la fois de cette indispensable flexibilité que nécessite aujourd'hui la production de biens et de services dans un univers de concurrence exacerbée, d'une part, et, d'autre part, de la sécurité psychologique minimale sans laquelle la société de demain n'a plus aucun attrait, ce qui explique que, le percevant, nos concitoyens donnent l'impression de vouloir en freiner l'arrivée et, du coup, affronter l'avenir à reculons ? Il y a déjà quelques pistes...

Ainsi le rapport de la Commission du Plan présidée par Jean Boissonnat sur l'avenir du travail à l'horizon 2015 formule-t-il une

---

30. Cette ambiguïté s'observe souvent dans les règlements des comités d'entreprise. Bien souvent, les représentants syndiqués qui les gèrent établissent des conditions imposées aux salariés pour pouvoir bénéficier de leurs prestations assez proches de celles liées aux contrats de travail. Les précaires en sont exclus ou en tout cas bien moins largement bénéficiaires, alors que ce sont probablement ceux qui en ont le plus besoin !

31. Entretien dans *Les Échos* du 12 mai 1997.

proposition nouvelle très intéressante : la mise en place du contrat d'activité susceptible de venir s'ajouter au contrat de travail là où ce dernier, à cause des exigences du marché, ne fournit plus guère que précarité et insécurité. Ce contrat d'activité lierait un individu à un groupement d'entreprises sur un critère géographique (un bassin d'emploi) ou sectoriel (un syndicat professionnel) qui s'engageraient à le rémunérer pendant une période qui pourrait être assez longue (cinq ans par exemple) par des séquences de travail successives en fonction des disponibilités, entrecoupées de temps de formation validante. Ce contrat d'activité pourrait également rendre possible l'alternance des formes juridiques d'exercice professionnel entre le salariat et le travail indépendant.

Véritable innovation, certes encore un peu utopique, nécessitant en particulier la mise en place de financements spécifiques par des cotisations ou des prélèvements sur le revenu rendant possible une *mutualisation* de la flexibilité, « le contrat d'activité vise à favoriser une mobilité qui n'est pas synonyme de précarité, d'insécurité ou d'exclusion. Il a, au contraire, pour objectif de concilier la demande d'autonomie et le désir de mobilité avec la continuité indispensable aux parcours individuels [32] ». Il s'agit en quelque sorte de créer un niveau intermédiaire entre la flexibilité interne à l'entreprise (la meilleure, mais de plus en plus difficile à réaliser notamment dans les PME) et la flexibilité externe (la pire, celle qui a recours intempestivement aux licenciements et aux durées d'embauche le plus courtes possible). Une sorte de flexibilité inter-entreprises, ou interprofessionnelle, ou intrarégionale.

Tout ce qui va dans le sens de droits à la protection sociale identiques, quel que soit le statut professionnel (salariés, indépendants, en formation), est positif. La Sécurité sociale n'a plus aucun intérêt à rester arrimée à une logique corporative dont la survivance d'une vingtaine de régimes particuliers démontre qu'elle ne s'est pas complètement affranchie. De même, le regroupement des régimes de retraite complémentaire et la réduction du nombre de caisses qui le gèrent sont une bonne chose. On ne peut qu'être frappé de voir à quel point toutes les branches de la Sécurité sociale paraissent aujourd'hui fragilisées. Certes, ce sont

---

32. *Le Travail dans vingt ans*, Commissariat général du Plan, rapport de la commission présidée par Jean Boissonnat, Éditions Odile Jacob, p. 284.

les déficits qui expliquent d'abord cette situation, mais on ne peut négliger la crise salariale. Adossée principalement au régime salarié, la Sécurité sociale est en crise, car c'est le salariat qui est en crise. À trop vouloir lier le destin de l'un au destin de l'autre, on ne rend service à aucun des deux. C'est pourquoi la définition d'une protection sociale universelle avec une légitimité et une garantie assises sur la collectivité nationale sera seule en mesure d'éviter sa dérive paradoxale vers l'*insécurité sociale*.

D'autres rapports formulent également des propositions intéressantes. Ainsi, le rapport remis au ministre du Travail et des Affaires sociales par Michel Godet et Vincent Pacini, à l'automne 1996, au nom de la mission informelle Activité-Insertion-Emploi, recommande, par exemple, de permettre à un créateur d'entreprise qui échoue de retrouver les mêmes droits Assedic qu'au terme de son activité antérieure : « Les Assedic deviendraient une mutuelle protégeant aussi les anciens salariés qui osent entreprendre. » Le rapport propose plus largement la création d'un véritable statut de professionnel indépendant, intermédiaire entre le statut de salarié (avec des avantages fiscaux et sociaux assez proches) et celui de l'entrepreneur individuel [33].

Afin de tenir compte de la variabilité croissante du temps de travail des salariés, Mireille Elbaum, haut fonctionnaire au ministère du Travail, se demande si « une unification des statuts ne serait pas préférable à la distinction actuelle entre contrats à temps plein et contrats à temps partiel ». Elle propose en ce sens de donner « aux négociations collectives sur le temps de travail mission de fixer, sans rupture de statut, plusieurs types ou régimes d'horaires auxquels les salariés pourraient adhérer individuellement, et de déterminer les règles et garanties leur permettant d'y accéder ou d'en changer [34] ».

Bien entendu, des syndicats revitalisés sont susceptibles de jouer un rôle stratégique pour contenir cette flexibilité dans des limites acceptables. C'est la thèse que défendent Bernard Brunhes et Danielle Kaisergruber, consultants spécialisés dans ces

---

33. De l'activité à l'emploi pour l'insertion, *Cahiers du LIPS*, n° 6, Conservatoire national des arts et métiers, octobre 1996.

34. Mireille Elbaum, « La réduction du temps de travail : un avenir à quelles conditions ? », *Esprit*, n° 226, novembre 1996.

domaines, dans un panorama européen de ce qui se fait déjà en la matière [35]. Le cas italien est certainement le plus novateur. La RSU (représentation syndicale unitaire) est, au sein de l'entreprise, l'interlocuteur unique du chef d'entreprise dans toutes les négociations, composée à proportion de la représentativité de chaque syndicat. Après de longues années de thatchérisme, les syndicats anglais ont adopté une posture très pragmatique et ont aidé les salariés à gérer leur carrière, à négocier leurs promotions et leurs contrats de travail. En France, la modernisation syndicale est tout autant indispensable. Mais le très faible taux de syndicalisation dans notre pays (9 % contre 40 % en Allemagne), combiné à l'éclatement organisationnel, fait que nous sommes à la traîne.

En ce qui concerne les nouveaux emplois de services, il faut certainement encourager les structures se mettant en place entre le salarié et les particuliers qui sont ses clients potentiels. Ce sont aujourd'hui les associations qui jouent le rôle de mandataires. Sans être le véritable employeur (c'est le client qui juridiquement le reste), l'association règle les problèmes matériels, comme la rédaction du contrat de travail, l'établissement de la feuille de paie, et, bien souvent, elle assure le contrôle du travail réalisé. Mais l'association est aussi un intermédiaire en cas de conflit entre les deux parties. Son rôle est extrêmement ambigu ; beaucoup de salariés le prennent pour leur véritable patron et beaucoup de clients pour leur réel fournisseur. N'étant ni l'un ni l'autre, on peut appeler « quasi-employeurs » ces structures qui doivent être encouragées. Lorsque ce sont des associations qui ont par ailleurs une fonction d'insertion, c'est-à-dire qui accueillent des personnes en difficulté économique et sociale pour les requalifier et favoriser leur réinsertion, il y a une chaîne à promouvoir, souvent par la juxtaposition de plusieurs structures fonctionnant en réseau : association intermédiaire, association mandataire, association prestataire, celle-ci restant un employeur classique lorsque c'est possible et offrant à certains salariés une solution traditionnelle et pérenne [36].

---

35. Danielle Kaisergruber (dir.), *Négocier la flexibilité. Pratiques en Europe*, Paris, Les Éditions d'Organisation, 1997.
36. Le terme de « quasi-employeur » et cette promotion souhaitable des

Et puis nous en revenons encore une fois à l'Europe. Certes, des petits pas sont déjà amorcés, par exemple dans le domaine des conditions de santé, d'hygiène et de sécurité du travail (article 118 A de l'Acte unique). Mais beaucoup reste à faire et l'on sent bien que ce n'est qu'à ce niveau supranational que tout se jouera. L'Europe doit assumer ses responsabilités dans la relance de la croissance sur son continent. Mais l'Europe doit aussi inventer son nouveau modèle social, et il faut convaincre pour cela nos voisins d'outre-Rhin. Ils n'en ont pas vraiment ressenti le besoin tant qu'ils pensaient que leur économie était plus forte que celle des autres et que les difficultés du début des années 1990 étaient imputables au coût de la réunification. Mais, à l'approche du changement de siècle, ils découvrent que le diagnostic est bien plus grave. Leur taux de chômage a beaucoup progressé. Un symbole de leur toute-puissance de jadis comme « la Ruhr » s'effondre piteusement.

Sans cynisme, on peut croire que les difficultés qui déboulonnent l'Allemagne de son piédestal de première de la classe constituent une chance à saisir. La mise en place de l'euro doit se conjuguer avec une coordination des politiques économiques – ce que prévoit d'ailleurs son traité constitutif – et le renforcement d'un socle social commun. Si l'Allemagne et la France sont d'accord sur ce point, elles n'auront aucune difficulté à être suivies par l'Italie et les pays de l'Europe du Sud, ainsi que par ceux du Benelux. Mais, à l'inverse, sans accord franco-allemand, il n'y a guère à espérer. Nous sommes entrés dans le temps de l'urgence. Le *zero hour contract*, système britannique hérité d'un thatchérisme qui a presque fait disparaître tout droit du travail et qui autorise un chef d'entreprise à embaucher sans horaire minimum ou maximum et à licencier sur-le-champ, est insupportable. Nos économies ont besoin de flexibilité et de diversité dans les statuts de travail, mais celles-ci doivent être limitées, encadrées et surtout négociées, c'est-à-dire fondamentalement régulées.

---

réseaux associatifs sont issus d'un rapport du CEREQ : *Les Emplois familiaux : entre création d'activité et recomposition du secteur de l'aide à domicile*, Étude réalisée par le Commissariat général du Plan (Comité droit, changement social et planification), 1996.

Chapitre 3

LIEUX FIXES ET OBJETS NOMADES

Pour le consommateur entrepreneur, le logement jouera un rôle nouveau et capital. Il sera sa *base*, le lieu de rencontre du travail et de la vie quotidienne et familiale. Les logements devront s'adapter à ce besoin de fonctionnalité multiple. Cela constitue un ressort formidable pour les opérateurs du bâtiment et des travaux publics, pour les rénovateurs de logements, pour les designers, les architectes d'extérieur et d'intérieur, pour tous ceux qui conçoivent et fabriquent le mobilier, les accessoires et même l'électroménager.

Il faudra tout d'abord que les logements soient plus grands. C'est là une tendance déjà ancienne qui se poursuivra. De 1963 à 1992, le logement des ménages français s'est agrandi de près d'une pièce en moyenne [1].

Mais, alors que jusqu'à présent c'était l'aspiration à davantage de confort domestique qui justifiait cette croissance, demain elle sera relayée par le besoin de disposer de plus d'espace pour y loger toutes les activités qui y auront cours. Il faudra prévoir au moins une pièce, un endroit spécifique, où travailler, installer son micro-ordinateur, sa documentation, son bureau ou poste de tra-

---

1. Le nombre de pièces était de 3,2 en 1963 et de 4,0 en 1992. Cf. Alain Bernard, Béatrice Lévy et Yves Robin, « Le logement, reconstruction, grands ensembles et accession à la propriété », *INSEE Première*, n° 456, mai 1996.

vail. Et encore ne s'agit-il là que des nouveaux besoins de ceux qui ont une activité non manuelle. Dans les familles où plusieurs membres seront concernés par le travail à domicile, c'est plusieurs espaces de ce type qu'il conviendra de prévoir. De nombreux métiers nécessitant *de la place* se feront également en partie à la maison : maquettistes, graphistes, ingénieurs, etc. Et que dire des métiers manuels déjà rencontrés, avec l'exemple de Pierre-Yves, le constructeur de piscines qui fait appel à de toutes petites entreprises ? Souvent composées d'une seule personne, leurs créateurs devront se débrouiller pour entreposer dans un coin de garage ou du pavillon qu'ils occupent les outillages nécessaires à leur activité. Cela sera parfois malcommode, mais moins coûteux que de disposer d'un local professionnel distinct de celui de son logement.

L'une des plus grosses entreprises spécialisées dans l'aménagement des combles des pavillons cossus de la banlieue sud-ouest de Paris dépose son bilan en 1993, à la suite de la grave crise conjoncturelle que l'on connaît alors. Devinez ce qui s'est passé ensuite ! Les plus dynamiques de ses cadres et de ses ouvriers décident de reprendre l'activité, mais d'une autre manière : chacun s'installe à son compte, et les chantiers sont réalisés par coordination d'intervenants individuels gérant chacun une spécialité bien précise. En 1995, l'activité redémarre, mais la mutation des rapports de travail l'a rendue plus souple, plus opérationnelle et surtout... plus rentable. Chacun des intervenants – métreurs, charpentiers, maçons, etc. – organise tout de chez lui. Les locaux d'activités communes sont réduits au strict minimum : juste de quoi entreposer deux gros échafaudages et trois camions gérés en commun. Et, bien sûr, le téléphone portable est devenu l'outil indispensable pour tous. Le maçon laisse toujours branché près de lui son émetteur-récepteur qui lui permettra de savoir en temps réel si le camion de sable arrive bien dans le courant de l'après-midi ou seulement le lendemain et... d'adapter son emploi du temps en conséquence.

Il est amusant de constater ainsi que ceux dont le travail va justement consister à agrandir les habitations principales pour dégager des surfaces nouvelles destinées à permettre à leurs occupants de travailler à la maison ont dû effectuer cette transformation chez eux au préalable. Cela les prépare d'une façon idéale à comprendre les nouveaux besoins de leurs futurs clients. La différence traditionnelle entre fournisseurs et clients s'en trouve abolie. Ils s'adaptent l'un à l'autre en même temps. Ou, pour dire les choses autrement, dans un vocabulaire beaucoup utilisé dans le monde des entreprises : les transactions commerciales entre les particuliers ressemblent de plus en plus à celles qui existent entre les entreprises elles-mêmes, ce qu'on appelle le *B. to B.*, le *business to business*. Plus simplement encore, le client, même lorsqu'il est un particulier, devient peu à peu un vrai *professionnel*.

L'utilisation de son domicile, que ce soit une partie de la semaine pour un travail effectif ou pour y entreposer seulement son matériel, est une façon de réduire les coûts, ou plutôt de les faire supporter par les travailleurs eux-mêmes, ceux – nous l'avons vu – qu'il est de moins en moins justifié d'appeler des « salariés ».

On connaît depuis longtemps la sous-traitance, qui a la même fonction de réduction des coûts, mais le processus concernait pour l'essentiel les grosses entreprises qui faisaient ainsi appel à des petites ou moyennes structures. Nous franchissons maintenant un degré supplémentaire. Les entreprises, quelle que soit leur taille, sous-traitent à de toutes petites unités souvent unipersonnelles ou s'organisent en toutes petites unités. Dorénavant, même les PME sous-traitent aux individus. Le mouvement s'accélère dans l'achat de prestations intellectuelles, c'est ce qu'on appelle le travail de *consultant* en marketing, en gestion financière ou du personnel, même en réflexion stratégique. Le fait de sous-traiter de nombreux rapports d'analyse à des consultants extérieurs qui travaillent comme indépendants permet de faire des économies de trois types : il n'est plus besoin de salarier cette partie du personnel tout au long de l'année, les charges sociales sont nettement inférieures à la fois parce que les cotisations de Sécurité sociale des indépendants sont moins élevées mais aussi parce qu'il n'y a aucune charge complémentaire liée aux éventuels accords sociaux d'entreprise et, enfin – ce qui nous ramène au sujet de ce chapitre –, les frais généraux sont diminués du fait de la non-occupation de bureaux à l'intérieur de l'entreprise.

Quelques statistiques nord-américaines peuvent nous convaincre de l'irrésistible montée du travail à domicile combiné au statut d'entrepreneur individuel. En 1980, 5,7 millions d'actifs travaillaient chez eux une partie du temps, ils étaient 41,1 millions en 1993 et 42,5 millions en 1995, soit un actif sur trois. Environ 40 % d'entre eux sont des indépendants travaillant à plein temps, 40 % des indépendants exerçant à temps partiel et 20 % travaillent à domicile tout en étant salariés : ce sont des *télétravailleurs*. Les études réalisées auprès de ces actifs donnent des taux de satisfaction très élevés : seulement 6 % aimeraient retourner dans une entreprise traditionnelle [2]. Les autres font valoir leur liberté conquise ou retrouvée et l'énorme gain de temps que représente le fait de ne plus devoir faire des allers et retours quotidiens au bureau. Ce qu'ils regrettent malgré tout le plus, sans ambiguïté, c'est la protection sociale en matière de maladie et de retraite que l'entreprise traditionnelle américaine garantit et qu'ils doivent dorénavant assurer par eux-mêmes. Comme quoi, au-delà des statuts public – ici – ou privé – là-bas –, le désir de se débarrasser d'une protection sociale toujours coûteuse est bien l'un des arguments qui incitent le patron-client à basculer vers la sous-traitance individuelle chaque fois que c'est possible.

Les dépenses de logement des ménages ne devraient pas baisser. Depuis 1991, elles sont d'ailleurs passées en tête dans le budget de consommation, alors que jusqu'à cette date c'était l'alimentation qui représentait le premier poste de dépenses. En 1995, les Français ont consacré 22 % de leur budget à leur logement et à son entretien (chauffage, éclairage, etc.), contre 15 % en 1970 et seulement 10 % en 1960. Si l'on y ajoute les dépenses consacrées à l'achat de meubles, de matériels ménagers et d'articles d'entretien et de ménage, on atteint 29 % du budget domestique en 1995. L'INSEE estime qu'en quinze ans, de 1980 à 1995, les dépenses de logement ont progressé de 50 % en *volume*, c'est-à-dire indépendamment des facteurs de prix comme la hausse des loyers ou des valeurs foncières. Cela est certes dû à la progression du nombre de logements, mais plus encore à celle de leur taille et de leur qualité.

La surface moyenne des logements est passée de 82 m² à 86,4 m² de 1984 à 1992 (contre 68 m² en 1970). Mais, si l'on tient compte de la réduction du nombre de personnes par ménage, la

---

2. Cf. David R. Eyler, *The Home Business Bible*, New York, Wiley, 1994.

progression de la surface habitable par tête a été plus importante encore. Elle est passée de 31 m² en 1962 à 34 m² en 1992, tandis que le nombre moyen d'habitants par pièce principale diminuait de 1,01 à 0,60 au cours de ces trois décennies. Toutefois, la qualité d'un logement, c'est aussi son confort. Et là, plus encore qu'en ce qui concerne la taille, les progrès ont été considérables. L'INSEE considère qu'un logement dispose de tout le confort lorsqu'on y trouve l'eau chaude courante, une salle d'eau, des WC intérieurs et le chauffage. Au recensement de 1975, seulement un peu moins d'un logement sur deux répondait à ces critères. Ce taux a presque atteint les deux tiers en 1982 et il a aujourd'hui dépassé les quatre cinquièmes. Et déjà commencent à apparaître en grand nombre les habitations avec deux WC (17 %) ou deux salles de bains (10 %). Mais cette conception traditionnelle du confort domestique devra peu à peu s'élargir. *Un logement confortable sera celui qui permettra, par sa polyvalence, d'y réaliser toutes sortes d'activités et d'être branché avec le reste du monde grâce aux moyens de communication modernes.*

Le logement de l'avenir devra donc continuer à être plus grand, plus confortable et relié aux réseaux rapides d'échanges d'informations. Il n'est pas sûr en revanche qu'on en soit aussi volontiers propriétaire qu'aujourd'hui. Certes, l'aspiration à posséder son logement continuera à être très vive. Toutes les enquêtes prouvent le traditionalisme des Français à cet égard : ils rêvent toujours d'être propriétaires d'une maison indépendante. Le taux de propriétaires d'une résidence principale n'a cessé de progresser puisqu'il est passé de 36 % en 1954 à 47 % en 1975 pour atteindre environ 54 % aujourd'hui. Mais de nombreux signes récents vont dans le sens inverse [3]. Chez les 25-40 ans, la proportion de propriétaires a reculé de 4 %. Or cette classe d'âge a toujours joué un rôle charnière. C'est à ce moment-là qu'il faut commencer à accéder à la propriété ; après c'est trop tard. Pourtant, cela devient plus difficile du fait de la crise de l'emploi, de la difficulté

---

3. Dès 1994, l'INSEE annonçait que, de 1988 à 1994, la proportion de propriétaires avait presque stagné, ne gagnant que 0,2 % en 6 ans pour atteindre 53,9 %. Il semble même, d'après les Comptes du logement, publiés en avril 1997, que celle-ci ait très légèrement reculé en 1995, pour redescendre à 53,7 %. Certes, la baisse est infime, mais les résultats sont dorénavant convergents.

à s'engager sur des projets de long terme auxquels se sont ajoutés bien entendu les taux d'intérêt réels beaucoup plus élevés que durant les années d'inflation. Mais, si on ne s'est pas déjà lancé dans l'accession à 40 ans, ce ne sera guère possible plus tard.

Pendant quelques années, la proportion de propriétaires restera élevée du fait que des générations qui le sont majoritairement remplacent d'autres qui ne le sont pas. Mais cet effet de cohorte induira une illusion d'optique. Derrière un taux global qui continuera peut-être à progresser, pour les plus jeunes, au contraire, c'est la proportion des locataires qui augmentera. Cependant, s'il est plus difficile aux jeunes d'être propriétaires, cela ne veut pas dire pour autant qu'ils deviennent aisément locataires du logement dont ils rêvent. La peur des impayés fait que les exigences des propriétaires-bailleurs, en termes de garanties de solvabilité, ne leur permettent guère aujourd'hui d'y accéder. En tout état de cause, il faudra donc relancer la construction de logements neufs adaptés aux nouveaux besoins, et peut-être inventer de nouvelles formes de partage des coûts qui les rendent accessibles au plus grand nombre.

Certes, depuis 1995, le prêt à taux zéro est une très bonne initiative. Combiné à une baisse des prix et des taux bancaires, il a permis à une fraction modeste de retrouver le chemin de l'accession à la propriété (beaucoup plus en province qu'en région parisienne). Mais les avantages fiscaux ont été encore plus favorables aux investisseurs particuliers. Cela fait d'ailleurs plus de dix ans qu'ils sont courtisés. On doit favoriser l'accession à la propriété du plus grand nombre de ménages, d'abord parce que cela correspond à leur désir, ensuite parce que c'est un élément tout à fait essentiel de capitalisation familiale et donc de consolidation des classes moyennes. Cela implique une aide à l'ensemble de la chaîne du logement et non une concentration sur le neuf, car il faut souvent revendre avant d'acheter. Il faut aussi durablement réduire le coût des transactions – en France, le plus élevé d'Europe – car la flexibilité des vies professionnelles imposera davantage de mobilité géographique.

Mais peut-être faut-il inventer des formules nouvelles ? Pourquoi ne pas réfléchir à la possibilité d'une location de longue durée pour une partie du bien immobilier, combinée à l'achat, par l'occupant, de l'autre partie qu'il entreprendrait de terminer seul ou au fur et à mesure de ses besoins et de sa capacité financière [4] ?

Autre formule : il n'est pas à exclure que ceux qui ne pourront acquérir leur logement principal se reporteront sur l'achat d'une résidence secondaire moins chère et plus éloignée des centres urbains. En termes de modes de vie, ce serait d'ailleurs tout à fait cohérent avec la possibilité d'y passer davantage de jours par an, en partie pour se reposer, en partie pour y travailler. Dès lors, on voit bien que cela ne ferait qu'amplifier encore la tendance profonde que nous indiquions plus haut du besoin d'aménagement des logements pour qu'il soit effectivement possible d'y travailler aisément. Ce qu'il ne sera parfois pas loisible de faire dans la résidence principale, certains le feront dans leur résidence secondaire. Les plus aisés l'organiseront dans les deux à la fois.

Toutes ces évolutions entraîneront des besoins d'aménagement des logements déjà existants, mais aussi des conceptions nouvelles des logements à construire. Cela ne concernera pas seulement l'habitat individuel, mais également le collectif. Il faudra envisager dans les immeubles de nouvelles parties communes, des espaces modulaires à vocation d'usage professionnel. De même qu'on insistait au cours des années 1960-1970 pour créer des pièces à usage de laverie ou de buanderie dans les cités HLM qui, d'ailleurs, connurent un succès limité en France ; de même qu'au cours des années 1980-1990 on demandait des lieux consacrés à une jeunesse désœuvrée ou à l'accueil d'activités d'insertion ; dans les décennies futures, il faudra prévoir des pièces communes destinées à l'accueil de postes de travail informatisés, à la connexion avec les réseaux d'informations...

Pour pouvoir y travailler, les logements individuels et collectifs devront être encore davantage insonorisés – c'est d'ailleurs une revendication essentielle : 33 % des Français se plaignent du

---

4. N'est-ce pas ce que l'on fait déjà depuis longtemps pour les locaux commerciaux en distinguant deux formes de propriété, celle des murs et celle du fonds de commerce ? La relance par le logement est l'une des formes les plus vertueuses de relance macroéconomique de l'activité et de la consommation. Peu importe que la comptabilité analytique range l'acquisition immobilière des ménages dans le secteur de l'investissement. Changer de logement, c'est aussi générer des dépenses d'équipement, de peinture, etc.

bruit [5] – et plus lumineux. Par ailleurs, travailler et vivre dans le même lieu ne signifie pas que l'espace disponible – même s'il est plus spacieux – doive être indifférencié. Bien au contraire, il faudra des pièces spécifiques pour chacune de ces activités, quitte à ce qu'il soit possible d'organiser le cloisonnement d'une façon extrêmement souple ou modulaire.

L'habitat sera donc multifonctionnel. Dans les temps de recherche de rassurance des années 1990, il a pu être considéré comme un lieu de repli du monde, un nid douillet, un endroit de nostalgie ou de *cocooning* familial. Demain, sa logique sera plus active. Le logement sera toujours plus fonctionnel. Voyons ce que cela peut entraîner dans les achats d'équipement du logement.

Meubles et appareils ménagers multifonctionnels

L'achat de meubles et d'appareils électroménagers représente presque la moitié des dépenses consacrées à l'équipement du foyer (le reste étant consacré au linge de maison et aux divers produits d'entretien). Les grosses dépenses d'équipement sont soumises aux aléas conjoncturels de la consommation parce qu'il s'agit, la plupart du temps, d'objets coûtant plusieurs milliers de francs qui nécessitent souvent le recours au crédit et dont l'achat est aisément reportable de quelques mois en attendant une embellie économique. Néanmoins, il y a des tendances qui sont assez claires à moyen terme.

Alors que l'électroménager se maintient, le meuble est en perte de vitesse : en treize ans, les ventes ont chuté de 15 % en volume ; stables à un niveau très bas depuis 1993, elles chutent à nouveau au premier semestre 1997. À l'intérieur du marché du meuble, les petites unités destinées au rangement se vendent beaucoup mieux que le mobilier dit « meublant ». Tout cela est parfaitement révélateur des transformations en profondeur qui se préparent et qui sont déjà à l'œuvre en ce qui concerne le logement. Le *meublant* a connu un boom au cours des décennies 60 et 70 lorsqu'il s'agissait de camper le *décor* de l'habitation à la fois comme lieu de

---

5. Cf. enquête du CRÉDOC sur les aspirations et les conditions de vie des Français.

repos, par opposition au bureau ou à l'atelier comme lieu de travail, et comme signe privilégié de standing social. Cette tendance était tellement claire que les vendeurs de meubles en ont profité et quelque peu abusé : des *faux massifs-vrais agglomérés*, destinés à nous faire croire que nous vivions dans un manoir normand reconstitué, au prétendu futuriste souvent très inconfortable à base de mélaminé et de vernis polyester brillant, tantôt façon Barbarella, tantôt tendance néo-classique gréco-romain, nos intérieurs étaient pensés comme des décors de cinéma !

Or, demain, de moins en moins de nos concitoyens *joueront* à être chez eux, ils y vivront tout simplement ! Le meublant continuera à exister, mais plus épuré. S'il y a toujours des modes, des tendances, celles-ci auront moins d'importance *commerciale*. À l'inverse, plus encore que l'authenticité, c'est la recherche de sens qui sera privilégiée, et cela ouvre de nouvelles perspectives : celle du marché des œuvres d'art, par exemple. La création de Bazart est à cet égard tout à fait intéressante. Il s'agit, selon ses fondateurs, du premier hypermarché d'art contemporain. Le principe est de proposer en libre-service des œuvres originales d'artistes peu connus à des prix inférieurs à 1 000 F. Initialement basée à Marseille, l'exposition tourne chaque année de ville en ville. En 1996, elle a drainé 38 000 visiteurs et vendu 2 500 œuvres.

Les nouvelles fonctionnalités que l'on attendra du mobilier concerneront bien entendu le travail à domicile. Prenons un exemple : toute personne qui a passé chez elle plusieurs heures à taper sur un micro-ordinateur portable s'est vite rendu compte qu'installée dans le canapé du salon elle avait horriblement mal au dos ! À l'inverse, si cette personne a privilégié l'ergonomie en s'équipant d'une chaise dactylo, elle a vite découvert l'horreur esthétique de ce type de chaise dans son domicile. Jusqu'à présent, la coupure entre les univers domestique et professionnel était telle que les meubles destinés à chacun n'avaient pas de rapport, leur design n'ayant rien à voir entre eux.

Faites un test amusant : traversez une exposition de mobilier professionnel, dans un salon spécialisé ou chez un revendeur, en vous demandant quelles pièces de ce mobilier pourraient être installées dans votre appartement. Vous aurez vite le cafard ! Il faudra inventer de nouveaux meubles, au design chaleureux et convivial, prêts à se fondre avec le canapé de votre salon mais capables aussi de vous apporter toute la fonctionnalité dont vous aurez besoin pour travailler. La table de bureau ne doit plus être un meuble de pouvoir avec des arêtes vives, des surfaces brillantes, un intérieur et un extérieur, ce dernier destiné à recevoir le client, le collègue ou le fournisseur en introduisant une distance avec lui. Tout cela sera à réinventer. Signe d'une tendance émergente, Philippe Stark, le célèbre designer, commence à s'y intéresser et, au cours du salon du mobilier et de l'aménagement de la maison de l'hiver 1996-1997, on voit apparaître du mobilier sur mesure.

Mais la fonctionnalité du logement concernera aussi les autres aspects de la vie, qu'il ne faut pas oublier. Les loisirs incontestablement, mais plus encore son propre entretien. Dans la literie, les sommiers équipés de dispositifs permettant de relever électriquement la tête ou les pieds du lit connaissent des taux de croissance à deux chiffres, et les matelas qui se vendent bien et cher combinent le confort traditionnel et la prévention contre l'incendie et la prolifération des acariens [6]. La salle de bains deviendra un lieu important. Elle ne sera plus aussi exiguë qu'aujourd'hui et seulement destinée à accueillir le lavabo et le bloc de douche ou la baignoire. Elle devra être au service de l'entretien des corps et peut-être en partie... de l'esprit. À la fois lieu de bien-être et de prévention médicale, lieu d'activité sportive et de relaxation. C'est l'un des aspects de la gestion du capital humain. Nous y reviendrons un peu plus loin.

Tous ceux qui jouissent d'un habitat individuel continuent d'investir davantage pour en améliorer les alentours. 9 % des maisons individuelles disposent déjà d'une véranda... La plupart des marchés de décoration d'extérieur enregistrent des croissances supérieures à 10 % par an. Cela va des dispositifs d'éclairage des jardins aux écrans d'occultation visuels, aux clôtures qui s'embellissent, en passant par les poteries en terre cuite, sans oublier bien entendu le succès incroyable des barbecues, promesse de

---

6. Épéda, leader français du marché du matelas, a fait sensation par ses publicités hyperréalistes sur ces thèmes en 1996 et 1997 : images chocs d'un matelas à demi calciné. Destinées à promouvoir la qualité dans ses multiples dimensions, et en particulier celle liée à la santé, ces publicités recueillent en post-test un fort taux d'agrément (63 %) contre seulement 19 % de désagrément, et 84 % des personnes enquêtées répondent que cette campagne incite à faire attention à ce type d'achat (*Le Figaro* du 16 mai 1997).

convivialité familiale et amicale dès les beaux jours arrivés. Et comme un signe qu'il ne fallait plus définir de frontière trop marquée entre l'intérieur et l'extérieur, il est devenu courant de meubler une partie de son logement avec du mobilier initialement conçu pour le jardin.

Le logement de demain incorporera, du fait de ces évolutions, davantage de matériels techniques. Est-ce à dire que la révolution de la domotique tant annoncée aura finalement lieu ? Oui, vraisemblablement. Mais comment se fait-il qu'elle ne se soit pas déjà mise en place, au moins en partie ? Alors que l'on prédisait, il y a dix ans, que nous commanderions à distance de nombreuses fonctionnalités, peu de femmes se sont mises à programmer la cuisson au four de leur poulet *via* leur ligne téléphonique afin de le trouver rôti à point au moment d'arriver chez elles ! Mis à part le chauffage et les systèmes d'alarme, les commandes depuis l'extérieur du domicile se sont jusqu'à présent très peu répandues. Car la nouvelle conception technique du logement va de pair avec le changement de sa fonctionnalité. Au temps du *home, sweet home*, l'imaginaire associé au logement refusait d'en faire une usine sophistiquée à commandes numériques. Mais tout changera dès lors que l'attente dominante à l'égard de l'habitation ne sera plus de la penser en rupture face au monde extérieur, comme un havre de paix face à l'agressivité des lieux dans lesquels s'exerce la vie professionnelle. Du moment que l'on fera tout dans son logement, on cherchera au contraire à le mettre au *centre du monde*, c'est-à-dire à en optimiser les performances.

Les nouveautés techniques qui se sont introduites dans les logements des années 1980 et du début des années 1990 ne pouvaient le faire qu'à la seule condition d'évoquer un imaginaire domestique, familial et de loisirs, en aucune façon professionnel. Il y a un exemple frappant, c'est celui du micro-ordinateur domestique. Il est faux et simpliste d'analyser le très faible taux d'équipement des ménages (seulement 15 % en décembre 1996) d'abord par des prix élevés. Depuis le début des années 1990, un micro-ordinateur ne coûte pas plus cher qu'un canapé en cuir ou une chaîne hi-fi un peu sophistiquée ou le tiers d'une cuisine équipée. À l'inverse, dans la seconde moitié des années 1980, les consoles de jeux vidéo se sont répandues comme une traînée de poudre. Elles sont moins coûteuses qu'un micro-ordinateur, mais ce qui explique d'abord le succès foudroyant de la console vidéo, c'est l'absence d'ambiguïté de son utilisation : les loisirs et seulement les loisirs.

Les technologies du travail entrent dans la maison

À l'inverse, le potentiel considérable de l'ordinateur, c'est sa versatilité : à la fois outil de loisir, outil de travail et maintenant outil de communication. Parfaitement adapté au temps du consommateur entrepreneur, il ne l'était absolument pas aux époques précédentes de la consommation : il aurait rappelé l'univers du bureau à la maison, ce dont personne ne voulait, à l'exception de la petite minorité qui vivait déjà ces temps nouveaux, complétée par ceux qui, en parents prévoyants, pensaient utile d'acquérir un micro-ordinateur pour familiariser leur progéniture à cet outil dont l'usage leur serait obligatoire dans leur vie adulte. Signe que les temps changent, le catalogue *Noël 96* de Conforama, chaîne de distribution du groupe Pinault-Printemps-La Redoute qui vise la clientèle des classes moyennes et de couches populaires consacre deux pages entières à la micro-informatique, alors que les consoles de jeux vidéo ont complètement disparu du catalogue. La FNAC, autre enseigne du même groupe, mais qui vise, elle, une clientèle au sommet de la vague des mutations culturelles et sociologiques, vend déjà presque plus de micro-ordinateurs que de téléviseurs. On prévoit qu'au milieu de la prochaine décennie ce sera le cas de l'ensemble du marché mondial. Déjà, en 1996, la grande distribution française (hypermarchés et grandes surfaces spécialisées) réalise dans ses rayons micro-informatiques un chiffre d'affaires équivalent à celui du rayon magnétoscope.

Le retard français en matière d'équipement micro-informatique des ménages (15 % en France, contre 20 % en Grande-Bretagne, 25 % en Allemagne et 39 % aux États-Unis en décembre 1996) se comblera petit à petit au rythme du changement dans les modes de vie et de l'instauration du consommateur entrepreneur. Une enquête de l'institut GFK établit qu'en 1996 les ménages français situent le prix acceptable d'un poste micro-informatique complet à 9 000 F, mais pour que plus de 30 % des foyers soient équipés, il faudrait descendre au-dessous du seuil psychologique de

5 000 F. On y parviendra sans doute assez vite. Ce même institut estime qu'il s'est vendu 2 millions de micro-ordinateurs en 1995, 2,4 millions en 1996 et qu'il s'en vendra 2,7 millions en 1997, dont le quart aux particuliers. Signe à la fois d'entrée dans le monde moderne, d'autonomie des individus et de capacité à se préparer aux formes incertaines de l'emploi, les Français se soucient d'équiper le plus vite possible leur progéniture, notamment les grands-parents, un peu plus à l'aise financièrement, achètent le micro des petits-enfants. C'est l'une des façons, pour les consommateurs seniors, d'être concernés, au moins par procuration, par la tendance du consommateur entrepreneur.

Bien entendu, les grands constructeurs mondiaux d'ordinateurs tentent d'imaginer des solutions pour développer ce marché. Compaq et IBM ont lancé au début de 1997 des ordinateurs domestiques d'entrée de gamme très performants, à des prix publics de 8 à 9 000 F. Pour ce faire, ils ne les ont pas équipés des fameux microprocesseurs pentium d'Intel, mais de composants concurrents moins coûteux. De plus, privés de modem, ils ne permettent pas l'accès à Internet, ce qui les appauvrit singulièrement. À l'autre bout de la gamme, IBM lance dans le même temps sa série 5, plus coûteuse, de 19 000 à 23 000 F, que la marque mondiale qualifie elle-même « à la limite du professionnel ». Innovation importante : ces ordinateurs sont conçus de telle sorte que leur unité centrale puisse être dissimulée dans un placard, seuls les lecteurs de CD-Rom et de disquettes demeurant à proximité immédiate de l'écran et du clavier.

Les fax domestiques vont également se répandre très vite. Là encore, il s'agit bien d'un nouveau cas de fonctionnalité professionnelle qui peu à peu s'étend au champ domestique. Les constructeurs proposent désormais des lignes d'appareils qui visent soit les PME (plus robustes ou à débit supposé plus rapide), soit les particuliers, sans que la ligne de partage soit toujours bien nette. La société SAGEM, spécialisée depuis longtemps dans les transmissions de données pour les entreprises, a lancé sur le marché des particuliers une gamme d'appareils assez complète. Pour les ménages qui n'ont pas un usage intensif de leur fax, les combinés téléphone sans fil-répondeur-télécopieur ont certainement un bel avenir. Ce type d'appareil appartient bien à la panoplie du consommateur entrepreneur, puisqu'il remplit trois fonctionnalités qui caractérisent celui-ci : envoyer un fax à son bureau pour régler un problème professionnel, recevoir un fax de son frère pour mettre au point une réunion familiale, envoyer un fax à son banquier pour contester les agios du relevé de compte précédent.

Et puis l'avenir est bien évidemment à la connexion aux réseaux d'information. France Télécom tente déjà de favoriser un double abonnement à une ligne normale et au réseau Numéris. Et la diffusion progressive d'Internet démultiplie les possibilités de contact, rétrécit le monde bien plus que ne le faisait le Minitel (dont l'horizon restait prisonnier des frontières de l'Hexagone). Là encore, il y a une autre innovation de taille : le Net permet indifféremment un usage professionnel et privé. Il comporte notamment un courrier électronique (ce que ne faisait pas le Minitel) [7]. Son succès outre-Atlantique est tellement foudroyant qu'on prédit une saturation à très court terme du réseau des télécommunications. Il est vrai que, contrairement à l'Europe, il est fréquent d'y avoir un forfait pour les appels locaux, ce qui favorise les branchements extrêmement longs, voire permanents, sur les cours de la Bourse, par exemple. D'après le livre blanc de l'Association française des utilisateurs de télématique multimédia (Aftel) consacré à Internet, deux à trois milliards de messages sont échangés chaque mois dans le monde entier par le courrier électronique qui « se répand infiniment plus rapidement que le téléphone ou le fax en leur temps [8] ». C'est cela la consommation de l'avenir.

Autre exemple de cette même tendance : à la fin de l'été 1995, Microsoft et son propriétaire visionnaire, Bill Gates, lancent *Win-*

---

7. Tout cela se fait naturellement, presque sans s'en rendre compte. Ainsi, interrogé par *Libération* le 28 mars 1997, François Fillon, ministre chargé des Télécommunications, lorsqu'il parle de son usage d'Internet, reprend cette diachronie vie publique-vie privée : « J'ai deux boîtes aux lettres. Une adresse privée que ne connaissent que mes collaborateurs, quelques amis et mes deux frères avec lesquels on correspond beaucoup. L'un est médecin [...], l'autre est musicien et m'envoie des enregistrements de ses morceaux [...]. Sur cette adresse, je reçois une vingtaine de messages par jour. Sur l'autre, celle du ministère, c'est phénoménal : une bonne centaine quotidiennement. »

8. Rapport de l'Aftel : *Internet, les enjeux pour la France*, cité dans *Le Figaro* du 29 janvier 1997.

dows 95. Contrairement à ce qu'on a perçu en France, il ne s'agissait pas banalement de commercialiser une version plus performante du célèbre logiciel, le plus utilisé à travers le monde. Le pari était autre, il consistait à faire passer *Windows* au rang de produit de grande consommation et non plus d'outil à finalité professionnelle. Aux États-Unis, en avance sur l'Europe pour ce qui est de l'avènement du consommateur entrepreneur, les choses étaient parfaitement visibles. Dans chaque centre commercial, c'était au moins une dizaine de boutiques en tout genre qui attiraient par tous les moyens commerciaux le chaland pour qu'il se procure les disquettes du logiciel magique. Le marketing utilisé ressemblait quelque peu à celui employé en France pour... l'arrivée du beaujolais nouveau : nombreux articles dans la presse, compte à rebours et... dégustation possible dès sonnés les douze coups de minuit (c'est-à-dire ouverture exceptionnelle de certaines boutiques durant la nuit de façon à satisfaire les envies pressantes des passionnés qui ne pouvaient pas attendre le lendemain). Bill Gates est avec Nelson Mandela l'une des deux figures les plus admirées dans le monde entier d'après une étude internationale réalisée par l'institut d'études britannique « Audience Selection [9] ». Saisissant court-circuit dans lequel la liberté se conquiert à la fois grâce à la technologie et à la lutte politique.

Intéressons-nous un instant à l'écoute de la télévision. Avec une moyenne quotidienne de 4 heures, elle est la première des *activités* domestiques, mis à part le sommeil bien entendu. Elle le demeurera, malgré le petit effritement des durées d'écoute observé partout en Europe au milieu des années 1990. La moindre disponibilité des actifs sera compensée par le vieillissement de la population. Les retraités regardent leur petit écran une heure de plus que la moyenne de la population, ce qui est assez logique compte tenu du temps libre dont ils disposent.

Mais on peut dès maintenant percevoir quelques prémices des évolutions à venir. On a déjà parlé du phénomène *Capital* le dimanche soir sur M 6. Demain, la multiplication des chaînes, grâce au numérique compactisé, permettra des programmations

---

9. Cf. *Points de vente*, n° 678 du 19 mars 1997.

davantage spécialisées. On pourra, en semaine mais aussi le dimanche, le jour comme la nuit, assister à la retransmission d'une conférence de marketing du secteur professionnel de son choix. Pendant plusieurs décennies, la programmation des grandes chaînes de télévision a joué le rôle de gigantesque horloge collective. Initialement calqués sur les rythmes de la vie quotidienne, les programmes ont fini, à l'inverse, par en marquer le tempo. On mangeait, selon le cas, juste avant, pendant ou après le journal de 20 heures. On éteignait les feux juste à la fin du film diffusé en première tranche horaire de soirée. Le voisin, comme vous-même, sortait promener son chien.

Tout cela est en train de changer : la flexibilité des lieux et des temps de travail perturbe cette organisation impeccable. C'est l'une des raisons de ce qu'on appelle la crise du « 20 heures ». Certains jours, il s'agit déjà de travailler bien au-delà de 18 heures ou même de 20 heures pour achever une *charrette* ou tout simplement parce que les règles de flexibilité font que, ce soir-là, on est de service. Le lendemain, il peut se faire qu'au contraire on dispose de l'intégralité de son après-midi et de sa soirée. Le journal de 20 heures ne peut plus remplacer l'angélus de la société pastorale. L'individualisation de l'usage du temps a définitivement supprimé les rites collectifs des horaires.

Du coup, tout est prêt pour accueillir les nouvelles chaînes issues de la révolution numérique. Notre télévision nous donnera bientôt autant de choix qu'un kiosque à journaux ou que la bande FM. De même, le *pay per view* (péage à l'émission) ne pourra que se développer avec l'individualisation de la consommation télévisuelle qui l'ouvre à d'autres fonctionnalités que la distraction et les loisirs. Lorsque, dans peu de temps, les programmes de télévision seront transmis, non plus par les ondes hertziennes, mais par les fils du téléphone, s'ouvrira la réconciliation tant attendue du spectacle et de la participation dans une communication à double sens. La passivité n'aura plus cours. La télécommande aura laissé la place à l'interactivité, le divertissement à la culture, à la connaissance, au jeu et au voyage.

Ainsi, à côté de la salle de travail, nos logements comporteront peut-être également la pièce de spectacle total pour une retransmission vidéo de qualité parfaite. C'est ce que les Américains ont déjà inventé sous le nom de *home theater*. Un très grand écran de télévision, un son laser Dolby stéréo, des enceintes intelligemment disséminées, un ameublement optimisant l'acoustique et minimisant la gêne occasionnée aux voisins, et voici la même salle de projection à domicile dans des conditions proches d'une salle de cinéma. À court terme, cela stimulera le marché des lecteurs de CD vidéo laser (déjà 360 000 appareils vendus). Bientôt le DVD, nouvelle norme de disques vidéo, entrera sur le marché : capacités de 7 à 20 fois supérieures au disque compact actuel, films d'une qualité de résolution double de celle des cassettes actuelles, son Dolby Digited sur six voies, doublage en huit langues... Combien cela coûte-t-il ? De 3 000 à 300 000 F, selon les options, la palette est large ! Déjà en 1996, les ménages les plus accrochés ont dépensé 1,6 milliard de F pour le *home theater* [10]. Certains ont déjà consacré une pièce exclusivement à cet usage, d'autres ont reconverti leur garage... Piscines, *home theater*, salles de bains-thalasso, le *cocooning* a encore de l'avenir ! Autant de raisons pour travailler en partie chez soi et y passer ainsi plus de temps.

Des villes pour y vivre vraiment...

Le logement s'inscrit dans la ville dont la conception même sera aussi affectée par cette évolution. La vie compartimentée des décennies passées a engendré un urbanisme lui aussi compartimenté. Le fonctionnalisme séparé de Le Corbusier s'est imposé : des zones consacrées à l'habitat, d'autres au travail, d'autres aux loisirs, d'autres au commerce... Et l'on a pu croire au bonheur des résidents de ces cités *radieuses* ! C'est l'inverse qui s'imposera, des lieux où s'interpénétreront les espaces destinés à ces différentes activités, notamment parce que dans certains lieux toutes les activités s'exerceront à la fois. Il faudra réinventer la ville comme espace où une multiplicité d'activités peuvent se réaliser simultanément.

Nous devons sortir de deux impasses qui ont caractérisé les tendances urbaines des années passées : le gigantisme d'un côté

---

10. Cf. *Le Monde* des 16 et 17 mars 1997, articles de Jean-Michel Normand et de Michel Alberganti.

et le passéisme de l'autre. Il est clair, *a posteriori*, que la multiplication des grands ensembles a été une erreur. Le changement d'échelle ne s'est pas traduit en termes de sociabilité, il n'a fait qu'accroître la ségrégation spatiale. C'est la mitoyenneté de petites unités d'habitat collectif ou individuel ayant des standings différents qui recréera le métissage social sans lequel la ville n'existe plus. De même, une politique culturelle qui privilégie trop la préservation du patrimoine est mortifère pour la ville. Lorsqu'on exige du propriétaire d'un Monoprix au cœur d'une cité de restaurer à ses frais la façade XVIIIᵉ de l'immeuble qui l'héberge, on accroît sensiblement ses coûts et on allonge les délais de sa rénovation, tant et si bien qu'il doit augmenter ses prix de détail, ce qui favorise les grandes surfaces de périphérie et vide le centre d'une partie de son activité commerciale. Et c'est la même chose pour l'habitation. Qui n'a jamais regretté, en se promenant dans un centre-ville restauré, de ne plus y entendre le cri des enfants qui jouent, chassés avec leurs parents par des loyers prohibitifs ?

Les modes de vie à venir inciteront à relancer la construction neuve, nous l'avons déjà dit, mais aussi à ramener l'architecture à la vie quotidienne. Actuellement, on ne construit plus guère de logements neufs au-delà de ce qui est nécessaire aux nouveaux ménages (260 000 logements neufs en 1993, 300 000 environ en 1994 pour un nombre de nouveaux ménages qui est d'environ 260 000 par an, en moyenne). Il n'y a donc plus de marge de manœuvre. Comment répondre en conséquence à la modification structurelle de la composition des ménages et à leurs nouveaux besoins ? Même si cela peut paraître une formulation un peu naïve, il faut insister pour rappeler, comme le fait Jean-Paul Flamand, qu'« il y a une demande potentielle et réelle pour une offre qui privilégierait des logements locatifs à faible coût, mais de bonne qualité d'usage, faciles à obtenir et dont on puisse changer facilement, bien desservis, enfin, en équipements et services [11] ».

Mais, tant en ce qui concerne le neuf que les logements anciens à réhabiliter ou seulement à rénover, on a besoin d'une architecture de proximité. L'architecte est trop cantonné aux projets des collectivités publiques ou aux opérateurs de promotion immobi-

---

11. « Le logement », par Jean-Paul Flamand, *Urbanisme*, n° 288, mai-juin 1996.

lière collective où sa marge de manœuvre est d'ailleurs très limitée. Il ne dialogue plus autant qu'il le faudrait avec les hommes
et les femmes, les citoyens de base. À l'inverse, ceux-ci le soup-
çonnent de tous les maux : *entente* avec les professionnels du BTP,
inflation des projets, indifférence à humaniser les surfaces qu'il
aménage... Même si ces critiques sont souvent excessives, elles ne
sont pas sans fondement, et elles ne pourront être levées que si
les architectes consentent à mettre leur formidable compétence
au service des habitations de demain qui marieront lieux de vie,
de travail, de loisirs. Mais ils n'y parviendront que si, comme
Christian de Portzampac, ils complètent leurs études techniques
par une sérieuse formation en sciences humaines.

En 1978, sur 100 acquéreurs d'une maison individuelle neuve,
40 l'avaient fait construire par un entrepreneur régional ou un
artisan en établissant eux-mêmes le plan ou en le faisant établir
par un métreur ou un architecte. Vingt-cinq ans plus tard, en
1993, il n'y en a plus que 34 qui ont procédé ainsi. À l'inverse, la
proportion de ceux qui ont choisi le modèle de leur maison sur
le catalogue d'une grande société est passé dans le même temps
de 31 % à 48 % (il est vrai que la part des promoteurs chutait
quant à elle de 22 % à 12 %) [12]. Il faut espérer soit que cette tendance s'inverse pour que l'on revienne plus souvent à des maisons
conçues spécifiquement pour chaque client, soit que le recours
aux catalogues ne soit pas incompatible avec la conception
d'habitations sur mesure (la conception assistée par ordinateur le
permet).

La ville est un lieu où l'on vit et où l'on travaille, mais aussi un
lieu de transit, un lieu par lequel on passe, un nœud de circulation. L'urbanisme des villes modernes a volontiers accordé beaucoup d'importance aux gares dont la conception fonctionnelle et
le design (dimension immatérielle) ont évolué au cours du temps.
Aux décennies 60 à 80 au cours desquelles on pensait les gares
selon une logique d'hydraulicien (canaliser des flux de voyageurs
le plus rapidement possible) succède désormais leur revalorisation. Depuis la rénovation de la gare Montparnasse à Paris (en

---

12. Cf. Lieven Vandekerckhove, Henriette Robert-Macé, Gaëlle Birot de La
Pommeraye, « Dépenses de logement et comportements résidentiels en 1988 et
1992 », *INSEE Résultats*, n° 432-433, décembre 1995.

1989), les nouvelles gares TGV (Lille-Europe, Roissy, Le Mans, etc.) ont creusé la tendance. On redécouvre la réalité de statistiques vite oubliées : « les gens passent beaucoup plus de temps dans les gares qu'on ne l'imagine [...]. Dans les gares parisiennes, les gens arrivent en moyenne une heure avant le départ de leur train grande ligne. Au niveau national, cette durée est de vingt minutes [...]. L'homme d'affaires qui griffonnait des notes sur un coin de table du buffet de la gare dispose aujourd'hui dans certaines gares d'une salle avec téléphone, fax et de l'espace pour installer son micro-ordinateur et étendre ses papiers [13] ». Depuis l'inauguration de l'Eurostar, la SNCF a déjà aménagé une dizaine d'espaces Euraffaires en France.

... et de perpétuel transit

Mais l'évolution est encore plus nette concernant les aéroports. C'est sans doute dans l'utilisation de l'avion que s'observent aujourd'hui les changements les plus spectaculaires. Alors que plus de 1,3 milliard de passagers ont pris l'avion dans le monde en 1996 (dont 350 millions pour des parcours internationaux), se rappelle-t-on qu'il n'y en avait que 610 millions en 1977 et à peine 100 millions en 1963 ? Dans les prochaines années, les prévisions maintiennent un taux de croissance annuel certes ralenti, mais tout de même d'environ 5 %. Du fait de la démocratisation du voyage, dans les aéroports de Paris (Roissy et Orly), il y a dorénavant plus de voyageurs qui prennent l'avion pour leurs loisirs ou leurs vacances que pour leur travail. Mais, dans le même temps, les exigences des « turbo-professionnels », qui eux aussi progressent en nombre, redoublent d'intensité. Résultats : des aéroports qui doivent multiplier les équipements et devenir de véritables villes de taille moyenne, parfois appelés « aérovilles ». Là encore, certaines statistiques sont bonnes à rappeler : 75 % de

---

13. Déclaration de Jean-Marie Duthilleul, architecte de la SNCF, cité par François Bellanger et Bruno Marzloff, *Transit, les lieux et les temps de la mobilité*, Paris, Édition L'Aube, Média Mundi, 1996. Les exemples des gares et des aéroports cités ici sont repris de ce passionnant ouvrage.

voyageurs passent plus d'une heure dans l'aéroport et 36 % plus de deux heures.

D'un côté se développe l'activité commerciale en périphérie ou au cœur même des aéroports. Les boutiques de Londres-Heathrow valent de l'or, les « Virgin's Corners » ouverts à Orly et à Roissy marchent très bien. Assez bizarrement, alors que le consommateur recherche pour ses achats courants le prix le plus bas, ce qui explique en partie le déclin commercial des centres-villes, il change complètement d'attitude dans un aéroport. Le fait de prendre l'avion est une rupture avec le quotidien, même pour ceux qui y sont habitués, et cela libère l'achat d'impulsion. Le plaisir de consommer est une arme antistress du voyage aérien qui est toujours une sorte de transgression de la condition humaine, ce qui vaut bien de payer un peu cher ce que l'on se procure à cette occasion [14].

Mais, dans le même temps, les pressions pour soumettre l'aéroport à une logique professionnelle se multiplient. On construit de nombreux hôtels à proximité immédiate, on bâtit des salles de congrès qui permettent de tenir des réunions à 5, 50, 500 ou 5 000 dès la descente d'avion et de le reprendre aussitôt celle-ci achevée. Il faut bien alors compléter le décor avec un club de remise en forme pour déstresser ou du moins faire semblant. Tous les grands aéroports internationaux évoluent selon ce modèle. Parfois, ce sont les compagnies aériennes elles-mêmes qui proposent leurs salles de congrès (Continental Airlines à Newark, l'aéroport hors les murs de New York, Delta Airlines à Atlanta...).

Ce qui est frappant, c'est à la fois la grande diversité des besoins des clients, qui ne sont pas les mêmes selon qu'ils sont en voyage privé ou en voyage d'affaires, ou bien – ce qui tend à se développer – qu'ils combinent les deux. Ils ont néanmoins un point commun : le désir de reconnaissance, l'attente de services spécifiques, l'exigence de ne pas perdre son temps. Dans les aéroports, le consommateur entrepreneur est déjà une réalité tangible. Et que se passe-t-il, une fois embarqué dans l'avion ? Là encore, les

---

14. En se préparant à voler (dans les airs), le passager consommateur ne se laisse-t-il pas voler par les commerçants de l'aéroport ? Dans le domaine de la consommation, les clins d'œil psychanalytiques sont nombreux !

attentes couvrent toute une palette avec des chassés-croisés intéressants. L'homme d'affaires recherche la détente totale en goû-
tant au plaisir des nouveaux sièges à inclinaison presque horizontale et en souhaitant suivre le dernier bulletin de CNN (le célèbre
réseau de Ted Tuner possède une programmation spécifique pour
les aéroports et les avions). À l'inverse, le client qui rejoint sa
famille pour le week-end profite des deux ou trois heures de vol
pour terminer une note qu'il se doit de faxer d'urgence à son
bureau. Difficile encore une fois de savoir qui travaille et quand,
ou bien, au contraire, à quel moment il convient d'abord de
s'évader et de se distraire. Pour le consommateur entrepreneur,
avec sa tendance constitutive à voir ces temps s'interpénétrer,
l'avion est une aubaine qui, presque par magie, grâce ou à cause
du décalage horaire, fait se dilater ou se contracter le temps et
relativise toutes les distances géographiques.

Des différences de culture sont aussi repérables. « La pratique
du téléphone dans les avions est très différente selon la nationalité
des voyageurs. Les Français ont en général des communications
courtes avec leur femme, leurs enfants, ou pour prévenir d'un
éventuel retard. Les Asiatiques gèrent leur business au téléphone,
véritable instrument de travail. Pour eux, l'avion est un
bureau [15]. » Les propositions et les idées nouvelles surgissent de
toute part pour combler le *voyageur entrepreneur* en vol et en transit : multiplication et individualisation des programmes vidéo,
chaînes de téléachat spécifiques, écrans vidéo avec téléphone et
fax individuels au fauteuil, cours de langue et gymnastique à
bord, salles de relaxation au sol équipées de sièges couchettes
avec massages électriques ou bien encore salles avec douche,
secrétariat pour hommes d'affaires... auxquels s'ajoutent, bien
entendu, les services traditionnels : voitures avec ou sans chauffeur, livraison des bagages à domicile, réservation automatique
de chambres d'hôtel.

---

15. Guy Tardieu, responsable d'Air-France, interrogé dans *Transit, les heures
et les temps de la mobilité, op. cit.*

Des voitures polyvalentes

De la conception du logement à celle de la voiture, il n'y a qu'un pas. Oui, l'un comme l'autre vont devenir plus encore qu'aujourd'hui des lieux multifonctionnels consacrés aux besoins et à l'imaginaire du consommateur entrepreneur, l'un fixe, l'autre nomade. Y a-t-il un objet de consommation aussi mythique que l'automobile ? Elle résume, dans l'évolution de sa conception, de ses performances, de son design, les étapes majeures de la société des consommateurs. Que l'on se rappelle : dans les décennies 50 et 60, celles de l'imaginaire semi-collectif et familial, l'acquisition de sa première auto constituait une preuve de standing social. À l'époque, les voitures étaient fières, leurs chromes rutilaient. Si l'on en avait les moyens, on préférait une *grosse* voiture, visible aux yeux de tous. Et puis, surtout, il fallait caser à l'intérieur les multiples enfants du *baby-boom*. Les voitures familiales avaient la cote.

On s'interroge beaucoup aujourd'hui sur la chute préoccupante de la natalité. Si les taux de fécondité que l'on connaît à cette veille de changement de millénaire devaient perdurer dans tous les principaux pays d'Europe, le Vieux Continent pourrait bien se retrouver d'ici un siècle avec une population moitié moindre de ce qu'elle est actuellement... à moins que des flots d'immigration beaucoup plus importants que ce qu'on connaît aujourd'hui ne se chargent de rétablir un équilibre quantitatif, ce qui est probable. L'exemple de la voiture montre bien comment l'imaginaire de la société s'est profondément modifié. Car, dès le début des années 1970, les voitures ont accompagné – plus qu'anticipé – le passage à l'individualisme. Petits modèles, séries limitées, priorité à la nervosité du moteur ou au confort des habitacles intérieurs, les voitures sont devenues les prothèses fantasmées de la toute-puissance des individus et de leur narcissisme irrésistible.

Et puis voici que les années 1990, celles des inquiétudes et du désir de rassurance, sont de nouveau venues bouleverser toutes ces donnes. On garde sa voiture plus longtemps. Plus question de la changer seulement parce qu'un nouveau modèle est sorti. Les constructeurs ont dû s'adapter, et cela n'a pas été facile.

Prenons l'exemple de Citroën. Dans les années 1980, les publicités de Jacques Séguéla montrent une AX comme prothèse de prolongement de l'individu assurant sa toute-puissance. La voiture se prend pour un avion de guerre, plonge dans l'océan et remonte à la surface en équilibre sur la nacelle d'un sous-marin. Puis arrive la crise du début des années 1990. Citroën opte pour une communication bien paradoxale : on voit une AX qui tire une remorque sur laquelle est arrimé un gros bateau de plaisance avec le slogan : « La voiture de ceux qui ne mettent pas tout dans leur voiture. » L'industriel démissionne. Il renvoie l'imaginaire de son client sur autre chose que la voiture. Ce n'est plus elle qui est le support de ses rêves. Du coup, cette publicité est déflationniste. S'il s'agit d'acheter seulement une caisse et quatre roues, au moins que ce soit le moins cher possible.

Puis la célèbre marque aux chevrons lance, au milieu de la décennie de la « rassurance », son nouveau petit modèle, la Saxo. C'est la sécurité de la voiture qui est mise en scène. Avec un spot qui utilise des trucages identiques à ceux qui ont fait le succès du film *The Mask*, on voit une énorme enclume s'abattre sur le toit de la voiture sans dommage grâce aux arceaux de sécurité, puis les portières résister à de grands coups de masse grâce à leurs renforts latéraux, enfin la nouvelle barre antiroulis transformer en lignes droites les routes les plus sinueuses. Si l'on veut vendre des voitures, mieux vaut répondre aux attentes de l'automobiliste pour lequel la protection corporelle, c'est-à-dire la préservation de sa santé, prend autant d'importance. La prévention des accidents stimulera certainement les innovations dans les années à venir : freinage d'urgence assisté de façon à compenser l'hésitation du conducteur dans les situations critiques, *air-bags* non seulement frontaux mais également latéraux adaptés à la corpulence de chacun, caméras infrarouges restituant au conducteur une image afin de diminuer l'effet dit du « trou noir » provoqué par le croisement avec un véhicule venant en sens inverse. Répondre à cette attente, c'est la seule possibilité de sortir de la spirale déflationniste dans ce secteur et d'accélérer le renouvellement du parc qui ne peut plus reposer sur le seul critère de l'usure mécanique des véhicules, tant des progrès importants ont été faits en ce domaine.

Les voitures collectives sont redevenues à la mode, signe du

retour de la famille comme l'un des « chasse-spleen », selon l'expression d'Edgar Morin, des temps modernes. Alors que ceux qui
avaient trois enfants au cours des années 1980 les pressaient sur
la banquette arrière, victimes de la dictature des berlines, dorénavant même ceux qui n'en ont que deux les installent conforta-
blement dans un monospace... quand ils disposent du budget
nécessaire. Le succès du concept de monospace est bien connu,
mais c'est une voiture haut de gamme et chère, donc au segment
de clientèle forcément limité (inférieur à 5 %), même s'il ne cesse
de croître. C'est pourquoi l'on tend, depuis deux à trois ans, à le
tirer vers le milieu de gamme. Renault a lancé la Scenic à l'automne 1996, intermédiaire extrêmement bien conçu entre une
Espace et une Mégane.

Le succès de la Scenic a été immédiat ; dès son premier mois
de commercialisation, il s'en est vendu cinq fois plus que d'Espace
en France. Tout comme celle-ci est restée de longues années sans
réelle concurrente (il y a maintenant la Peugeot 806, la Ford
Galaxy, la Chrysler Voyager, etc.), la Scenic semble également
avoir une longueur d'avance, et sa force vient de son prix collé à
celui de la berline. Les concurrents européens affûtent leurs
armes : Fiat devait lancer la Multipla, mutante de la Fiat Brava,
Volkswagen prépare une Golf Monospace. Les Japonais ne sont
pas en reste : Toyota a lancé la Picnic avec cette accroche publicitaire : « La voiture des femmes... qui ont des enfants », et d'ajouter : « Prenez un monospace classique, faites-lui faire un petit
régime, vous obtenez Picnic. Finie l'impression d'être au volant
d'un poids lourd. » Quant à l'autre grand constructeur français, il
imagine de créer aussi des versions monospaces de la ZX et de la
306. Ce nouveau segment est parfois appelé celui des *familispaces*.
Ainsi diversifié, le marché européen des monospaces a progressé
de moitié au cours de l'année 1996, et ce fut particulièrement
favorable à Renault [16].

On voit même progresser, depuis la rentrée 1995, les familiales
traditionnelles, celles qu'on dénomme les « breaks ». Toutes les

---

16. La part de pénétration de Renault en Europe se situe entre 10 et 11 %,
tandis que sur le marché des monospaces elle est de l'ordre de 20 %. Source :
La Tribune, décembre 1996. Depuis 1984, année de son lancement, il s'est vendu
environ 500 000 Espace.

marques viennent de les relancer à grand fracas de publicité. Les héritiers des *bétaillères* des années 1960 sont de nouveau à la mode. Restait tout de même un problème de taille : certes, l'imaginaire des consommateurs inquiets est bel et bien au retour à la cellule familiale, mais comment les séduire avec des breaks quand la tendance n'est pourtant plus à faire quatre ou six bambins, c'est le moins qu'on puisse dire ? Les publicitaires utilisent une astuce qui n'est d'ailleurs pas sans fondement sociologique : le gros chien. C'est lui qui descend précipitamment du hayon. Mieux encore : une marque a utilisé des dessins empruntés au fameux *101 Dalmatiens* de Walt Disney. Quelle bonne idée ! Comment faire mieux fantasmer, sans risque, sur le thème de la famille nombreuse ? Et que dire de la marque qui a lancé une publicité, début 1997, en appelant son break la « papamobile » ? Famille, famille nombreuse, religion [17]... Pour commercialiser leurs breaks, d'autres marques utilisent le VTT qui peut entrer dans le coffre arrière. C'est alors l'imaginaire d'une vie équilibrée, avec un temps réservé aux loisirs naturels de plein air, qu'on titille. Cette tendance n'est d'ailleurs qu'un retour trente ans en arrière, lorsque les Parisiennes, aux montants latéraux extérieurs en bois, évoquaient le *gentleman-farmer* ou le départ à la chasse.

Le consommateur entrepreneur s'inscrit dans cette tendance en l'infléchissant. La grande voiture devra s'équiper pour devenir une annexe du lieu de travail, en plus de ses autres fonctionnalités. Là encore, il s'agira de trouver une réponse intégrée, une voiture qui soit à la fois utilisable pour accompagner les enfants à l'école, partir en week-end et en vacances et rendre possibles certaines tâches professionnelles. Il y a parfois de sacrées ironies de l'histoire, y compris dans les inventions de la vie quotidienne. Lorsque le premier vrai monospace est créé au milieu des années 1980, c'est au talent des ingénieurs de Matra qu'on le doit. Proposé à Peugeot qui le refuse, ce sera Renault qui le commercialisera sous

---

17. En mai 1997, Renault envoie un mailing « réservé aux abonnés du journal *La Croix* ». On y lit notamment : « si vous avez le sens des valeurs essentielles », « si pour vous la confiance est une valeur essentielle », « si pour vous la famille est une valeur essentielle », « si pour vous la fidélité est une valeur essentielle »... Est-ce le début d'un nouveau marketing, celui qui segmente les cibles de clients potentiels en fonction de leur système de valeurs et qui s'adresse à chacune d'elles en utilisant son langage ?

sa seule marque, au grand dam des fiers inventeurs. Mais savez-vous qu'au départ le concept de l'Espace n'est pas celui de l'univers familial, qui fera pourtant son succès par la suite ? Non, cette nouvelle voiture est initialement créée à partir de l'idée d'un large plateau aux usages multiples à l'intérieur de l'habitacle. Le premier est celui de l'usage professionnel. On prévoit et on tente de commercialiser – sans succès à l'époque – des modules micro-informatiques ou minibars comme dans les bureaux de standing des cadres dirigeants de La Défense.

L'Espace aurait pu être un fiasco, tellement elle était en avance sur son temps. Elle anticipait de quelques années le retour à la famille du début des années 1990 et d'une décennie au moins l'ère du consommateur entrepreneur avec son aspect de bureau mobile. Après le téléphone de voiture, ce sont les modems qui tendront à se généraliser, ainsi que les fax de voiture. Il faudra rester *branché*, être capable de finir un rapport ou un croquis à distance, installé pendant quelques heures dans son véhicule. La troisième génération d'Espace, arrivée sur le marché français avec le millésime 1997, fait la synthèse entre l'inspiration d'origine et ce qui a fait le succès des modèles suivants. Le haut de gamme peut comporter un réfrigérateur de dix litres et offre cent litres de rangements supplémentaires. Il pousse le plus loin possible le concept de voiture-maison : télécommande pour l'autoradio pouvant être activé des places arrière, miniplacard pour accueillir attaché-case, vitres arrière garnies de rideaux pare-soleil. « La voiture a été construite comme s'il s'agissait d'une habitation [18] »... donc d'un endroit dans lequel on pourra aussi travailler de temps en temps. Seule contrainte nouvelle : être capable de rendre inviolable une voiture qui intégrera toujours plus d'accessoires de valeur. Mais là aussi il y a des progrès dans les équipements, conçus en même temps que le véhicule lui-même.

Par ailleurs, les utilitaires sont eux aussi en train de se transformer. On aménage les plus petits d'entre eux de telle sorte qu'ils ressemblent de plus en plus à une combinaison de véhicule professionnel et de voiture à usage privé. Ne retrouve-t-on pas ainsi une tendance d'autrefois lorsque les breaks pouvaient s'appeler

---

18. Jean-Michel Normand, « La nouvelle Espace Renault s'efforce de recréer l'univers domestique », *Le Monde* du 22 novembre 1996.

indifféremment des familiales ou des commerciales ? Depuis longtemps déjà, le *pick-up* américain est fondé sur ce principe : une cabine, avec parfois deux rangées de sièges, et un vaste plateau arrière à usage polyvalent. Les exemples commencent à se répandre en Europe. Citroën a inventé un nouveau modèle directement issu de sa gamme utilitaire Berlingo : le Multispace. Commercialisé à partir de juin 1996, il constitue une sorte d'hybridation de la fourgonnette classique et du petit monospace. Afin de mieux amortir la 806, Peugeot a lancé l'Expert (dont le modèle cousin chez Citroën se dénomme Jumpy) qui, cette fois-ci, consiste à faire une fourgonnette à partir d'un monospace [19]. Bilan de ces chassés-croisés : la différence entre les véhicules particuliers et à usage professionnel est en train de se réduire. Alors qu'autrefois il aurait été honteux de s'exhiber avec un véhicule à finalité professionnelle, cela passera désormais comme le signe qu'on est devenu un entrepreneur consommateur. Le Scudo, petit utilitaire de Fiat, est perçu comme suffisamment esthétique et confortable pour que les « clients réclament l'installation de banquettes arrière rabattables ». Lorsque Renault conçoit la Kangoo, son nouveau modèle de voiture économique et dépouillée, commercialisée en octobre 1997, ce sont d'emblée deux versions qui sont prévues, l'une familliale, l'autre utilitaire.

La voiture polyvalente que chacun aménage comme bon lui semble, en fonction de ses besoins mais aussi de ses désirs, de sa vie familiale tout autant que de son activité professionnelle, semble être l'avenir. Dans sa nouvelle version de l'Espace, Renault a prévu cent trente-deux positions possibles des sièges. Et pourtant, il existe peut-être une stratégie alternative que les ménages seront susceptibles de retenir : le multiéquipement spécialisé, c'est-à-dire un parc de véhicules différenciés et sans chauffeur spécifique. L'innovation industrielle et l'évolution de la réglementation peuvent jouer un rôle d'arbitrage entre différentes stratégies. Que l'on songe par exemple à des mesures susceptibles d'être prises par les pouvoirs publics pour promouvoir des énergies moins polluantes en ville, ou bien – comme c'est le cas au Japon –

---

19. Stéphane Lupiéry, « Le succès des nouveaux utilitaires », *Enjeux Les Échos*, n° 123, mars 1997. On apprend dans cet article que le succès de l'Expert de Peugeot est tel qu'il y a des délais d'attente et de livraison de quatre mois.

des tailles de véhicules pour la circulation urbaine : une mini-voiture deviendra indispensable.

À l'inverse, par des mesures comme celles que préparent peut-être les Pays-Bas pour interdire le fax ou même l'usage du télé-phone mobile et *a fortiori* du micro-ordinateur dans la voiture, la dimension fonctionnelle et professionnelle de la voiture-bureau sera forcément freinée. Il est très difficile d'anticiper clairement dans quelle direction ira la réglementation, tant les pressions qui s'exercent sont contradictoires. Et, dans le même temps, la recherche de technologies nouvelles paraît prometteuse pour l'automobile. La nouvelle technologie DAB, qui permet de rester sur la radio de son choix en laissant un automate faire les chan-gements de fréquence au cours du déplacement, rendra égale-ment possible de se connecter sur Internet depuis son véhicule. Et puis il y a le développement programmé des navigateurs élec-troniques qui permettront, au choix, de voir sur un écran vidéo la carte des bouchons en temps réel ou bien de se brancher sur une visite touristique guidée de l'endroit que l'on traverse. Le sys-tème Carminat est proposé dès 1997 sur la Scenic [20]. Il n'y a pas de doute au moins sur un point, le conducteur de demain sera un professionnel... au moins de la circulation.

Le multiéquipement familial (voire individuel) risque aussi de se heurter à des contraintes de géographie urbaine. Où garer tous ces véhicules ? Il est possible néanmoins que cette difficulté soit contournée par le développement de la location des véhicules. La France est très en retard en ce domaine. Mais, là encore, elle n'est pas vouée à l'exception. Pour un week-end, une semaine de vacances ou un peu plus, il sera rentable de louer la voiture cor-respondant à son besoin. Ainsi s'opérera une fois de plus un trans-fert vers la sphère privée d'une pratique professionnelle. De plus,

---

20. Parallèlement, France Télécom propose à partir d'avril 1997 le système Visionaute. Selon les prix (de 3 000 à 8 000 F), on dispose d'un petit terminal à consulter chez soi ou à embarquer dans la voiture, qui donne des informations sur les itinéraires, temps de parcours, densité du trafic, manifestations et acci-dents, et propose au conducteur trois choix de trajets. Le branchement sur Visio-naute coûte 120 F par mois. D'abord lancé pour couvrir les grands axes d'Île-de-France, le système s'élargira peu à peu à toutes les grandes régions d'activité économique.

les compagnies de location de voitures sauront y inciter par des tarifs avantageux.

Mercedes associé à Swatch pour lancer un tout nouveau modèle, la Smart, compte jouer sur la souplesse de la location. Les futurs clients pourront échanger leur petite voiture à vocation urbaine contre un autre type de véhicule pendant quelques semaines, ou seulement quelques jours, comme un monospace ou bien un cabriolet.

Il est possible que la réglementation réduise la taille des véhicules, impose une énergie particulière, dissuade à certaines heures l'usage des voitures particulières, encourage l'usage du vélo, mais il est très peu probable que l'on diminue significativement l'utilisation de l'automobile en ville. Comme on le sait, elle ne cesse d'ailleurs de progresser : 80 % des déplacements en ville se font en voiture. Cela désespère les promoteurs de transports publics qui enregistrent une lente mais régulière régression de fréquentation malgré les efforts pour améliorer le confort, la ponctualité, la régularité et même la sécurité dans les transports en commun.

Mais, encore une fois, il faut faire appel à la figure du consommateur entrepreneur pour comprendre ce qui se passe. Tout d'abord, la très grande diversité des horaires de travail désavantage les transports en commun et induit forcément à l'utilisation de sa voiture. Les transports publics sont optimaux lorsque l'on est sûr de ses horaires et que ceux-ci correspondent à ceux de la grande majorité des autres travailleurs. Quand, au contraire, les horaires sont flexibles, voire imprévisibles, jamais réguliers, seule l'autonomie de son propre véhicule permet d'éviter l'enchaînement des catastrophes : rater le RER, puis la correspondance, et attendre pour finir trente minutes de plus l'autobus de banlieue.

Bien sûr, en contrepartie, il faut subir les bouchons et, du fait des bouleversements des horaires de travail, ceux-ci peuvent apparaître et disparaître de manière aléatoire[21]. Au fur et à

---

21. Dans tous les domaines, la part grandissante de l'autonomie et de la différence accrue qui en découle dans les comportements individuels rend la réalité collective imprévisible et donc très difficilement organisable. Depuis longtemps déjà, on connaît l'effet « Bison futé » : si l'on sait à l'avance les heures les plus risquées pour les bouchons, on décalera ses horaires en conséquence, et, du

mesure que la voiture s'équipe, le temps passé à se déplacer au ralenti n'est plus du temps perdu et, à tout prendre, le consommateur entrepreneur en profite pour régler différentes petites affaires, tant professionnelles que privées. Ceux qui, du fait de divorces et de remariages – et ils sont de plus en plus nombreux –, entretiennent des relations avec plusieurs cellules familiales en profitent pour prendre, grâce au téléphone portable, des nouvelles des uns sans énerver les autres. Une mère peut converser avec son fils tandis qu'il rentre chez lui au volant de sa voiture, en évitant de passer par le filtre de sa belle-fille... et cela convient à tout le monde.

Des vacances pour tout faire

Le tourisme est le premier poste que les consommateurs voudraient voir augmenter s'ils avaient plus d'argent et, depuis 1994, il arrive en tête des souhaits de dépenses, *ex aequo* avec l'épargne. En cas d'augmentation des revenus, 76 % des ménages répondent qu'ils dépenseraient plus pour leurs vacances, alors que 20 % dépenseraient plus pour les soins de beauté, et 43 % pour l'alimentation. La consommation touristique est donc très loin d'être saturée. Les prévisions pour 2010 font état d'un agrégat loisirs-culture représentant 10 à 12 % de la consommation des ménages, contre 7,2 % aujourd'hui. Ces dépenses progresseront plus vite que le revenu lui-même. C'est donc un poste à forte élasticité positive. Le tourisme est un marché du présent, mais aussi et encore plus d'avenir.

Toutefois, il manifeste une très grande fragilité. Comme les dépenses de tourisme ne sont pas intégrées dans les habitudes autant que les dépenses plus anciennes – comme l'alimentation, par exemple –, il est extrêmement sensible à la conjoncture.

---

coup, les bouchons ont bien lieu, mais à un autre moment. Cet exemple peut s'appliquer dans bien d'autres domaines : formation aux nouveaux métiers, lieux pour aller passer ses vacances, sorties au restaurant... Demandez autour de vous : cela devrait être plein et c'est vide, ou, au contraire, il n'est pas prévu qu'il y ait affluence et c'est complet ! L'introduction d'une variabilité plus grande dans les comportements se modélise mathématiquement et fait le bonheur des probabilistes... mais pas celui des décideurs.

Dans les enquêtes, les ménages nous disent que c'est le poste sur lequel ils ont envie de consommer davantage s'ils ont plus d'argent, mais ils nous disent également que c'est le poste sur lequel ils font le plus d'économie à court terme. Par analogie boursière, on est plus près du domaine des actions que des obligations. Et si les potentiels de hausse sont tout à fait considérables, les fluctuations le sont également. Parce que le tourisme n'est pas une consommation complètement banalisée, il est très volatil, ce qui le distingue de l'alimentaire par exemple. En effet, que l'on soit dans une période de décroissance – comme en 1993 – ou de forte croissance, le budget alimentaire des ménages subit de faibles variations. C'est un défi pour les producteurs de ce secteur, qui doivent faire preuve d'imagination pour développer leur chiffre d'affaires. Mais c'est aussi une chance, parce que cela leur permet de résister dans les années noires. Pour le tourisme, c'est l'inverse.

Le tourisme est peut-être le secteur dans lequel se perçoit avec la plus grande évidence la double dimension du besoin et de l'attente imaginaire chez le consommateur, auquel cherche à répondre l'offre en proposant des produits ayant la même double dimension, fonctionnelle du repos et du confort, immatérielle du dépaysement. La crise persistante que connaît le Club Méditerranée depuis le début des années 1990 montre d'une façon claire ce qu'était l'imaginaire des années 1980 : le culte de l'hyperindividualisme et le contraste avec les attentes des années 1990. Le tourisme de rassurance s'est largement épanoui autour des séjours *Santé-remise en forme, tourisme vert et authentique, diversité des cultures mondiales*. Il faut également ajouter le succès incontestable de Disneyland Paris, car, au-delà des péripéties d'exploitation et du malaise des opposants à la culture américaine, voir passer 11 millions de visiteurs par an, c'est une belle réussite ! Et comme s'il fallait pour le Club Med exorciser les années 1980, c'est au patron qui a réussi le redressement de Disneyland que ses actionnaires ont confié celui de l'entreprise au célèbre Trident. Certes, ce sont les qualités de manager de Philippe Bourguignon qui sont ainsi reconnues, mais ce transfert a aussi une dimension symbolique incontestable !

Comment se comportera le consommateur entrepreneur à l'égard de ses vacances ? Avec plus d'exigence, tout d'abord. Il voudra des prestations sans défaut, il trouvera insupportable toute trace persistante d'amateurisme. Le temps perdu à attendre un charter qui n'arrive pas, tolérable il y a encore dix ans, ne le sera plus. Son temps est précieux. Il continuera à fractionner toujours ses périodes de vacances, car il n'aura plus besoin de cette si longue coupure qui caractérisait les vacances de jadis. D'une opposition radicale des temps (le travail, les vacances), on passera à leur alternance plus fréquente.

Bien sûr, il y a déjà de la logique de consommation entrepreneuriale dans la démarche du touriste qui achète ses vacances en kit (vol « sec » d'un côté, séjour de l'autre). Cela ne pourra que continuer à se développer. De la même façon, le consommateur rusé qui découvre que le même séjour est vendu 5 %, voire 10 % moins cher dans un réseau plutôt que dans un autre n'hésitera plus. Les professionnels du tourisme seront d'ailleurs victimes d'un « effet de catalogue ». La réglementation force aujourd'hui les opérateurs à décrire en détail leurs prestations à tel point que l'on repère assez facilement le même produit présenté sous des marques différentes. Pourquoi se priver alors de choisir le moins cher ? On peut imaginer aussi que le consommateur saura exiger d'une agence de nombreux détails sur le voyage qu'il recherche, et qu'après avoir fait son choix grâce au conseil d'un professionnel il n'hésitera pas à commander ce même séjour par téléphone ou par Minitel chez un grossiste qui accordera des réductions substantielles rendues possibles par l'absence de guichets et de conseillers pour la clientèle.

La parade pour les vendeurs, là comme ailleurs, sera de passer au sur mesure : adapter une prestation touristique à la spécificité du client, faire en sorte qu'il ne puisse se satisfaire d'un produit standard, seule façon de contrecarrer son penchant naturel pour les voyages soldés ou « dégriffés ».

Mais, bien sûr, c'est aussi le contenu même des vacances qui sera vraisemblablement modifié. Le consommateur entrepreneur aura besoin qu'elles soient fonctionnellement articulées à son activité professionnelle : il lui faudra pouvoir rester en ligne avec son patron, son client ou son collègue, achever une note urgente, bâtir à la hâte un projet. Plus encore, il s'agira peut-être de s'ouvrir à de nouvelles connaissances susceptibles d'être utiles au travail du lendemain ou à l'horizon de quelques années : s'initier à une nouvelle discipline, un nouveau logiciel informatique, apprendre ou se perfectionner dans une langue vivante. Ou plus essentiel encore : mieux se connaître soi-même, savoir se relaxer, lutter contre le stress, vivre en harmonie... Le désir d'apprendre, de comprendre passera également par le tourisme de découverte de réalités humaines différentes : comment vivent et travaillent les différents peuples du monde ? Les tourismes industriel, artisanal, scientifique, religieux feront évidemment partie du programme.

À cet égard, il y a un exemple intéressant : le développement significatif, depuis quelques années, relativement peu évoqué dans les médias (peut-être parce que cela ne génère pas de courant publicitaire significatif), de l'accueil en *bed and breakfast*. Aux États-Unis, par exemple, il commence à exister une réelle concurrence entre l'hôtellerie traditionnelle et les *bed and breakfast*. À l'anonymat, à la standardisation des premiers s'oppose la personnalisation extrême des seconds. Ce qui avait fait le succès des chaînes (la même chambre à l'identique partout dans le monde) aboutit à une banalisation dépourvue de charme. Il y a dans le *bed and breakfast* le désir de la part du client de partager la vie du propriétaire – accueillant –, de comprendre sa culture, de le voir faire son métier. À l'inverse, ce dernier fait commerce de ce statut si particulier : *c'est un entrepreneur qui commercialise une partie de son espace domestique, de sa vie privée.*

Le *bed and breakfast*, c'est un peu de l'ethnographie de grande consommation. Un touriste découvrira ainsi, au gré d'un séjour outre-Atlantique, le mode de vie mormon, gay, indien, végétarien... pour peu qu'il fasse l'effort de fréquenter des *bed and breakfast* tenus par les propriétaires idoines [22]. Bien entendu, cela se trouve plus aisément dans des pays qui ont une culture communautariste, comme les États-Unis. On retrouve une tendance identique dans certaines formes de tourisme rural en France, surtout

---

22. En France, depuis peu, une chaîne d'hôtellerie économique s'est lancée sous la marque « B & B », mais on est loin de la richesse humaine du *bed and breakfast* authentique, tout juste de la tentative de s'approprier une idée qui monte, quitte à ne pas trop se soucier du décalage. Il est à parier que, si la culture du véritable *bed and breakfast* était ancrée dans notre pays, cette récupération n'aurait guère été possible.

celles qui offrent aux hébergés la possibilité de participer, quelques heures ou quelques jours, à l'activité concrète des hébergeants (soins aux animaux, par exemple), ou bien encore dans les stages d'artisanat qui se déroulent chez l'artisan lui-même. Dire que le succès de ce tourisme tient à la redécouverte de l'authenticité d'un terroir était exact pour les années 1990, mais insuffisant pour le consommateur entrepreneur. Il y a un désir croissant d'immersion participative de la part du consommateur, et, dans le fond, ce qui l'intéresse le plus est bien de comprendre comment se passe, chez celui qui l'héberge, l'harmonie supposée entre la vie professionnelle et la vie privée et familiale.

Chapitre 4

LE MARCHÉ DU TEMPS

Le temps, tout le consume
et l'amour seul l'emploie.

Paul CLAUDEL,
Conversation dans le Loir-et-Cher,
Gallimard.

Les Français n'ont jamais eu autant de temps libre, et pourtant ils n'ont jamais autant eu l'impression de manquer de temps. Comment expliquer cet apparent paradoxe ? Le temps est une denrée abondante et rare à la fois, il est devenu un objet d'échange économique, une marchandise qui a l'étrange propriété de ne pas pouvoir être stockée. Le temps est une finalité par excès et par défaut de la consommation : beaucoup d'objets ou de services s'achètent parce qu'ils font *gagner* du temps, beaucoup d'autres parce qu'ils *occupent* le temps libre. Le temps, c'est aussi une façon de se libérer momentanément des règles du marché : une promenade en forêt, une discussion entre amis, une rêverie ou une méditation... Ce temps gratuit, tellement difficile à préserver qu'il en paraîtrait presque du temps volé, est peut-être le plus précieux de tous. Mais, lorsqu'il est en trop grande abondance, le temps libre peut être synonyme d'oisiveté, d'ennui ; pire encore, dans une société d'efficacité et d'optimisation, il est perçu comme un gaspillage.

Les statistiques semblent montrer que le temps qu'occupe le travail dans une existence n'a jamais été aussi court : en 1800, le travail occupait 45 % du temps éveillé au cours d'une vie, en 1900 ce taux n'atteignait plus que 36 %, et en 1994 seulement 14 %. Certes, l'allongement de l'espérance de vie contribue à expliquer cette baisse, mais la diminution s'observe également en valeur absolue : un homme consacrait au travail 11 années de temps éveillé cumulé en 1800, 12 en 1900, soit un petit peu plus, mais seulement 7 en 1994, soit presque deux fois moins. Tout inciterait donc à se rendre à l'évidence et à s'en réjouir : le temps libre est aujourd'hui trois fois plus long que le temps de travail et il a triplé depuis le début du siècle. Alors, comment comprendre que l'on coure à ce point après le temps ? Qu'on ait l'impression qu'il ne peut plus y avoir de vie familiale satisfaisante ni de vie sociale consistante à cause du manque de temps ?

Le premier élément de réponse réside dans les statistiques elles-mêmes. Elles peuvent être trompeuses dans une lecture trop rapide : entre 25 et 50 ans, *dans les familles* actuelles, *le travail occupe plus de place* qu'il y a deux ou trois décennies. Cela tient à la généralisation de la biactivité dans les couples. En 1960, un quart des femmes de 25 à 49 ans vivant en couple avec deux enfants exerçaient une activité professionnelle. En 1990, les trois quarts étaient dans ce cas. Les proportions ont donc été exactement inversées. En 1960, la durée hebdomadaire moyenne du travail des personnes ayant un emploi effectif était de 46 heures ; elle n'est plus que de 39 heures en 1994. Dans une famille française de deux enfants, au début des années 1960, la situation la plus courante était que seul le père avait une activité professionnelle. Trente-cinq ans plus tard, une famille identique de même taille est composée d'un père qui travaille moins, mais la mère, elle aussi, exerce une activité professionnelle.

À supposer par exemple que cela soit à mi-temps (28 % des femmes travaillent à temps partiel, surtout lorsqu'elles ont des enfants en bas âge), l'emprise du temps de travail, sans compter la durée de transport, correspond donc à 59 heures dans ce couple en 1995, alors qu'elle n'était que de 46 heures en 1960. *Dans notre famille de référence, on travaille donc 13 heures de plus par semaine aujourd'hui qu'hier !* Cela souligne à quel point la généralisation de la biactivité dans les couples, résultat de l'aspiration légitime des femmes à l'autonomie, n'a pas été compensée par la réduction de la durée du travail. Certes, le travail des femmes a entraîné une diminution du temps consacré aux activités domestiques, mais là encore il n'y a pas eu de compensation.

En 1975, les femmes ayant à la fois une activité professionnelle et des enfants à charge effectuaient 5 heures de travaux domestiques quotidiens. Dix ans plus tard, elles en faisaient à peine une demi-heure de moins du fait de l'aide des époux et de celles des appareils ménagers [1]. À certains âges de la vie, on a donc bel et bien moins de temps disponible qu'il y a trente ans du fait du travail, et cela ne se limite pas aux seuls ménages de cadres débordés.

Second élément de réponse à notre interrogation, les évolutions concernent aussi les conditions d'exercice de l'activité professionnelle. Le travail s'est intensifié, si bien qu'aujourd'hui, à durée égale, on exige davantage. Les efforts de productivité ont un prix en termes de *densité* du travail et donc de stress. Cela ne concerne pas seulement les cadres, mais l'ensemble des professions, et ce mouvement s'est accéléré. Deux enquêtes du ministère du Travail montrent que, en 1991, 38 % de l'ensemble des salariés étaient soumis à des *délais courts* de fabrication ou de traitement des dossiers et des commandes (assurances, banques, commerces) contre 19 % en 1987, soit exactement deux fois plus. En 1987, 39 % des salariés étaient en contact avec la clientèle ou le public de façon directe ou par téléphone et par courrier. Quatre ans plus tard, c'était vrai dans 57 % des cas. Du point de vue du client ou de l'usager, on peut se féliciter de ce changement, mais, du point de vue professionnel, cela nécessite une disponibilité particulière et accroît le stress [2]. Le *contrôle permanent de ses résultats par la hiérarchie* s'est en outre intensifié, passant de 17 % à 23 % des cas

---

1. Michel Lallement, « Travail domestique, partage du temps et nouveaux services », in *Faire ou faire faire*, sous la direction de Jean-Claude Kaufmann, Rennes, Presses universitaires de Rennes, 1996.
2. Dans la production industrielle, les ouvriers ont dû se plier à la prise en compte des exigences imposées par la *demande*, sans pour autant que cela se substitue à l'organisation en fonction des *cadences* de production. Les deux contraintes se sont superposées. Cf. Michel Gollac et Serge Volkoff, « Citius, altius, fortius. L'intensification du travail », *Actes de la recherche en sciences sociales*, n° 114, septembre 1996.

entre 1987 et 1991 [3]. Entre 1987 et 1991, le nombre des salariés ayant travaillé – ne serait-ce qu'occasionnellement – le dimanche a par ailleurs augmenté de 23 %. En 1993, 22 % des salariés et 58 % des non-salariés ont connu une telle situation. Cette tendance a concerné tous les secteurs, mais plus particulièrement le commerce du fait de l'élargissement des dérogations accordées par les préfectures (périodes de fêtes, zones touristiques, commerces culturels...).

Et puis tout ne se voit pas dans les statistiques : de plus en plus de professions, souvent dans les catégories intermédiaires, sont confrontées au stress résultant des problèmes de société auxquels elles se trouvent confrontées : les enseignants, les assistantes sociales, les policiers, les conducteurs dans les transports en commun, pour ne citer que ces métiers. Pour tous ceux-là, une partie du temps libre est nécessaire afin de *décompresser*, sans qu'il soit possible de s'investir dans des activités enrichissantes. Peut-être trouve-t-on ainsi l'explication de ces longues heures passées devant certains programmes de télévision tellement médiocres...

C'est l'un des aspects de notre société duale : d'un côté, ceux qui ont un travail qui les absorbe de plus en plus, au point de les accaparer entièrement, et, à l'opposé, ceux qui en sont exclus ou qui n'y ont pas accès : chômeurs, bien sûr et avant tout, mais également *préretraités* non volontaires, jeunes qui prolongent leurs études. Pour ceux qui ont un emploi rémunérateur, le temps est bel et bien devenu une denrée rare.

Alors, que faire ? Penser qu'on reviendra en arrière sur l'implication des actifs serait faire preuve de naïveté. Le chef d'entreprise qui crée aujourd'hui un emploi salarié en attend une productivité maximale. On peut le regretter, mais l'idéal est aujourd'hui d'avoir – à niveau de production donné – le moins de

---

3. Ce n'est en aucune manière contradictoire avec ce qu'on a vu précédemment. Bien au contraire. Ce qui reste du salariat traditionnel subit des pressions de plus en plus vives, et, du coup, il peut devenir finalement moins stressant pour les deux parties – le donneur d'ordre et l'exécutant – de changer complètement de rapport et de basculer dans le travail à la tâche par la sous-traitance ou par le travail à la maison. Il faut que le résultat soit rendu dans les délais impartis, quitte à forcer sur les horaires réalisés chez soi ! Avouons-le, c'est une régression plus qu'un progrès.

personnel possible, non seulement pour économiser des frais sala-
riaux, mais aussi pour minimiser les contraintes administratives
et parce qu'une petite équipe est toujours plus souple et plus facile
à motiver. *A fortiori*, celui qui démarre une activité comme indépendant doit bien évidemment se donner à fond. Et, lorsqu'il
recrute son premier salarié, il en attend la même chose... L'entrée
dans le postsalariat ne pourra qu'accentuer la productivité du
travail.

Pourtant, le bien-être général nécessiterait que la société recon-
naisse davantage la difficulté d'harmoniser les contraintes professionnelles et la vie familiale et sociale. Il faut, dans le même
temps, rejeter toute solution régressive telle que le *retour des
femmes au foyer* sans pour autant – comme tend à le faire la
presse féminine – fabriquer un modèle inaccessible et d'ailleurs
quelque peu ridicule de la superfemme qui réussit tout : profession, vie de couple, maternité, santé et séduction.

Il faut s'en convaincre : déjà importante, la gestion quotidienne
du temps deviendra essentielle pour le consommateur entrepreneur des années à venir. De ce que nous en avons déjà dit, nous
serions tentés de redouter un accaparement par les préoccupations professionnelles de toutes sortes qui seront beaucoup moins
contenues dans le périmètre traditionnel des horaires de travail.
C'est possible, probable pour beaucoup, mais très loin d'être géné-
ralisable. Le plus vraisemblable sera la très grande diversité des
attitudes face au temps. Le salariat tendait à normer le temps
professionnel, le postsalariat abolira ces références. Certains tra-
vailleront beaucoup plus que la moyenne, d'autres très sensiblement moins, mais la variabilité des temps consacrés au travail
selon les individus sera la règle.

C'est pourquoi les discussions globales sur le temps de travail
ne pourront qu'apporter une solution très partielle au chômage :
parler de la semaine de 35 heures ou de 32 heures pour tous n'a
qu'une portée limitée, au moment où ce qui se met en place est
au contraire l'individualisation de la durée du travail. Cela ne veut
évidemment pas dire que les négociations soient inutiles sur ce
thème, mais sous cette forme elles sont essentiellement défensives, c'est-à-dire adaptées aux secteurs destinés à perdre de gros
bataillons de salariés, qu'ils soient dans l'industrie ou dans le ter-
tiaire. Elles peuvent limiter les licenciements, ce qui n'est déjà

pas mal. On en verra prochainement les effets bénéfiques dans les banques, les compagnies d'assurances, la Sécurité sociale... EDF-GDF a signé avec certains syndicats un accord exemplaire dès le mois de janvier 1997. Moyennant une réduction bonifiée du temps de travail pour les salariés qui le souhaitent (32 heures payées 35), en contrepartie de l'acceptation d'une flexibilité importante (horaires de jour autorisés dans certains cas de 6 heures à 20 heures), les deux entreprises publiques espèrent créer 15 000 emplois en trois ans. Mais, avouons-le, le quasi-monopole de distribution dont elles jouissent encore favorise considérablement les choses. Ces solutions peuvent donc fournir au mieux un cadre indicatif pour l'avenir mais non des normes rigides, valables pour l'ensemble des entreprises et notamment pour tout le tissu des PME desquelles on attend l'essentiel des emplois à venir. Par ailleurs, c'est par branches et non pas globalement que ces négociations doivent être envisagées.

Le succès incontestable de la loi Robien est d'une grande ambiguïté. Certes, celle-ci présente plusieurs avantages appréciables : elle aide les entreprises en difficulté et en sureffectif (comme le Crédit Lyonnais), elle lie la réduction du temps de travail à l'aménagement négocié de la répartition des horaires, ce qui permet d'introduire une large part de flexibilité, elle n'est pas directive dans les contreparties, ce qui procure beaucoup de souplesse dans leur mise en œuvre, voire une possibilité de sur mesure dans chaque entreprise. Mais, en faisant supporter le coût de la réduction du temps de travail par la collectivité, elle crée de véritables effets d'aubaine. Toutefois, sur le fond, on ne peut pas raisonnablement défendre qu'à l'échelle d'une seule nation, désormais ouverte à la concurrence mondiale, on puisse rester compétitif en travaillant brusquement et collectivement moins. Il serait dangereux de penser que l'on peut anticiper sur des tendances à très long terme, même si celles-ci sont suffisamment anciennes pour laisser extrapoler qu'à l'horizon d'une ou deux générations il sera réaliste de penser qu'on ne travaillera pas plus de quatre jours par semaine en moyenne. Il faut en tout cas éviter toute conception malthusienne du travail qui conclurait à sa rareté. L'essentiel est de mettre en œuvre toutes les sources d'emplois nouveaux et de croissance.

Du coup, les magazines d'information pourront continuer à

faire des dossiers au parfum sulfureux sur la France qui travaille trop (*L'Express* l'évalue à 5 millions de personnes en octobre 1996) opposée à celle qui, au chômage, ne travaille évidemment pas assez. L'égalitarisme dans les conditions de travail, mesuré au temps qu'on lui consacre, est très loin de ce qui se prépare dans la société postsalariale.

Il est à peu près évident par ailleurs que l'on va assister au développement de la pluriactivité. Plus le temps de travail effectif sera raccourci, plus la logique du consommateur entrepreneur s'imposera, plus le nombre de personnes cherchant à cumuler plusieurs emplois augmentera. Prenons un exemple vécu. Il y a quelques années, la ville de Paris décide d'externaliser le ramassage des ordures ménagères en le sous-traitant à des sociétés de service. Pour ceux qui sont habitués à attendre en voiture de longues minutes derrière les bennes, la scène change brusquement. Ils voient des équipes nouvelles : les ramasseurs – toujours habillés en vert – sont jeunes, dynamiques, ils courent pour faire rouler les poubelles jusqu'au camion et les rapporter sur les trottoirs. Alors qu'autrefois cette tâche était effectuée par des travailleurs immigrés, ce n'est plus du tout le cas aujourd'hui. Que s'est-il passé ? A-t-on réussi à rendre ce travail plus attractif, mieux rémunéré ? Comment motive-t-on ainsi des personnes à effectuer une activité qui demeure ingrate et probablement très fatigante ? La réponse est simple : tout d'abord, la rémunération n'est plus à l'heure, mais à la tournée ; plus le travail est fait promptement, plus les salariés rentrent rapidement chez eux (c'est donc, en quelque sorte, un glissement vers la rémunération à la tâche). Mais il y a plus caractéristique encore : les tournées sont courtes – environ deux heures –, et la plupart des éboueurs cumulent ce travail avec un autre emploi. C'est un travail d'appoint, pour une rémunération complémentaire : deux heures le matin de bonne heure avant d'enchaîner, ailleurs, sur une journée de travail classique, ou bien, au contraire, deux heures de plus le soir après avoir quitté son emploi principal.

C'est le travail à temps partiel, mais cette fois en complément du temps plein. Tout le monde pense y gagner : l'employé accepte un taux de rémunération relativement peu élevé car c'est de l'argent en plus, un bonus en quelque sorte ; l'employeur peut renouveler facilement son personnel, parce qu'à la longue ce cumul est fatigant, sans engager des procédures pénibles de licenciement. Les perdants, ce sont les chômeurs qui auraient pu occuper des emplois traditionnels dans ce secteur qui n'en comporte presque plus. Bien sûr, ce qui vaut ici pour une tâche très manuelle se retrouve dans de nombreux autres métiers. Une réduction du temps de travail dans la presse se traduira *ipso facto* par la multiplication des piges complémentaires faites par les journalistes dans d'autres journaux que ceux qui les emploient à plein temps, etc. Raison de plus pour conserver une fiscalité directe progressive qui constitue un élément dissuasif au développement intempestif de ces cumuls. Nous y reviendrons.

Mais il ne faut pas, à l'inverse, être d'une naïveté désarmante. Le temps choisi ne sera pas spontanément la règle, ce serait trop beau, mais un combat permanent qu'il faudra encourager. Le temps de travail sera un compromis toujours difficile à établir entre son désir et la réalité. L'entrepreneur individuel, qu'il soit consultant ou artisan, aura par moments des périodes d'inactivité partielle bien plus longues qu'il ne le désire et de surcharge dont il se passerait bien. Il en sera presque de même pour les actifs qui conserveront le statut officiel de salariés : flexibilité oblige. Certains, néanmoins, utiliseront leur marge de manœuvre pour aboutir au temps choisi. Au prix d'une forte volonté, ils y arriveront plus facilement qu'aujourd'hui.

Du temps ou de l'argent ?

Bien entendu, l'arbitrage sur le temps ne pourra pas être dissocié de celui sur les revenus. Qui cherchera à travailler moins, ou qui sera condamné à le faire, en subira les conséquences financières. Mais, d'ores et déjà, l'argument du temps est parfois mis en avant plutôt que celui du revenu pour promouvoir certaines activités nouvelles. Ainsi, à titre d'exemple, une chaîne nord-américaine de services à domicile, Pressed 4 Time, Mobile Dry Cleaning & More, développe un argumentaire original pour séduire de nouveaux franchisés et les inciter à rejoindre son réseau. Son marché est l'un des nombreux nouveaux services aux particuliers ; il consiste à prendre et à rapporter à domicile des vêtements et des chaussures qui nécessitent nettoyage, petit entretien et réparations [4].

La stratégie de communication de cette entreprise américaine repose sur un slogan qui, à lui seul, résume bien le dilemme : « *What good is making a lot of money if you don't have time to enjoy it* [5] *?* » Mais l'intérêt de cet exemple réside dans le fait que ce message publicitaire a été conçu à la fois pour le client final de chaque agence et le futur franchisé. Le service permet au consommateur d'être déchargé de certaines contraintes pour avoir du temps libre, mais dans le même temps la société mère prétend que l'organisation du travail de ses franchisés leur permet de vivre mieux : « *It makes our franchisees' lives better. There's low stress (a normal 5-day week), a low investment (under $17,200), and low risk* [5bis]. »

Cet exemple est révélateur, à de nombreux égards, des changements en cours. Dans la culture américaine, c'est déjà une grande nouveauté – presque une provocation – que de mettre en avant un projet pour entrepreneurs individuels qui ne cherche pas, avant toute chose, à maximiser le profit, mais c'est en même temps une nécessité car, plus le nombre d'entrepreneurs individuels progressera, moins ceux-ci pourront être recrutés dans le seul vivier des compétiteurs agressifs. Toutefois, le plus important réside peut-être dans la synchronie prestataire-client. Dans le modèle du consommateur entrepreneur, ces deux termes ne sont pas accolés par hasard. Le comptoir séparant ceux qui étaient devant de ceux qui étaient derrière tend à être

---

4. Beaucoup moins développés qu'aux États-Unis, commencent néanmoins à apparaître des services identiques dans certaines capitales européennes. Ainsi, en Île-de-France, Nestor Services propose le pressing avec livraison à domicile. Mais il n'est pas encore question de viser l'ensemble du marché qui ne fait que démarrer. C'est pourquoi cette petite société parisienne concentre son effort commercial sur les « célibataires qui n'ont ni le temps ni la fibre ménagère ». En 1997, Nestor Services cherche à s'étendre à la France urbaine grâce à la mise en place d'un réseau de franchisés.

5. « Quel intérêt y a-t-il à courir après l'argent, si vous n'avez pas assez de temps pour en profiter ? », *Entrepreneur, the Small Business Authority*, septembre 1996.

5bis. « Cela permet à nos franchises de vivre mieux. Le stress est faible (on travaille 5 jours dans la semaine tout à fait normalement), l'investissement aussi (inférieur à $ 17 200) et le risque est faible également. »

aboli. Ce qui est bon pour le client doit aussi l'être pour le fournisseur et réciproquement, car, dans le fond, l'un et l'autre sont les deux facettes d'un seul et même personnage. Celui qui prétendra faire gagner du temps à ses clients pour vivre mieux, mais qui sera incapable de le mettre en pratique pour lui-même, ne sera pas crédible.

Cette préférence pour le temps choisi est également repérable dans la société française et elle s'accentue. Pourtant, les sondages ne semblent pas lui accorder un poids majoritaire : 60 % des Français préféreraient, s'ils en avaient la possibilité, une augmentation de pouvoir d'achat plutôt qu'une augmentation de temps libre (40 %) en janvier 1997 [6]. Mais la contradiction n'est qu'apparente. Cette variation des réponses s'explique par la stagnation du pouvoir d'achat salarial et la déception à l'égard du temps partiel. Alors que ce dernier correspondait, il y a encore quelques années, à une aspiration profonde pour mieux équilibrer sa vie, la rentabilité à court terme en a décidé autrement. Le temps partiel est devenu une réalité imposée dans de nombreux secteurs économiques (la grande distribution, le nettoyage industriel, le textile, le gardiennage...). Le temps partiel choisi à peine éclos s'est mué en temps partiel contraint. On estime que deux salariés à temps partiel sur cinq le sont de façon *subie*. Il arrive aussi que le passage collectif d'un groupe de salariés au temps partiel soit la dernière solution avant la fermeture de l'usine et le chômage pour tous. Peut-être devrait-on, comme le suggère Margaret Namani, appeler d'un nom différent ce qui a trait au « travail à temps réduit » et ce qui correspond aux « emplois partiels » [7].

Toutes ces confusions et ces dérives risquent de gâcher une belle idée : celle du temps partiel choisi. Mais peut-être n'est-il pas trop tard ? La loi sur l'organisation du temps de travail, initialement annoncée pour le courant de l'année 1997, devait

---

6. Cf. CRÉDOC.
7. Margaret Namani, « Les effets pervers du travail à temps partiel », *in* *L'Emploi des femmes*, Document travail et emploi, Paris, La Documentation française, 1993. Olivier Piot, dans *Le Monde* du mercredi 8 janvier 1997, rapporte que cela peut parfois déboucher sur des conflits sociaux tels que celui qui a éclaté en novembre 1996 dans une usine d'habillement de l'ancien groupe Bidermann, dont le mot d'ordre était de refuser « le diktat des 20 heures payées 20 ».

être axée sur la conciliation entre les aspirations familiales et la vie professionnelle, en imposant aux entreprises de négocier l'accès de leurs salariés au temps partiel choisi et la mise en place du « compte épargne temps » susceptible de financer le passage à temps partiel temporaire pour raisons familiales.

Dans l'administration, qui n'est pas obnubilée par la recherche d'une rentabilité maximale, d'autres rigidités jouent contre le temps partiel choisi. Pour un chef de service de préfecture ou d'ailleurs, un fonctionnaire qui réduit volontairement son temps de travail, c'est le risque de perdre un demi-poste budgétaire en cas de non-remplacement : il a donc intérêt à multiplier les obstacles bureaucratiques ou les intimidations implicites pour refréner les velléités en la matière. Dans de nombreux hôpitaux, on atteint le comble en prétextant que, pour des raisons objectives d'organisation des services, il n'est possible de travailler qu'à plein temps ou à mi-temps. En restreignant ainsi les choix, en interdisant la plage 60-80 %, la plus intéressante pour la plupart des candidats à l'aménagement de leur temps de travail, on est sûr de réduire le nombre des candidats. Comment disposer d'un revenu suffisant, dans un secteur déjà peu rémunérateur, avec un mi-temps [8] ?

Quoi qu'il en soit, la France tend à combler son retard dans le domaine du travail à temps partiel. Il y avait en mars 1996, d'après l'enquête de l'INSEE sur l'emploi, 3,5 millions de salariés à temps partiel contre 2,3 millions en 1991, 1,3 million en 1981 et juste 700 000 en 1971. La même enquête nous apprend toutefois qu'à plus de 80 % le temps partiel reste une réalité féminine. La proportion de femmes travaillant à temps partiel atteint dorénavant 30 %, alors qu'elle est seulement de 5 % chez les hommes (contre 2,5 % au début des années 1980).

En fait, le temps partiel, qui comporte encore des potentialités de développement – en France, 11 % des salariés travaillant à temps plein seraient prêts à travailler à temps partiel en acceptant une diminution de salaire, selon une enquête du CRÉDOC de 1994 –, est une des formes de partage du travail. Dans son second rapport annuel, le CSERC (Conseil supérieur de l'emploi, des

---

8. Georges Hatchuel, « Aspirations et freins au travail à temps partiel dans la fonction publique », CRÉDOC, *Collection des rapports*, n° 137, juillet 1993.

revenus et des coûts) fournit une très intéressante estimation : il chiffre à environ 300 000 le nombre de chômeurs évités grâce au développement des emplois à temps partiel de 1990 à 1994 [9]. C'est considérable.

Mais, qu'il soit choisi ou contraint, le travail à temps partiel laisse du temps libre. Il en est de même d'ailleurs pour le travail volontaire le week-end. Il a le même potentiel et la même ambiguïté que le temps partiel : à condition d'en avoir réellement le choix, travailler le samedi et le dimanche ou du vendredi au dimanche permet des semaines de 28 heures payées 39. Pour un bon nombre de jeunes sans charge de famille, cela permet d'avoir davantage de temps pour satisfaire des loisirs-passions en semaine, avec parfois des tarifs avantageux. Par contre, tous âges confondus, une majorité de salariés y demeure défavorable, tout comme à l'égard du travail de nuit, à cause des tensions familiales insurmontables que cela génère. C'est ce qui explique que les femmes y soient encore plus opposées que les hommes [10].

On pourra donc chercher à arbitrer entre *temps et revenu* de différentes manières. Il y aura la possibilité d'opter pour une activité professionnelle qui réserve un temps libre suffisant, mais, comme nous venons de le voir, ce ne sera pas toujours facile. Une autre stratégie, alternative ou complémentaire, consistera à jouir au maximum du temps libre, à faire en sorte que le temps *contraint* par les tâches domestiques puisse être davantage limité. Disposer de machines qui font gagner de plus en plus de temps est une tendance déjà ancienne de l'équipement des foyers. Elle ne pourra que se prolonger. D'ailleurs, une bonne partie des innovations qui sont entrées dans notre vie quotidienne récemment ou qui sont en train de le faire ont comme première qualité de *faire gagner du temps* : four à micro-ondes, TGV, Minitel, téléphone mobile, automates de paiement, etc. Fait significatif : il arrive que la presse populaire ne se contente plus de proposer des combines pour payer moins cher, mais, entre la mode et l'horos-

9. CSERC, *Les Inégalités d'emploi et de revenu. Les années 90,* La Documentation française, janvier 1997.

10. C'est ce qui ressort notamment d'une enquête menée par la CFDT auprès des salariés de la chimie.

cope, elle en recommande « pour gagner du temps *et* de l'argent [11] ». Il serait faux de penser qu'il n'y a que les cadres stressés qui courent après le temps.

Mais il existe également une autre façon de gagner du *temps contraint*, c'est d'externaliser certaines activités, dévoreuses de temps, en les sous-traitant à d'autres humains : voici le marché des services de proximité. Il y a beaucoup à en attendre. Présenté comme la solution miracle à la crise de l'emploi depuis au moins dix ans, ce marché va-t-il enfin décoller ? On peut raisonnablement le penser, sans négliger toutefois les inerties qui le freinent.

Externaliser : les services de proximité

À propos des services de proximité, on pense immédiatement aux travaux de ménage courant, de repassage, d'aide ménagère traditionnelle, de garde des jeunes enfants, de livraison des courses à domicile. Dans les réponses aux enquêtes du CRÉDOC, d'autres services à caractère plus ponctuel sont également cités, comme le gros ménage, le cirage ou la vitrification des parquets, le lessivage de la cuisine, le nettoyage des canapés ou le détachage en profondeur des moquettes. C'est pour réaliser cette série de travaux domestiques moins courants que se sont créées beaucoup de nouvelles PME aux États-Unis.

L'hypersensibilité aux prix apparaît dans les enquêtes comme le principal frein au développement de ce potentiel d'activité et de création d'emploi. Il faudrait que le tarif pratiqué en France pour un service de base ne soit pas supérieur à 20 F l'heure afin qu'environ 60 % de la demande identifiée se transforme en demande effective ! À 30 F l'heure, le taux chute à 33 % et il n'est plus que de 15 % environ si le prix est de 40 F l'heure. La grande sensibilité au prix des services de proximité est une question conceptuellement délicate. Elle mêle des éléments objectifs de solvabilité à des caractéristiques beaucoup plus subjectives. Non seulement le prix est comparé à une évaluation de son propre temps, mais celle-ci peut être très variable. Pour celui qui a beau-

---

11. Titre de couverture du n° 640 de *Femme actuelle* du 20 décembre au 5 janvier 1997.

coup de temps libre, à la limite, son temps ne coûte rien. À l'inverse, pour celui qui est déjà très accaparé, l'heure marginale qu'il libère peut valoir très cher.

Libérer du temps pour choisir son utilisation est l'un des principaux moteurs du développement des services de proximité, mais il n'est pas le seul. On en relève au moins deux autres : la possibilité de rester plus longtemps chez soi en cas de maladie ou de dépendance liée au grand âge et la possibilité de faire faire des choses qu'on ne pourrait réaliser soi-même faute d'équipement ou de compétence suffisante. Le développement des services de proximité, qui est l'une des sources majeures de croissance de la consommation et de l'emploi pour l'avenir, doit se nourrir de ces trois raisons à la fois et doit être soutenu en conséquence.

Les emplois de proximité forment déjà un secteur d'activité significatif. L'INSEE a estimé qu'ils représentaient, en 1996, l'équivalent de 700 000 emplois en équivalent temps plein, soit 45 milliards de F [12]. Pour les seules activités domestiques (ménage, repassage, jardinage), 1,8 million de ménages déboursent environ 940 F par mois. Dans seulement un cas sur cent, ce service est rendu par une entreprise, le reste du temps – c'est-à-dire presque toujours –, par des employés de maison qui, comme on le sait, sont trop souvent non déclarés. En moyenne, les ménages leur demandent 6 heures de travail par semaine payées 42 F net de l'heure.

Mis à part les tâches domestiques courantes, le second secteur d'emplois familiaux concerne la garde d'enfants. Un ménage français sur quatre y a recours, soit en embauchant directement une *baby-sitter* ou une assistante maternelle, soit en utilisant un service collectif (halte-garderie, crèche familiale ou collective). La dépense moyenne est de 760 F par mois. Voilà bien un secteur dans lequel les arbitrages sont particulièrement difficiles à établir. Pour de nombreuses femmes, le coût de l'externalisation de la garde de jeunes enfants peut atteindre en valeur nette ce que leur activité professionnelle rapporte au foyer. En conséquence, ont-elles intérêt à continuer à travailler ou bien à arrêter temporairement à le faire ?

---

12. Anne Flipo, « Les services de proximité de la vie quotidienne », *INSEE Première*, n° 491, octobre 1996.

Le complément familial attribué par les caisses d'allocations familiales est parfois bonifié par les collectivités territoriales (comme c'est le cas de la ville de Paris), ce qui rend d'ailleurs le choix de plus en plus clair [13]. Mais les arbitrages ne doivent pas être seulement faits sur un calcul à court terme. Ceux et celles qui gardent des perspectives de carrière ou une clientèle à gérer peuvent souhaiter continuer à exercer leur profession sans interruption.

Avant que ne soit entrée en vigueur la prestation d'autonomie, l'INSEE estimait que 2,2 millions de ménages avaient au moins une personne âgée dépendante dans leur foyer, dont environ la moitié bénéficie déjà d'une aide extérieure rémunérée (aide ménagère, garde-malade, auxiliaire de vie...). L'ensemble de ces emplois représente, en 1996, l'équivalent de 220 000 pleins-temps.

De son côté, le CRÉDOC a chiffré le potentiel de développement que représentent ces marchés de services aux particuliers. Il est considérable. D'abord dans les services les plus traditionnels. Ainsi, 12 % des familles françaises n'ont pas encore recours à un employé de maison pour le ménage de leur logement, mais se déclarent éventuellement intéressées. Ce taux est de 10 % pour l'entretien du linge, de 8 % pour le raccommodage et la couture, de 7 % pour le nettoyage des vitres et de 5 % pour le jardinage... Si l'on ajoute à ces réponses les plus fréquentes d'autres activités plus rarement demandées comme la cuisine et la vaisselle quotidienne, l'entretien de la voiture, les courses, la sortie d'un animal domestique et l'aide aux démarches administratives... cela représenterait dans l'absolu, sans faire intervenir le critère sélectif du prix à payer, un potentiel de création de 400 à 600 000 emplois en équivalent plein-temps, soit près des deux tiers de ce qui existe aujourd'hui.

Il est condescendant et faux de considérer comme des *petits boulots* les emplois créés dans les services de proximité, car ils

---

13. En juillet 1994, l'allocation parentale d'éducation (APE) est attribuée dès le deuxième enfant. Auparavant, cette prestation, de 2 964 F par mois au maximum, était réservée aux familles d'au moins trois enfants. Selon la CNAF (Caisse nationale d'allocations familiales), cette extension a permis à 65 000 femmes de se retirer provisoirement du marché du travail. La plupart étaient en travail précaire ou au chômage. Au total, il y a 309 000 bénéficiaires de l'APE.

nécessitent toujours des qualifications. Mais celles-ci peuvent être acquises dans le cadre de programmes de formation adaptés. Les emplois de proximité sont l'une des voies de réinsertion des personnes qui ont connu de longues périodes de chômage et parfois d'exclusion. Les entreprises d'insertion et les associations intermédiaires jouent un rôle considérable dans ce domaine. Souvent mal vues par les artisans et les chefs de petites entreprises privées qui leur reprochent une concurrence déloyale – du fait des subventions qu'elles reçoivent –, leurs rôles sont en réalité complémentaires.

Voici, à titre d'exemple, l'histoire d'une belle réussite. Elle commence à Amiens, à la fin des années 1980. Une association se charge de proposer à des femmes en grande difficulté sociale accueillies dans des centres d'hébergement et de réadaptation sociale (CHRS) une activité pour favoriser leur insertion dans le logement : repassage, garde d'enfants. Cette association se professionnalise peu à peu et, en 1992, prend le nom de Ménage Services. Elle recrute des allocataires du RMI ou des personnes toujours hébergées en CHRS et leur procure une formation à plein-temps de trois semaines (puis de neuf semaines) dans le domaine de l'entretien du logement. Ce point est capital. Une activité apparemment banale – faire le ménage – est prise au sérieux. On enseigne aux stagiaires l'ordre à respecter dans les différentes étapes du ménage, comment utiliser les produits à bon escient, la compréhension de la psychologie du client : tout le monde n'a pas la même exigence à l'égard du ménage dans son logement et, plus important encore, la façon d'adopter une posture qui prouve que l'on a retrouvé confiance en soi, ce qui est nécessaire pour convaincre les autres de vous confier leur domicile.

L'association propose ensuite les services des personnes formées aux particuliers, mais aussi aux bureaux et commerces. Ménage Services est agréée comme *association intermédiaire*, ce qui fait bénéficier les familles d'un allégement d'impôts. Soutenue par la municipalité d'Amiens, l'association met au point une véritable stratégie de marketing : création d'un logo, publicité sur les Abribus de la ville, slogan malin : « Les femmes de Ménage Services ont le bras long. Elles passent même l'éponge sur vos impôts. » Le succès est immédiat : 180 personnes employées dès 1992, un peu plus de 300 emplois créés en 4 ans d'existence

(100 000 heures de travail effectuées chaque année). Puis l'initiative essaime : Ménage Services devient une marque, le label est déposé à l'Institut national de la propriété industrielle, d'autres associations acquièrent ce qui s'apparente en quelque sorte à une franchise, mais dans un cadre associatif, sans royalties. Un contrat est passé avec la FNARS (Fédération nationale des associations d'accueil et de réadaptation sociale), garantissant que les droits à la formation des stagiaires seront respectés, qu'il n'y aura pas de concurrence avec d'autres activités sociales (aides ménagères), que seront pris en compte les problèmes de santé et de logement des personnes employées, qu'une fois par an on procédera à une évaluation transmise au niveau national, bref, qu'il s'agit bien d'une activité à visée sociale qui justifie les subventions accordées par l'État. Au début de 1997, il existe un Ménage Services à Nantes, Lyon, Lons-le-Saunier, Villeparisis, Paris, Agen, Soissons, Cachan. Des projets sont bien avancés à La Roche-sur-Yon, Annecy, Angers. L'heure de ménage est facturée 64 F dont 50 % peuvent être déduits de l'impôt sur le revenu. Chaque implantation peut espérer créer une cinquantaine d'emplois dès la première année.

Bien sûr, les salariés de Ménage Services sont souvent à temps partiel, leurs revenus sont de ce fait assez faibles. Mais c'est une véritable réinsertion progressive, une réconciliation intelligente entre l'économique et le social. Des consommateurs trouvent une solution concrète à leurs besoins non satisfaits de disposer d'une aide aux activités ménagères avec un contrôle de qualité garanti par les permanents de l'association. La vitesse à laquelle les premières dizaines de clients se manifestent témoigne bien de l'inexistence d'une offre en ce domaine. Des personnes en difficulté sociale retrouvent confiance en elles [14], redécouvrent que leur action peut être utile aux autres, ressentent la dignité de rece-

---

14. L'un des secrets de la réussite de Ménage Services tient à cette importance accordée à la formation et à la nécessité de l'envisager bien au-delà de la seule acquisition technique. À partir de cette intuition, l'association Habitat éducatif, qui gère deux sites de Ménage Services en région parisienne, a créé, en 1996, un institut de formation pour l'accès aux emplois de service (IFPAES), dont la double originalité tient à l'importance accordée au fait d'organiser les programmes de formation en se déplaçant sur les lieux de vie, d'hébergement et d'insertion des bénéficiaires (la formation sur le terrain).

voir à nouveau des feuilles de paie. Au bout de quelque temps
– six mois, un an –, lorsque la relation se stabilise entre le salarié
de Ménage Services et le client, ceux-ci doivent finir par contracter directement l'un avec l'autre, l'association n'étant plus l'intermédiaire indispensable. Elle pourra toutefois continuer à jouer
un rôle de prestataire pour le calcul de la feuille de paie et les
déclarations administratives.

En France, il est courant de dire que le développement des
emplois de services est contrarié par une tradition culturelle qui
confond « service » et « servilité ». Celui qui vend son temps pour
tenir la maison d'un autre s'avilit, s'abaisse. Ce fut longtemps le
cas. On retrouve là toute la tradition élitiste française qui sous-
valorise le travail manuel en général. Heureusement, c'est en train
de changer. Trop lentement peut-être. Tout ce qui concourt à
structurer l'offre de tels services et à en élever la qualification doit
être encouragé. Évidemment, cela peut entraîner une élévation
du coût horaire des prestations et donc une baisse de la demande.
Pour éviter cet effet pervers, on devrait envisager la baisse du taux
de TVA à 5,5 %. Cela présenterait l'avantage de rapprocher les
prix des entreprises de ceux des associations, souvent dispensées
du paiement de la TVA [15].

Dans son discours de politique générale de juin 1997, Lionel
Jospin a annoncé qu'il souhaitait consacrer les marges de
manœuvre budgétaires éventuelles à une baisse de la TVA. Son
prédécesseur préférait, quant à lui, baisser l'impôt sur le revenu.
Cette dernière formule n'est pas très bonne pour relancer la
consommation, car elle touche moins d'un foyer sur deux, et ce
ne sont pas ceux qui ont le plus de besoins à satisfaire. Mais la
TVA n'est pas un aussi mauvais impôt que ça. On lui reproche
souvent son caractère injuste du fait qu'elle frappe moins les
ménages riches qui épargnent une partie importante de leurs
revenus. On peut limiter ces conséquences fâcheuses en imposant
davantage les produits financiers issus des placements et en
modulant, comme cela se fait déjà, le taux de la TVA selon les
familles de produits. Cet impôt a une vertu, celle de faire payer
les produits importés. Une baisse uniforme de quelques dixièmes

---

15. C'est l'une des propositions du rapport de Jean-Paul Bailly, présenté au
nom du Conseil économique et social en janvier 1996.

de point risquerait d'être absorbée par les commerçants et les industriels sans gain réel pour les consommateurs. Pourquoi alors ne pas utiliser des marges de manœuvre, forcément limitées, pour diminuer significativement la TVA d'une façon ciblée sur les services aux particuliers, y compris les travaux dans le logement ? Ce secteur à fort potentiel de création d'emplois, nous l'avons vu, bute sur des coûts trop élevés. Ce serait aussi une moindre incitation au travail au noir.

Internaliser : le bricolage

La tendance à l'externalisation des fonctions ménagères a sa contre-tendance, qui, au contraire, rapatrie à l'intérieur de la cellule familiale des activités que l'on confiait auparavant à des prestataires extérieurs. Il est facile de comprendre que ces deux tendances apparemment contradictoires ne s'annulent pas. Si l'on prend le seul argument du temps, certains en manquent et ils externalisent, d'autres au contraire en ont trop et ils internalisent. Mais ce peuvent être les mêmes qui, ayant à la fois des revenus et du temps – les retraités, ceux qui ont des horaires flexibles leur laissant beaucoup de temps libre –, externalisent certaines fonctions et en rapatrient d'autres. L'arbitrage peut se faire selon le talent, l'envie de chacun ; parfois même, le partage s'effectue à l'intérieur d'une même fonction. Jean-Claude Kaufmann demande : « Pourquoi faire appel aux services de Pizza express le jeudi et préparer des confitures maison le dimanche [16] ? » On retrouve bien d'ailleurs dans cet exemple à nouveau posée la question du temps qui n'a pas la même valeur, le même usage, un soir de semaine ou un après-midi de week-end. Comme l'affirme à juste titre Bernard Préel : « La Pizza Mamma ne condamne ni les Trois-Gros ni la recette du feuilleté aux amandes de belle-maman

---

16. En introduction au très intéressant ouvrage déjà cité *Faire ou faire faire ?* On assiste, en cette fin des années 1990, à un renouveau spectaculaire du désir de faire soi-même quelques pots de confiture ! Tradition familiale, fabrication naturelle se conjuguent alors. Une fois encore *rassurance* et désir d'*entreprendre* sont à l'œuvre simultanément.

[... car...] la cuisine ne saurait être rangée en son entier du côté de ces corvées aliénantes. Le jeu et le plaisir y ont leur place, comme dans tout vrai travail [17]. »

La plus significative des internalisations est celle du bricolage. Il s'est tellement développé qu'on a peine à se souvenir que ce secteur n'existait pratiquement pas au début des années 1960. À l'époque, le quincaillier de quartier vendait surtout des ampoules électriques, de l'eau de Javel et quelques outils soit quelconques, soit au contraire d'usage spécifique qui en décourageaient plus d'un.

Dans la seconde moitié des années 1960, les premières grandes surfaces spécialisées de bricolage apparaissent et notamment l'enseigne Castorama en 1969. L'anecdote mérite d'être racontée : c'est parce que les premiers magasins vendaient pour l'essentiel des matériaux de construction destinés au petit groupe de ceux qui bâtissaient par eux-mêmes – le mouvement des *Castors* – que la chaîne décide de s'appeler ainsi [18]. Ce n'est que plus d'une décennie après que les magasins se diversifient et élargissent les gammes de produits et leur surface.

Par la suite, l'essor du bricolage a été spectaculaire. Environ 2 à 3 millions de foyers bricolaient au début de la décennie 60, plus de 13 millions le font aujourd'hui. Beaucoup de secteurs aimeraient connaître des hausses de chiffres d'affaires identiques : 90 milliards de F en 1995 contre 60 milliards en 1989. Dans l'aménagement du logement, le bricolage vient de dépasser l'électroménager ou le mobilier.

La tendance est la même outre-Atlantique. Le marché du bricolage aux États-Unis pèse aujourd'hui 132 milliards de dollars, et les experts prévoient qu'il atteindra 162 milliards en l'an 2000. Là-bas, l'enseigne leader Home Depot couvre 479 magasins. Tous ses vendeurs sont dotés d'un tablier orange, ce qui fait appeler la chaîne « l'Agent orange » par ses concurrents quelque peu jaloux. Ce surnom n'a rien de très sympathique, il fait allusion au défoliant à l'efficacité redou-

---

17. Bernard Préel, *La Société des enfants gâtés*, Paris, La Découverte, 1989.

18. Témoignage de Rémy Dassant, l'un des responsables de l'Union nationale des industries du bricolage, cité par Gérard Nirascon dans « Bricolage : la France se débrouille », *Le Figaro* du mercredi 23 octobre 1996.

table utilisé pendant la guerre du Viêt-nam... Quelle erreur que d'appeler de façon aussi péjorative son principal concurrent : c'est prendre le risque de dévaloriser l'ensemble de l'activité et donc de se nuire à soi-même !

Voici les travaux de bricolage préférés des Français selon la récente enquête de l'INSEE sur le sujet : au cours des douze derniers mois qui précèdent l'enquête, plus de 80 % des ménages disent avoir peint ou posé du papier peint, monté des kits, posé de la moquette, verni des parquets et percé quelques trous dans les cloisons. Entre 50 et 80 % des ménages ont effectué par eux-mêmes des travaux d'électricité, de plomberie, de plâtrerie et de couverture. Les travaux les plus rares – moins d'un foyer sur deux – concernent le chauffage central ou l'automobile.

Le bricolage se répartit entre les marchés suivants : outillage (8 %), quincaillerie (10 %), plomberie et sanitaire (13 %), électricité et luminaires (11 %), bois et dérivés (12 %), bâtiment et matériaux (10 %), peintures et colles ou adhésifs (13 %), revêtements muraux et de sol (10 %), enfin le jardinage (14 %). Mais les contours ne sont pas faciles à établir, comme d'ailleurs dans de nombreux secteurs de la consommation. Par exemple, doit-on inclure les antennes paraboliques dans le secteur du bricolage ou dans celui de l'électronique de loisirs ? Elles sont vendues à la fois chez Leroy Merlin et chez Darty.

La force contemporaine du bricolage tient à la synthèse qu'il réalise entre différents types de motivations. Il y a ceux qui, victimes de la crise, chômeurs ou préretraités, disposent de plus de temps et de revenus moindres. Il y a les adeptes du *cocooning* qui, grâce au bricolage, se bâtissent le nid chaud de leurs amours. Il y a les passionnés qui peuvent s'exprimer dans la réalisation d'un petit meuble de coin, d'une cuisine entière ou du carrelage de leur salle de bains, en jouant de combinaisons de tailles et de couleurs que seul le temps qu'ils consacrent sans compter à cette activité rend accessible. Le bricolage est l'une des incarnations les plus typiques de la tendance à la coproduction de sa consommation. Il s'agit par ailleurs d'une façon d'être un consommateur entrepreneur sans même que cela résulte d'un changement lié à l'emploi. Par nature, le bricolage est le champ naturel du sur mesure, de la personnalisation. C'est la possibilité de découvrir son potentiel d'autonomie. Le bricolage n'est plus honteux, réservé à ceux qui ne peuvent se payer les services de l'artisan. C'est une réalisation de soi. Leroy Merlin récupère cette idée dans sa publicité du printemps 1997 : « Faire soi-même donne le droit d'être fier de soi ! »

Il y a une particularité du bricolage qui mérite une petite analyse. Ce sont les grandes surfaces spécialisées de bricolage (les GSB) qui se taillent la part du lion dans les ventes [19] alors qu'elles imposent des prix très sensiblement supérieurs à ceux des hypermarchés (de 30 à 50 % plus chers). De plus, alors que le volume des achats augmente, on n'assiste pas à des baisses de prix comme cela s'observe dans la plupart des autres secteurs de la consommation. Le bricolage résiste à une tendance à la banalisation qui en réduirait les objets à des produits courants. Les grandes surfaces spécialisées de bricolage possèdent deux atouts que n'ont pas les hypermarchés : un choix considérable dans l'offre de produits (cela peut atteindre 40 000 références pour les premières), leur personnel très spécialisé qui fait office de conseiller susceptible de reconnaître le consommateur comme un paraprofessionnel ou de l'aider, au contraire, à se lancer [20]. De même, les produits qui s'éloignent trop des normes de qualité traditionnelles ne séduisent qu'une partie limitée de la clientèle, celle des bricoleurs occasionnels. Dulux Valentine lance en 1985 un produit très facile à utiliser puisqu'il ne coule pas, la *crème de peinture*, et qui s'adresse explicitement au grand public. Dix ans plus tard, les responsables de la marque constatent que les acheteurs sont des bricoleurs très occasionnels ou qui en sont à leur premier contact avec la peinture. Les bricoleurs plus avancés ou habitués boudent ce produit, ils lui

---

19. Dans l'ordre décroissant de parts de marché : Castorama, Leroy Merlin (filiale d'Auchan), Bricomarché (enseigne de bricolage des indépendants d'Intermarché), Monsieur Bricolage.

20. C'est, là encore, une façon d'offrir un véritable service personnalisé. Pour fournir une compétence plus grande encore que celle de ses vendeurs, Castorama a innové en organisant dans ses magasins des consultations d'architectes pour sa clientèle une partie du week-end. Les conseils sont gratuits, mais ils peuvent se prolonger par un contrat de prestation entre l'architecte et le client lorsque celui-ci a des projets ambitieux dont il ne peut assurer seul la conception ou le suivi.

préfèrent les peintures professionnelles plus résistantes, même si elles sont plus contraignantes à travailler.

L'évolution du bricolage participe pleinement à l'épanouissement du consommateur entrepreneur en ce sens que, peu à peu, les acheteurs se comportent comme des professionnels, achètent des produits soit identiques, soit très proches de ceux qu'utilisent les artisans. Chez Lapeyre et GME, deux chaînes spécialisées jumelles, l'une dans la menuiserie, l'autre dans la plomberie et le sanitaire, on constate une double tendance : de plus en plus nombreux sont les particuliers qui acquièrent une technique de professionnels, de plus en plus souvent les industriels simplifient la mise en œuvre de leurs produits pour les rendre plus accessibles [21]. Résultat, les deux marchés se rapprochent inexorablement. Par exemple, les tuyauteries flexibles à raccorder se substituent en plomberie au cuivre traditionnel à souder. Et lorsque Lapeyre se lance, en mars 1997, dans la publicité à la télévision aux heures de grande écoute, il choisit résolument de faire croire au particulier qu'il peut être un vrai professionnel. En deux films de trente secondes, on voit un bricoleur qui, sans aucune difficulté, équipé comme un véritable artisan, pose des volets, aménage des placards... Comme le déclare l'un des responsables de l'agence qui a réalisé cette campagne : « Le film n'est pas un miroir de la réalité, c'est son idéalisation [22]. »

Le prix du temps

Le temps est donc en train de devenir une marchandise. Il s'échange. Certains en ont trop, d'autres pas assez. Certains ont de l'argent, d'autres non. Certains peuvent faire affaire avec

---

21. Les exemples de la crème de peinture de Dulux Valentine et de Lapeyre et GME sont repris du Dossier sur le bricolage, coordonné par Christian David, paru dans *La Tribune*, le 12 février 1997. C'est le cas également de la répartition entre les différents marchés.

22. Bruno Lacoste, directeur de la création à l'agence BL/LB, *Le Monde* du 4 mars 1997. Innovation particulière à cette campagne : pour déjouer la tendance à passer d'une chaîne à l'autre, le spot Lapeyre est passé deux fois un même dimanche, à 13 heures et à 20 heures 40, exactement au même moment sur toutes les chaînes. Impossible d'y échapper si son téléviseur est allumé ! Il n'est pas sûr que le consommateur apprécie...

d'autres. Cela n'est d'ailleurs pas nouveau ; ce qui l'est davantage, c'est la systématisation de ces échanges et, du coup, la grande variabilité du prix du temps. On sait déjà qu'une semaine de sports d'hiver ou de croisière sur la Méditerranée ne coûte pas le même prix selon la période de l'année. Cela peut s'étendre à de nombreux secteurs : les travaux à réaliser dans son appartement, les déménagements, les voitures neuves, le courant électrique... tout cela peut dorénavant se payer plus ou moins cher selon l'époque de l'année ou la période de la journée. Certaines brasseries parisiennes commencent à appliquer le système des *happy hours* largement pratiqué outre-Atlantique, selon lequel le même cocktail se paie deux fois moins cher à 18 heures qu'à 21 heures. Aux États-Unis, certains magasins pratiquent des réductions systématiques sur le montant des achats effectués durant les heures creuses. Si en France le cinéma coûte moins cher le lundi soir, c'est parce qu'il s'agit d'un jour où, traditionnellement, l'affluence est faible. Ça fait déjà un certain temps que le téléphone est moins cher la nuit que le jour, mais désormais la tarification se complique, et l'arrivée de nouveaux opérateurs induira des tarifs extrêmement variables selon l'horaire pour les communications internationales.

Mais le temps est aussi valorisé en ce qu'il représente une possibilité d'anticiper certains achats. Une réservation hôtelière ou de transport pourra coûter moins cher si elle est effectuée très longtemps à l'avance. Mais l'inverse est vrai également. Des places libres sont des pertes sèches ; il est donc préférable de les solder au dernier moment si les taux d'occupation ne sont pas satisfaisants. Du coup, le consommateur ne s'y retrouve pas aisément. Tout l'incite à optimiser ses achats, mais les règles deviennent vite très complexes. Certains hôtels sont dorénavant équipés de logiciels extrêmement performants, susceptibles de fournir un prix pour la chambre libre qui dépend de nombreux paramètres à la fois : période de l'année, heure de la journée à laquelle le client arrive sans avoir réservé, disponibilités, etc. De quoi faire en sorte que deux clients n'aient qu'une faible probabilité de payer le même prix !

Il y a une autre évolution fondamentale à l'égard du temps, celle qui consiste à le rendre productif non pas en faisant toujours plus vite une seule chose, mais en s'organisant pour réaliser *plusieurs* choses à la fois. Joël de Rosnay, pour qualifier cette nouvelle forme de vie, parle de l'invention d'« un macro-organisme planétaire, qui englobe le monde vivant et les productions humaines [perçues comme] de nouvelles *espèces :* le téléphone, le téléviseur, la voiture, l'ordinateur, les satellites [23] ». Il étend la logique darwinienne aux incarnations fonctionnelles de la science dans la vie quotidienne. Ainsi, par exemple, il y a dans l'ordinateur la création d'une espèce technique à vocation cérébrale. Les ordinateurs calculent de plus en plus vite en traitant des données toujours plus volumineuses. L'une des innovations de base qui a permis la progression exponentielle de leur capacité a été la *multiprogrammation*, c'est-à-dire la capacité de réaliser plusieurs programmes à la fois. Eh bien, par un effet de retour, peu à peu, cette capacité revient vers l'homme lui-même : l'homme crée une espèce technique douée d'une nouvelle caractéristique qui le force quelques années plus tard à devoir l'incorporer à son tour. Le consommateur entrepreneur sera capable de faire plusieurs choses à la fois, de se *multiprogrammer*, afin de gagner du temps.

Le micro-ondes, ce n'est pas seulement la capacité de préparer plus vite ses repas, c'est aussi la possibilité – même si cela ne dure qu'un quart d'heure – de faire tout autre chose en même temps, tellement le geste qu'il nécessite de la part du consommateur est réduit à sa plus simple expression : enfourner un récipient et appuyer sur un bouton. Travailler plus souvent à la maison, c'est aussi être capable de garder ses enfants en même temps.

Le téléphone mobile est, de ce point de vue, une innovation majeure. Certes, sa principale caractéristique consiste à rester en contact avec tous en étant presque n'importe où, mais la seconde réside incontestablement dans le fait de pouvoir faire plusieurs choses à la fois. Déjà quelques années auparavant, le téléphone ordinaire a inauguré cette possibilité lorsqu'il est devenu sans fil. On a pu commencer à se balader dans l'appartement tout en prolongeant sa conversation et, du coup, ouvrir en même temps son courrier ou une boîte de conserve, ranger ses vêtements ou sa cuisine. Le téléphone mobile élargit considérablement ces possibilités. On peut téléphoner en allant faire ses courses, en se diri-

---

23. Hubert Reeves, Joël de Rosnay, Yves Coppens et Dominique Simmonet, *La Plus Belle Histoire du monde*, Paris, Seuil, avril 1996, p. 154.

geant vers son lieu de travail ou en en revenant, en promenant son chien ou en conduisant son fils à l'école. Il n'y a plus de temps perdu par des activités imposées, mais du temps gagné pour faire simultanément plusieurs choses à la fois. Cela peut être évidemment dangereux : le risque d'avoir un accident de voiture lorsqu'on conduit et téléphone en même temps est multiplié par quatre !

Il y a toujours une surprise lorsque les ménages s'approprient les inventions techniques majeures. L'innovation technique entraîne une innovation sociologique imprévue. Ainsi, le répondeur téléphonique initialement destiné à enregistrer des appels en cas d'absence est devenu un régulateur qui permet de choisir qui on décide de prendre en ligne lorsqu'on est chez soi. Il en est de même aujourd'hui avec le téléphone portable. À tel point que, dans l'industrie agroalimentaire, certains pensent à créer des produits qui pourront être facilement préparés et ingurgités avec une seule main libre, pour faire autre chose en même temps. Mais il y a mieux encore : on va certainement voir, dans quelque temps, se développer des téléphones-casques légers qui seront des téléphones à mains libres. Le consommateur pourra facilement continuer à téléphoner tout en manipulant à la fois sa fourchette et son couteau. Il n'est pas sûr que tout cela soit très bon pour la digestion ! Et lorsque le correspondant sera ennuyeux, gageons que certains allumeront le poste de télévision, ayant ainsi une triple activité simultanément !

Si demain la voiture devient en partie un bureau mobile, c'est évidemment pour la même raison : gagner du temps en se déplaçant et en travaillant à la fois. Les téléviseurs modernes haut de gamme sont désormais souvent équipés d'une fonction qui permet de voir en incrustation dans un coin de l'écran ce qui se passe sur une autre chaîne. Cela permettra un jour de regarder un reportage sur les animaux d'Afrique tout en pouvant suivre en direct les cours de la Bourse ou tout simplement le fil de l'actualité sportive, internationale ou électorale... C'est bien ce que fait déjà le MacDonald's situé au cœur de Wall Street en diffusant les cours du New York Stock Exchange sur des bandeaux lumineux. On peut envisager tout un mode d'écoulement de certains produits de consommation. Une sorte de mélange entre un téléachat dans un coin du téléviseur et de vente aux enchères. Une agence de voyage qui a subitement besoin de placer une centaine de places d'avion le signale par un bandeau lumineux qui défile en sous-titre sur les téléviseurs d'une cible de consommateurs susceptibles d'être intéressés et sélectionnés grâce au câblage ou au satellite. Au milieu de *Mission impossible*, on se voit proposer un Paris-Boston à 1 500 F aller-retour et on saute sur l'occasion !

Tout cela se développera sûrement, mais sans être suffisant pour résoudre les conflits liés au sentiment de manquer de temps. La diversité des besoins du consommateur entrepreneur et son désir d'être traité sur mesure rendra toujours plus complexe l'élaboration de ses choix. On peut penser qu'en conséquence il sera forcé d'en déléguer la préparation à d'autres. Pour de nombreux produits ou services, le consommateur aura besoin de faire appel à des mandataires, à des conseillers qui ne seront pas des distributeurs mais des intermédiaires entre lui et ses fournisseurs. Encore une fois, on procède ainsi de façon comparable à ce que font les entreprises pour optimiser leur fonction d'achat. Une initiative qui s'inscrit dans cette tendance, c'est le lancement, au début de 1997, du réseau Solution Prix, qui prétend avoir inventé un nouveau métier : « chasseur de prix ». Supposons un consommateur qui a déjà un peu cherché le meilleur prix *a priori* pour un produit donné (d'au moins 2 000 F). Il communique ses informations à Solution Prix qui se met immédiatement en chasse pour trouver ce même produit mais chez un autre distributeur. Si cela n'aboutit pas, on en reste là. Mais, si la recherche est concluante, le chasseur de prix vend directement au client le produit recherché à un prix plus bas (tout en l'achetant lui-même moins cher encore pour se rémunérer). D'après le créateur de l'entreprise, dans 90 % des cas on aboutit à une baisse significative du prix final qui va de 10 à 30 %[24]. Les spécialistes recrutés sont des anciens des services « achats » de grandes entreprises. Voilà encore une spécialité du monde professionnel qui s'étend à la vie quotidienne. Le consommateur, tout comme la PME, se voit offrir la possibilité de sous-traiter ses achats pour gagner à la fois du temps et de l'argent. Plusieurs sociétés allemandes proposent aussi ce système.

---

24. Cf. *Rebondir*, février 1997.

La société de consommation bute régulièrement sur des contraintes de volumes qui lui semblent insurmontables et qui pourtant sont ensuite surmontées. On a d'abord cru que l'on atteindrait la saturation lorsque les ménages seraient tous dotés de certains biens : voiture, télévision, etc. Et cette contrainte a été levée lorsqu'on a compris que l'on pouvait se fixer comme objectif d'équiper chaque personne individuellement (ce qui d'ailleurs correspondait à la demande). Mais on a cru, au terme de ce processus, buter sur une nouvelle contrainte quantitative qui fut à nouveau levée : on s'est mis à équiper chacun selon ses activités et les lieux fréquentés au cours de la journée, aboutissant au multi-équipement individuel (chaîne hi-fi et autoradio sophistiqués, bureau sur le lieu de travail et à la maison, etc.). On butera demain sur le temps, pensant à nouveau qu'il y a saturation, mais à nouveau cette contrainte sera levée en systématisant le commerce du temps et en utilisant le temps disponible à faire plusieurs choses à la fois.

Chapitre 5

DE L'INDIVIDU À LA PERSONNE

Les personnes sans personnalité
jouent un personnage.
Gilbert CESBRON,
Journal sans date, Laffont.

Dans une société qui nous cantonne toujours plus étroitement dans l'instant présent, il faudra au contraire savoir retrouver le sens du temps long, seul apte à rendre possibles l'élaboration et le mûrissement des projets qu'imposera la société postsalariale. Ces projets ne seront plus forcément définitifs, destinés à organiser la vie entière d'une façon linéaire, comme cela pouvait être le cas il y a quelques décennies, lorsqu'à vingt ans on décidait de devenir instituteur, comptable, médecin ou exploitant agricole. Le plus difficile sera de ne pas opposer le présent à l'avenir, mais de chercher à faire en sorte qu'ils se complètent. Vivre intensément *chaque aujourd'hui* tout en sachant l'inscrire dans une trajectoire : plus facile à dire qu'à faire !

Autrefois, la société de consommation privilégiait la jouissance immédiate. Mais, en s'accélérant, cette tendance s'est peu à peu révélée trop superficielle. Le mouvement de retour au terroir et à la tradition, déjà observable depuis le début des années 1990 – le temps de la *rassurance* –, exprimait déjà ce souci de ne pas se soumettre à la dictature du quotidien. Mais il s'agissait d'un stade primaire, un peu régressif, de la réintroduction de la durée dans nos façons de vivre et de consommer. L'*autosatisfecit* à l'égard du passé récent ou lointain – songeons à la mode des expositions artistiques rétrospectives ou bien encore à la programmation des émissions de radio et de télévision à base de retour des chansons à succès des années 1960 et 1970 – a été une façon de fuir un présent inquiétant et un avenir invisible.

C'est un premier pas, mais, après s'être effectué en arrière vers le passé, il doit s'accompagner d'un autre pas en avant cette fois, débouchant sur l'aptitude de chacun à se bâtir un avenir. Un avenir, cependant, dans un univers en perpétuel changement, donc largement imprévisible. Chacun, à son modeste niveau, devra être capable d'être plus prospectiviste que prévisionniste, c'est-à-dire apte à repérer les éventuelles ruptures de tendances, si possible à les anticiper ou, en tout cas et au minimum, à en être averti.

Le sur mesure à la portée de tous

Nous avons connu, au cours des années passées, la célébration permanente de la toute-puissance de l'individu. Les modes de consommation y ont pris une large part. Le marketing segmenté, la prolifération exagérée des références faussement différentes des produits, l'organisation de la publicité, l'étalage du libre-service, toute la logistique des échanges marchands a été adaptée à ce seul but : flatter l'hyperindividualisme d'une société de plus en plus riche. Mais cela s'est fait d'une façon mécanique, purement instrumentalisée. La différence interindividuelle, d'abord conçue comme une aspiration des consommateurs lassés par une consommation et un marketing de masse, est vite devenue une fin en soi, l'objet propre du développement de la dimension *immatérielle* de la consommation, c'est-à-dire de la recherche du plaisir supposé du client. L'hyperindividualisme de la consommation est devenu une impasse ; le retour à un marketing de masse serait une régression inimaginable ; nous entrons dorénavant dans une autre ère, celle de la reconnaissance de la personne. Quelle différence existe-t-il entre l'individu et la personne ?

L'individu est défini par rapport aux autres. Il est un découpage.

Il est la plus petite unité d'une foule anonyme. Le flatter signifie lui donner des signes extérieurs de différence. La consommation a été experte en ce domaine. Les typologies et classifications en tout genre ont réussi des segmentations au plus près, jusqu'à ne plus parler d'ailleurs que de *niches* de consommateurs. La niche est le plus petit segment du marché, censé aboutir au point extrême de la reconnaissance du désir de différenciation. Quel beau résultat : avoir mis le maximum de consommateurs dans des niches ! Et l'on se plaint parfois de l'incompréhension qui peut exister entre l'offre et la demande ! Il y a des mots qui sont, à eux seuls, des programmes... Mais les différences finissent par devenir superficielles, elles se retournent en ressemblances, un peu à l'image des œuvres célèbres d'Andy Warhol : duplication à l'infini d'un même portrait dont seules varient et s'alternent les couleurs acryliques de la composition [1]. Demain, il continuera à y avoir des marchés de niches, mais ce seront des niches de produits et non plus des niches de consommateurs.

La personne se définit d'abord par rapport à elle-même. Reconnaître qu'un consommateur est d'abord une personne, c'est voir qu'il porte en lui une histoire, un projet, une recherche de cohérence. Cela implique une attitude de respect et appelle le *sur mesure*. La personne ne peut pas être construite *a priori*, ni de l'extérieur. Le marketing doit faire preuve d'humilité à son égard. Elle est à découvrir, pour la partie d'elle-même qui accepte de se dévoiler. La personne est tout à la fois à sécuriser, à mettre en confiance, mais aussi à soutenir et à encourager. On doit chercher à la comprendre, mais elle gardera toujours une part de mystère qui lui est propre. La personne est toujours inachevée. Chaque personnalité est toujours à comprendre. Le passage de l'individu à la personne est celui du banal à l'original, du standard au sur mesure, et même de l'aliénant à l'épanouissant, si effectivement cette attitude se généralise.

_____

1. On retrouve exactement cette même impression sur la couverture du catalogue de La Redoute de l'été 1997. Un même visage de femme reproduit quatre fois en pleine page avec une alternance dans les couleurs utilisées. Est-ce une concession parmi d'autres à cette célébration régressive des années 1960 et 1970 en adoptant un style *pop' art* ? On aimerait que ce ne soit que cela et non pas une incompréhension des aspirations nouvelles des consommateurs, qui n'auront en aucun cas envie d'être décalqués les uns sur les autres.

Les modes de vie de demain approcheront de plus en plus la spécificité de chacun et combattront l'anonymat de l'individualisme. Prenons un exemple très concret, celui d'un bien de consommation tout à fait ordinaire : pour flatter l'hyperindividualisme, on a inventé de multiples modèles de chaussures tous différents par maints détails. Si votre voisin avait une boucle carrée argentée au bout de ses souliers, il vous était facile d'en trouver une paire possédant l'attribut bien distinct « boucle ronde dorée » ! De quoi paraître proche, si tel était votre bon vouloir, et distinct à la fois.

Reconnaître la personne consiste d'abord à lui proposer de porter des chaussures adaptées à la forme unique de ses pieds. La variété des modèles est toujours utile, mais ce n'est plus une obsession. Par contre, la pluralité des tailles disponibles devient une condition absolument nécessaire. Elle peut consister à proposer, pour une pointure donnée, trois ou quatre largeurs différentes. C'est ce que pratiquent déjà couramment des marques américaines : Huch Puppies, Dexter, etc. Mais, plus malin encore, cette tendance peut déboucher sur le retour de la fabrication sur mesure. Les conditions actuelles de fabrication électronique permettent que ce soit à la portée d'une large clientèle. Cela commence d'ailleurs. En témoigne une page entière de publicité du *New York Times* parue en mars 1996 : la société Custom Foot prend l'empreinte exacte de votre pied grâce à un écran tactile d'ordinateur adapté ; les données sont télétransmises dans une usine en Italie et vous recevez dans un délai de trois semaines, à votre domicile, une paire qui vous va parfaitement. Un an plus tard, il y a déjà cinq magasins Custom Foot dans le Connecticut, le Minnesota et l'État de New York. Son jeune P-DG de 34 ans, Joffroy Silverman, est fier de sa réussite : dix fois le chiffre d'affaires initialement prévu. En combinant toutes les tailles que permet le sur mesure avec l'ensemble des styles et des coloris proposés, on aboutit à un choix théorique de 10 millions de paires différentes. Restreint au dessin de la chaussure adaptée à votre taille, le choix se fait entre plus de deux cents styles et dix coloris. Ces chaussures coûtent de 110 à 270 dollars pour les hommes et de 125 à 200 dollars pour les femmes. En France, les hypermarchés Carrefour viennent à leur tour de se lancer dans la vente de chaussures sur mesure.

Mais ce qui vaut pour les pieds vaut encore davantage pour le corps. Depuis longtemps, la confection sur mesure est en recul. Les chiffres le prouvent : le sur mesure représentait 10 % des dépenses d'habillement en 1953, il ne pèse plus aujourd'hui que 1 ‰ environ ! Mais l'innovation prenant en compte la personne en prépare certainement le retour. Bien entendu, la forme traditionnelle des mesures relevées par le vieux tailleur arménien ou la couturière des campagnes cède la place aux techniques ultramodernes. En 1995, à New York, Levi's installe sa première boutique dans laquelle on peut se faire couper une paire de jeans sur mesure très facilement et très vite grâce à des prises de mensurations électroniques et à une transmission directe de ces données sur un automate de confection. L'année suivante, satisfaite des résultats, la firme étend cette possibilité à une demi-douzaine de ses magasins de Big Aple et en 1997 à l'ensemble des États-Unis. Pour l'instant, cette innovation est encore réservée à la seule clientèle féminine, celle qui, pour des raisons anatomiques évidentes, a souvent des difficultés à se retrouver à l'aise dans les jeans de prêt-à-porter. Le *personal pair* réalisé ainsi coûte 15 dollars de plus et comporte un code cousu à l'intérieur, permettant de commander directement d'autres pantalons dans les mois qui suivront... à condition de ne pas avoir changé de taille !

Les hommes, quant à eux, commencent à se voir proposer des chemises également sur mesure et qui tiennent compte simultanément des différentes longueurs de manches, tours de cou et de poitrine. Une fois les mensurations enregistrées, les chemises en question sont fabriquées à l'étranger. Cette délocalisation de la production, doublée de l'automatisation, de la mémorisation et de la transmission des données, permet d'obtenir des prix compétitifs par rapport aux produits de confection courante. Il faudra que les créateurs français innovent pour garder leur production en France ou en Europe et qu'ils sortent de leur tour d'ivoire : « Le manque de ciblage caractérise encore trop souvent le travail de nos PME qui ne savent pas où aller, qui n'ont pas de données quantitatives et qualitatives suffisantes sur les marchés pour pouvoir orienter leur travail. Dans le secteur textile-habillement plus qu'ailleurs, la création est le cœur du système économique. » C'est une créatrice de style française qui s'adresse avec cette belle franchise à ses confrères [2] !

Le sur mesure est l'une des pistes de cette innovation, c'est aussi la possibilité de jouer avec les simulations par ordinateur pour faire varier indéfinitivement les couleurs et les caractéristiques d'un modèle donné de vêtement. Un homme pourra sans difficulté combiner son choix d'un tissu écossais – et il y en a de nombreux – avec sa préférence pour une coupe à l'anglaise, à l'italienne ou classique à la française. De nouvelles machines extrêmement sophistiquées viennent d'apparaître au début de l'année 1997. Avec une simple photo de la personne à habiller, elles sont capables de tailler des vêtements sur mesure.

Comme on le voit, la personnalisation va beaucoup plus loin que l'individualisation. Elle est incontestablement une tendance du développement actuel. La crise du prêt-à-porter depuis la fin des années 1980 (baisse des prix des vêtements de 25 % en dix ans) marque en creux ce qui ne doit plus se faire : une production standardisée, artificiellement renouvelée en permanence pour faire croire au client qu'il est toujours dans le coup. La personnalisation de sa garde-robe va de pair avec une consommation sur une plus longue durée de ses vêtements. C'est aussi la meilleure façon de contrecarrer l'influence excessive qu'ont prise les périodes de soldes. Trop de soldes tuent la création et sont en fin de compte une fausse bonne affaire pour le consommateur [3]. On voit bien que plus la combinaison des tailles se complexifie (largeur et longueur), plus il est aléatoire de trouver le modèle qui vous va parfaitement bien dans les fins de série et plus il est risqué

---

2. Tribune de Nelly Rodi, P-DG de l'agence de style Nelly Rodi, dans *Le Journal du textile*, n° 1489, du 17 mars 1997.

3. Pour tenter d'en limiter l'importance et d'en moraliser l'usage, les pouvoirs publics ont réduit la durée des soldes à partir de l'hiver 1996. Au lieu de durer deux mois, ces périodes ne peuvent plus désormais dépasser six semaines par saison, et leur date de démarrage a été fixée au début du mois de janvier et non plus dès le lendemain de Noël, comme cela avait été le cas dans les années précédentes. De plus, les amendes pour infraction à la réglementation sur les soldes ont été renforcées. Cela n'a pas empêché certains commerçants – et parfois très gros – de contourner ces nouvelles règles. En ce domaine, l'imagination est sans borne. Les termes sont nombreux pour attirer le chaland : déstockage massif, coup de balai...

pour le consommateur d'attendre le dernier moment pour se décider à faire les boutiques.

Comme l'analyse si bien Boris Cyrulnik, « quoi que vous fassiez, vous dites des choses avec vos vêtements. Les vêtements sont des objets de matières destinées à nous protéger du froid, de la pluie et des insectes, mais, dès que cette fonction mécanique est assurée, ils veulent dire quelque chose. Et cette fonction sémantique n'est pas toujours coordonnée à leur fonction protectrice [4] ». C'est pourquoi on se détache de plus en plus des renouvellements effrénés de collections pour chercher le vêtement *identitaire* et durable, et, si on ne le trouve pas, alors il est encore préférable d'acheter le moins cher possible grâce aux soldes.

Mais l'innovation dans le vêtement concernera également les matériaux que l'on ose à peine continuer à appeler des « tissus ». Cela fait déjà plusieurs années que le Goretex s'est imposé dans les vêtements d'extérieur de sport et de confort haut de gamme. Cette fibre inventée il y a plus de vingt-cinq ans par un Américain, Bill Gore, évacue l'humidité de la transpiration corporelle et fait écran à la pénétration de la pluie. Une fibre nouvelle, le Sympatex, améliore encore ces performances en ne nécessitant plus de trous, même infiniment petits. C'est bien là les caractéristiques de la peau humaine qui sont copiées pour permettre au vêtement de se métamorphoser en « seconde peau [5] ». Mais d'autres nouveautés sont encore plus prometteuses : telles les fibres qui incorporent des microcapsules contenant des parfums ou des produits cosmétiques qui, en se brisant au cours du temps, ont une action prolongée. Des foulards Hermès traités selon ce procédé peuvent parfumer leur propriétaire pendant plusieurs années. Et l'on réfléchit déjà à la manière d'intégrer dans ces microcapsules des produits régulateurs de la température corporelle et, pourquoi pas, des médicaments ? Voici le vêtement susceptible de bénéficier de la vague porteuse de la santé. Cette dernière, qui a décidément la fâcheuse propension à tout envahir, est sur le point de s'emparer d'un terrain d'application supplémentaire. D'ailleurs, lorsque Du Pont de Nemours met au point une nouvelle fibre destinée à rendre les vêtements à la fois plus isolants et légers à porter qui

---

4. Boris Cyrulnik, *Les Nourritures affectives*, Paris, Éditions Odile Jacob, 1993.
5. Selon l'expression de Pierre Barthélemy dans *Le Monde* du 26 mars 1997.

devait apparaître sur le marché en 1998, Hollofil Allerban, le géant américain, fait tester son invention par l'Institut Pasteur car elle contient des agents antibactériens.

Autre exemple de sur mesure : la confection de lunettes. Encore marginale, elle est aisée techniquement. Un opticien japonais, Kissimesse, a installé plusieurs boutiques à Paris, dont l'une dans le centre commercial du Carrousel du Louvre. Le scénario est le suivant : une caméra vidéo croque instantanément le portrait du client et le projette sur un écran cathodique. Le client répond ensuite à un questionnaire destiné à appréhender succinctement sa personnalité. Ensuite, un logiciel d'intelligence artificielle tient compte à la fois de la morphologie du visage grâce à la photo numérisée et des réponses au questionnaire faisant appel à des méthodes d'analyse lexicale. Au bout de quelques instants, la machine propose une première version de lunettes avec un découpage spécifique des verres. Le client peut ensuite cliquer autant qu'il le souhaite avec une souris pour modifier à sa guise et au millimètre près le dessin proposé, tout en suivant sur le moniteur en face de lui les effets sur son propre visage de tous ces changements. Une fois son choix définitif arrêté, la découpe des verres est bien sûr automatique et très rapide. Et tout cela pour un prix comparable à ce que proposent des opticiens traditionnels dans le haut de gamme.

Tous les opticiens devraient méditer cette innovation et s'en inspirer. Sans innovation de leur part, ils risquent fort de connaître le sort de nombreux petits commerçants, car on assiste depuis le début des années 1990 à l'arrivée à grande échelle des chaînes à prix réduit dans le domaine de l'optique. Essilor, géant mondial des verres pour lunettes, dispose d'un produit leader : Varilux. En affinant encore sa technologie avec Varilux anti-effet retard, « les seuls verres progressifs... à mise au point dans l'instant même », il élargit sa gamme. De quoi utiliser dans ses publicités cet argument d'avenir : « vos verres Varilux sont réalisés sur mesure, en fonction de vos besoins et de votre mode de vie : anti-reflets, antichocs, photochromiques... ».

Encore un exemple en provenance du Japon et implanté cette fois-ci aux États-Unis : celui de la bicyclette. National Bicycle Industrial Company fabrique chaque vélo en tenant compte du désir et de la taille de celui qui va l'utiliser. On sait combien le nombre de combinaisons de réglages de la hauteur de la selle et du guidon est limité, forçant chacun à déformer son corps pour s'adapter. Chez NBIC, c'est l'inverse qui est la règle. Le vélo est conçu pour convenir parfaitement à la morphologie de son propriétaire. Les machines numériques permettent de fabriquer chaque exemplaire en une journée sans perte de temps. Et, en prime, le nom de l'heureux cycliste est inscrit sur le cadre qui lui est destiné. On voit aussi apparaître des lits et des matelas sur mesure (justifiés par la grande diversité des tailles humaines). Bien entendu, cela pourrait s'étendre au domaine des fauteuils, des sièges de voiture, etc.

Le sur mesure est aussi une façon de réconcilier chacun avec le temps. Implicitement au moins, acheter des objets faits spécifiquement à ses dimensions, c'est avoir envie de les garder plus longtemps, d'abord parce que leur confort est optimal, mais aussi pour autant qu'il s'opère une identification beaucoup plus forte que dans le cas de tailles standard. Or, justement, le passage à la personne entraîne cette prise de conscience du temps long.

Dans une perspective de longue durée, le temps disponible devient une ressource au service de l'entretien, de la reconstitution, voire de l'augmentation de l'ensemble des capacités et des facultés de chacun : le capital humain individuel. Dans la société salariale, le temps a été trop vécu comme un égrenage de jours et d'années que l'on subissait passivement ; il doit devenir une source permanente de possibilités nouvelles. Commençons par aborder la gestion de la santé qui, de ce fait, devrait voir sa conception profondément renouvelée.

Des soins traditionnels au capital humain

Nous ressentons dorénavant assez bien qu'il y a quelque chose d'absurde à avoir presque organisé le système de santé pour la guérison au détriment de la prévention. C'est le risque de l'irresponsabilité dans laquelle nous a plongés notre conception primaire de l'individualisme : à chacun sa recherche de jouissance sans limite, et au système médical collectif d'assurer au prix fort la réparation des dégâts. Depuis longtemps déjà, la théorie économique libérale appelle *risque moral* l'incitation à l'irresponsabilité individuelle qui résulte d'une très forte garantie collective grâce à la mutualisation des coûts par l'assurance publique ou privée. Mais certains ont vu court lorsqu'ils ont pensé qu'il suffisait d'augmenter les dépenses restant à la charge des malades après remboursement pour les inciter à être davantage responsables de leur sort. L'exemple français en témoigne : nous sommes à la fois un pays dans lequel les dépenses médicales sont parmi les plus élevées, les financements accordés à la prévention les plus faibles et pourtant les tickets modérateurs les plus substantiels. Ce n'est pas en faisant payer davantage qu'on réintroduira la responsabilité mais en faisant évoluer les mentalités, non seulement du corps médical, mais plus encore des malades.

La médecine moderne s'est laissé prendre au piège de l'accélération du temps. On lui demande de guérir par tous les moyens et le plus vite possible. Le patient est devenu un incorrigible impatient. Une des raisons du succès croissant des médecines alternatives – souvent appelées « médecines douces » – résulte dans le parti pris résolument opposé : réintroduire la durée et, cela va de pair, la personne, le malade, dans sa cohérence propre et non pas comme une juxtaposition d'organes censés être autonomes, soignés séparément, voire remplacés comme on peut le faire en mécanique automobile et comme le pronostiquait Jacques Attali au cours des années 1970 dans son *Ordre cannibale*.

La consommation médicale a atteint 716 milliards de F en 1996, soit 12 276 F par habitant et 9 % du PIB. Bien que sa progression se soit fortement ralentie depuis la seconde moitié des années 1980, elle a progressé de 6,6 % au cours des années 1991 et 1992, de 5,7 % en 1993, de 3,0 % en 1994, de 4,5 % en 1995 et de 2,9 % en 1996. Cette progression reste donc supérieure à celle du PIB. En volume, la croissance de la consommation de soins et de biens médicaux a fléchi encore plus nettement, puisqu'elle est passée de 6,2 % en 1990 à 4,6 % en 1991, puis à 4,2 % en 1992, à 3,6 % en 1993 et à 1,3 % en 1994 ; elle est passée ensuite à 1,8 % en 1995 et enfin à 1,4 % en 1996.

Ce ralentissement a d'abord résulté d'actions volontaristes menées depuis plusieurs années par le gouvernement et par les caisses d'assurance maladie, surtout sur la médecine de ville exercée à titre libéral : baisses du prix des médicaments en 1989 et 1990, refonte de la nomenclature des actes de laboratoire, inscriptions très limitatives des nouveaux médecins dans le secteur à honoraires libres – c'est-à-dire autorisés à dépasser les tarifs qui servent de base aux remboursements –, modification de la cotation de certains actes radiologiques. En outre, la mise en place en 1993-1994 des « références médicalement opposables » vise à ce que la prescription réalisée par les médecins face à une pathologie bien déterminée ne puisse – sous peine de menace de sanctions pécuniaires – dépasser en moyenne certaines normes officielles.

Le plan Juppé de novembre 1995, destiné à rétablir l'équilibre financier de la Sécurité sociale, a réintroduit des taux directeurs pour limiter la progression des dépenses de santé, celles-ci ne devant pas progresser de plus de 2,1 % en 1996. Le résultat a été presque atteint, puisqu'en médecine de ville la hausse a été de 2,3 %. On sait que ce sont les sanctions applicables aux médecins en cas de dépassement de ces objectifs qui donnent lieu à de nombreuses contestations, notamment de la part des internes qui ont engagé une longue grève contre ces dispositions.

Si les dépenses de santé ont toujours eu tendance à augmenter, cela tient certes au coût élevé des techniques de plus en plus sophistiquées utilisées pour affiner les diagnostics et pour combattre la maladie, mais aussi au recours beaucoup plus fréquent au médecin et à la multiplication du nombre d'actes que cela engendre, c'est-à-dire à la médicalisation croissante des modes de vie des Français. Les enquêtes décennales de l'INSEE sur la santé nous indiquent en effet que, sur une période de douze semaines consécutives, 66 % des personnes enquêtées ont consulté leur médecin au moins une fois en 1991, contre 59 % en 1980 et 44 % en 1970.

Au cours de ces deux décennies, le nombre de consultations a beaucoup progressé chez les femmes de tous âges (cela résulte d'un meilleur suivi gynécologique) et surtout chez les personnes âgées de plus de 70 ans. Il ressort également de ces enquêtes une progression apparente de la morbidité de la population française. Si en 1980 le nombre moyen de maladies par personne était de 2,9, il atteint 3,2 en 1991. Ces chiffres doivent toutefois être interprétés avec prudence, car, d'une part, la définition retenue de la maladie est très large (elle inclut par exemple la myopie), et, d'autre part, l'amélioration du suivi médical permet de détecter plus tôt certaines maladies (c'est le cas des tumeurs dont la fréquence a progressé de 50 % entre 1980 et 1991) et donc de les traiter avec plus de chances de guérison... mais aussi d'en comptabiliser davantage.

Il est difficile d'attribuer au système de santé français tous les mérites de l'augmentation très sensible de l'espérance de vie – 73 ans pour les hommes et 81 ans pour les femmes en 1993, en progression moyenne de trois mois chaque année – due pour une large part à l'amélioration de l'hygiène de vie et à la diminution de la pénibilité physique du travail. Il serait cependant assez injuste de ne lui reconnaître aucun rôle dans l'obtention de ce résultat. Pour évaluer l'efficacité et l'intérêt réel d'une thérapeutique, on cherche aujourd'hui à mesurer les gains qu'elle procure en termes d'*espérance de vie sans incapacité*, c'est-à-dire en laissant au malade son autonomie, tant il est important d'« ajouter de la vie aux années » plutôt que d'« ajouter des années à la vie ». Bien qu'elle soit plus difficile à mesurer, l'espérance de vie sans incapacité semble progresser également (elle atteignait, en 1991, 64 ans pour les hommes et 69 ans pour les femmes).

D'une façon générale, si l'on en croit le Haut Comité de la santé publique [6], l'état de santé des Français est satisfaisant en comparaison de celui de leurs voisins européens. Il est aussi en constante amélioration (sauf chez les hommes de 25 à 44 ans, vraisemblablement à cause de la pandémie de sida). Bien que les maladies de l'appareil circulatoire représentent encore la première cause de décès (environ un sur trois), la France présente en ce domaine le taux de mortalité le plus bas d'Europe. Autre motif de satisfaction : après les Japonaises, ce sont les Françaises qui ont la longévité maximale. Ce dernier record ne met que mieux en lumière la trop importante surmortalité masculine française, surtout avant 65 ans, et qui résulte pour une large part des accidents de la route et de la consommation abusive d'alcool et de tabac.

La gestion du système français de santé et d'assurance maladie a quelque chose de fascinant. Il a fallu un quart de siècle pour

---

6. Haut Comité de la santé publique, *La Santé en France*, Rapport général et annexe : travaux des groupes thématiques, Paris, La Documentation française, novembre 1994, 2 vol.

que des outils d'encadrement administratif de l'enveloppe des dépenses soient à peu près efficaces : la première convention nationale avec les médecins date de 1971 et, pour la première fois en 1996, le plan Juppé semble en mesure d'endiguer la hausse des dépenses. Pourtant, cela se produit au moment où l'on cherche à déréguler l'ensemble des autres secteurs de dépenses de consommation dans lesquels l'État jouait un rôle essentiel : télécommunications, transports, énergie... Par un étrange effet de ciseaux, on chasse la régulation publique de presque partout et on la renforce dans le secteur médical.

La santé possède un potentiel de développement considérable pour les années à venir, elle reste un gisement important d'emplois. Ainsi, le département du travail de l'administration américaine prévoit une création nette de 18 millions d'emplois de 1994 à 2005, dont pratiquement la totalité devrait provenir du secteur des services et du commerce de détail ; or *un cinquième de ces postes concerne le secteur de la santé.* Devons-nous, par un strict encadrement financier enfin réussi, nous priver de ces créations d'emplois pour la société française ? L'aspiration à se soigner toujours mieux et le plus possible de troubles susceptibles de survenir doit-elle être contrecarrée par la crainte soit d'un débordement budgétaire des dépenses publiques, soit d'une privatisation accrue des dépenses qui met à mal notre aspiration égalitariste spécialement vive dans le domaine de la santé ? Certes, pendant quelques années, nous pourrons dépenser mieux sans dépenser plus en réduisant les gaspillages, en optimisant la gestion des hôpitaux, en informatisant les cabinets médicaux, mais cela ne durera qu'un temps... Une fois les marges de productivité utilisées, la menace d'une conception malthusienne nous guette.

Le consommateur entrepreneur, qu'il soit actif ou retraité, aspirera à prendre davantage en main sa santé, et cela coûtera forcément plus cher. Les maladies qu'il pourra éviter, ou dont on atténuera la gravité, feront faire des économies, mais ce sera automatiquement compensé par les soins futurs dont il aura besoin. La prévention améliore la qualité de la vie et l'allonge, mais ne peut en aucun cas supprimer toutes les maladies. Gare aux pensées magiques en ce domaine ! Si un encadrement énergique de la dépense publique persiste, il faudra bien accepter une progression importante de la dépense privée de santé. Des médicaments passeront forcément dans le domaine de l'autoprescription et de l'autoconsommation, ce qui permettra de ne pas les comptabiliser dans le budget de la Sécurité sociale autorisé pour chaque laboratoire pharmaceutique.

Il y a un exemple récent et intéressant en ce domaine, il concerne la vente autorisée sans prescription du Tagamet, le plus fameux médicament antiacide qui a révolutionné le traitement des ulcères à l'estomac. Ce produit est apparu à la fin des années 1970 et il a réduit de 90 % la fréquence des opérations chirurgicales. Sa molécule active, la cimétidine, bloque la fabrication par l'organisme de certains acides gastriques, ceux qui sont susceptibles d'attaquer la paroi de l'estomac. Les effets sont d'une rapidité inimaginable, comparés aux produits du passé ; dans l'immense majorité des cas, les douleurs cessent en trois ou quatre jours seulement, et l'ulcère cicatrise très vite. Bien que moins coûteux qu'une opération chirurgicale, le médicament est cher. Il fait les beaux jours du laboratoire qui en possède le brevet et des pharmaciens qui le distribuent. Quelques années plus tard apparaissent d'autres molécules concurrentes, la ranitidine, à la base d'un nouveau médicament, l'Azantac, la famotidine qui donnera naissance au Pepdine, mais il y a sur ce marché considérable, et à l'échelle de tous les pays occidentaux, de la place pour plusieurs.

En 1995, le Tagamet obtient le droit d'être délivré sans ordonnance aux États-Unis. Le laboratoire lance alors une campagne de commercialisation presque sans précédent avec publicité grand public massive (elle est interdite en France pour les produits qui sont remboursables par la Sécurité sociale), achat de pleines pages de journaux, promotion redoutable : le Tagamet est vendu partout dans les drugstores, les magasins populaires et les grandes surfaces sur des présentoirs spécifiques. L'emballage jouit de coloris orange fluo, il est impossible de passer à côté sans le remarquer. Visant des ventes en beaucoup plus grandes quantités, le prix est abaissé, mais il avoisine encore les 80 F la boîte. Pour éviter des surdosages par autoprescription, la dilution du produit est multipliée par deux. Mais surtout – et cela choquera certains observateurs – les publicités élargissent le champ d'utilisation : d'un médicament initialement destiné à traiter des ulcères à l'estomac, il devient un produit à prendre dès que l'acidité gastrique se fait un peu gênante. En réalité, on savait que de nombreux médecins avaient déjà étendu le champ de prescription du Tagamet dans ce sens tant aux États-Unis qu'en France.

Au début de 1997, de la même façon, le Tagamet devient disponible sans ordonnance en France. Ou plutôt on invente pour cela un clone qui s'appelle le Stometidine 200, tandis que dans le même temps le Pepcidac, équivalent du Pepdine, devient accessible dans les mêmes conditions. Devenus non remboursables, les publicités sont possibles. Comme outre-Atlantique, on vise large : « Pepcidac, et l'acidité s'en va. » Certains médecins protestent : cela risque de retarder la détection d'un ulcère mal soigné, principalement chez les malades les moins aisés financièrement et culturellement. La préoccupation est certes louable, mais l'argumentation fragile. D'ailleurs, le produit est cher. Il est étrange de constater qu'il y a un écart de prix très important entre le produit remboursé et celui qui ne l'est pas : Stométidine 200 coûte 32 F la boîte de 10 comprimés, soit 60 % plus cher que Tagamet 200, facturé 122 F la boîte de 60 comprimés [7] ! Bien sûr, il y a a toujours un risque, mais n'est-il pas équitable de le prendre si, en contrepartie des économies réalisées par l'assurance maladie sur les boîtes de Tagamet achetées directement et donc non remboursables, on peut financer des dépenses nouvelles ? Le carcan des dépenses publiques de santé ne peut durer que par un système de compensation entre le remboursement de technologies et de produits nouveaux coûteux et le non-remboursement d'autres soins banalisés.

On aurait pu prendre d'autres exemples dans d'autres familles de médicaments qui eux aussi sont devenus accessibles sans ordonnance depuis peu : l'Aciclair contre les poussées d'herpès, le Lopéramide, un antidiarrhéique (plus connu sous le nom d'Imodium), l'Ibuprofène (anti-inflammatoire non stéroïdien connu sous le terme d'Ibadop).

---

7. Bien étrange, cette bizarrerie réglementaire française. Pour pouvoir devenir un produit grand public, le Tagamet a dû être baptisé autrement dans sa version non remboursable. Prétendument pour ne pas confondre les deux. Mais n'est-ce pas au contraire à une opacité que cela aboutit ? Pourquoi le même principe actif peut-il être vendu tout simplement sous le même nom aux États-Unis et pas en France ?

L'Agence du médicament doit donner son accord sur les publicités grand public que lancent les laboratoires qui reçoivent le droit de banaliser leurs produits. En 1996, elle a autorisé 312 spots publicitaires à la télé contre 158 en 1995. Le mouvement est parti !

On ne peut pas continuer à prendre le consommateur de dépenses de santé pour un être irresponsable, incapable de se soigner *en partie* par lui-même. Il faut au contraire l'accompagner dans sa prise en charge, l'aider à faire le juste discernement entre ce qu'il peut faire par lui-même et ce qui réclame l'intervention d'un médecin. De ce point de vue, le slogan utilisé à grande échelle par le ministère de la Santé pour promouvoir le carnet de santé, dont la généralisation résulte du plan Juppé, est tout à fait pertinent – « Prenez votre santé en main » –, même s'il n'est pas sûr que ce soit réellement à cet objectif qu'il est bien destiné ! De plus, n'oublions pas le rôle du pharmacien qui pourrait gagner à être revalorisé. Plutôt que d'être soit un distributeur quasi automatique des produits couchés sur ordonnance, soit un vendeur souvent un peu maladroit de produits de beauté, pourquoi ne deviendrait-il pas aussi, et plus qu'il ne l'est aujourd'hui, un conseiller, susceptible de guider le consommateur dans son autoconsommation, destiné à prendre forcément davantage d'importance ? Le lancement du dictionnaire *Vidal Grand public* en 1995, qui s'avère un grand succès de librairie, témoigne également de cette tendance [8].

Le désir et la nécessité de devenir au moins coresponsable de sa santé s'accompagnent d'ailleurs d'une confiance moins aveugle à l'égard du médecin. Certes, deux Français sur trois se déclarent « très satisfaits » de leur médecin personnel, et près d'un sur trois « assez satisfait ». L'insatisfaction est donc pratiquement inexistante, mais, selon l'âge et le niveau d'éducation, on n'en attend pas toujours le même type de service. Pour les personnes peu

---

8. Mais le *Vidal*, qui mange ainsi des parts de marché de dictionnaires-guides pratiques traditionnellement vendus au consommateur, se voit du coup attaqué : il ne serait pas indépendant des laboratoires pharmaceutiques qui lui fourniraient l'essentiel des données à partir desquelles les notices sont rédigées. Se voulant plus près du consommateur grâce à sa liberté de ton, le *Guide Ginoud-Hagège* de tous les médicaments « avec ou sans ordonnance » est sorti au début de 1997 aux Éditions du Rocher.

diplômées et de plus de 50 ans, le « bon médecin » est celui qui pose un diagnostic fiable et donne un bon traitement. Les femmes pensent souvent que c'est celui à qui l'on « ose parler », tandis que les jeunes voient plutôt en lui celui qui n'« hésite pas à faire confirmer son diagnostic », c'est-à-dire qui accepte de reconnaître qu'il ne possède pas la vérité révélée. Longtemps, les médecins reconnaissaient entre eux qu'ils n'exerçaient pas une *science exacte*, mais ils s'empressaient de l'oublier lorsqu'ils se retrouvaient face au malade.

Le consommateur entrepreneur capte l'information, la décode et la synthétise. Il se constitue des réseaux d'informations plus ou moins formels qu'il utilise si besoin. Cela modifie son attitude à l'égard du système de soins. Au-delà de critères seulement financiers, l'égalité face à la santé se trouve aujourd'hui confrontée à un nouveau défi touchant l'ensemble de la population : celui de l'hyperspécialisation d'une médecine qui devient de jour en jour plus technicienne. Connaître le spécialiste de pointe auquel s'adresser en fonction de la pathologie dont on souffre joue un rôle grandissant. Cela permet de disposer au plus vite de la qualité des soins que l'on peut s'attendre à recevoir. Derrière l'anonymat de la dénomination identique de deux services hospitaliers peut en effet se cacher une différence redoutable de moyens matériels d'investigation et de traitement ou de compétence et d'expérience des praticiens. Comment faire en sorte que la bonne information ne soit pas exclusivement réservée à ceux qui ont un niveau culturel élevé et des relations ? Le généraliste dont on cherche aujourd'hui à revaloriser la fonction ne devrait-il pas, grâce à une formation continue de haut niveau, être le garant que tous les malades pourront accéder aux meilleurs spécialistes selon leur pathologie ?

Mais, au-delà de la médecine curative de haute technicité, on assiste aussi à l'entrée en force de la santé dans tous les aspects de la vie quotidienne, et notamment dans les différents secteurs de la consommation. Certaines marques de produits laitiers mettent sur le marché des yaourts aux ferments lactiques affublés de vertus médicales, les industriels du textile – nous l'avons vu – inventent des fibres à l'action bienfaisante sur l'organisme, des peintures murales sont vantées comme « antiacariennes » et donc très utiles au combat contre les allergies. De même, les pratiques sportives ne visent plus aujourd'hui à relever des défis, mais à favoriser l'entretien du corps et de l'esprit, à rester en « bonne santé », comme les vacances sont de plus en plus souvent l'occasion de suivre des cures de « remise en forme » ou de thalassothérapie. Bien entendu, aucune de ces nouvelles dépenses n'est remboursable par la Sécurité sociale ; elles ne correspondent même pas à des produits ou à des services délivrés dans un cadre médical.

Concernant la place à venir de la santé dans la consommation, il y a trois scénarios possibles. Le premier – le moins vraisemblable à court terme, mais plus à long terme –, c'est le redémarrage des dépenses traditionnelles de santé et, simultanément, de celles de l'assurance maladie publique, ce qui suppose soit une nouvelle augmentation des prélèvements correspondants sur l'ensemble des revenus, plutôt que sur les seuls salaires, soit une affectation à la santé d'un quota supplémentaire au détriment d'autres services collectifs. Le deuxième scénario, c'est le décrochage de la dépense de santé de celle de l'assurance maladie, ce qui revient, en fait, à baisser encore et toujours les taux de remboursement et à supprimer la prise en charge de soins non absolument indispensables (ou prétendus tels). Ce scénario est aujourd'hui largement rejeté, seul un courant d'économistes et de politiques très libéraux le soutiennent. Ce qui le rend peu présentable, c'est la contradiction entre le *service public* que demeure notre système de santé et l'accroissement des inégalités sociales qu'implique forcément la baisse du taux de couverture.

Enfin, troisième scénario, le plus probable à l'aune du consommateur entrepreneur : les dépenses de santé continuent à progresser fortement mais par diffusion dans tous les autres secteurs de l'activité économique, c'est-à-dire que les hypermarchés, qui attendent cela depuis longtemps, offrent toujours plus de produits à la lisière du médicament, voire obtiennent le droit d'en commercialiser certains devenus très courants. Au-delà de la thalassothérapie et des clubs de remise en forme, des médecins s'installent comme conseillers en nutrition ou en recherche d'équilibre personnel comme consultants d'entreprise [9]..., tandis que les produits

---

9. Il y a déjà quelques pionniers en ce domaine. Des médecins devenus conseillers en organisation du travail, en dédramatisation de climats conflictuels, en régulateurs antistress... et souvent auteurs d'ouvrages sur ces sujets.

les plus banals de la grande consommation (alimentaire, vêtements, accessoires du logement) incorporent de leur côté toujours
plus de propriétés médicinales. Ce troisième scénario est lui aussi
très inégalitaire, mais cela ne se voit pas, car les dépenses échappent aux comptes traditionnels de la santé. Outre le fait de ne pas
peser sur les comptes publics, il possède la vertu de participer au
décloisonnement des différentes fonctions de la consommation
les unes par rapport aux autres, qui est incontestablement une
tendance structurelle de l'avenir.

Bien entendu, ce troisième scénario est celui qui correspond le
mieux au consommateur entrepreneur. Il repose sur une prise en
charge responsable de soi-même qui n'est pas limitée à une activité traditionnellement médicale. Il suppose une gestion de la
complexité mêlant des activités de prévention qui ne sont pas forcément onéreuses, comme le fait de disposer d'une bonne hygiène
de vie, avec la consommation de produits et de services qui
peuvent être très élaborés et chers pour maintenir ou améliorer
ses performances. Le consommateur entrepreneur a compris que
son corps était son outil de travail et cela lui donne une raison
de plus pour en prendre soin.

Comme toujours, on ne peut pas exclure que ces trois scénarios,
théoriquement exclusifs, se réalisent en partie simultanément.

Les âges de la vie

Il y a là aussi une petite révolution. *L'individu* était sans âge ou
plutôt feignait de l'être. Ce qui comptait, c'était qu'il fût de son
époque. Tout le monde aspirait, dans ce modèle unique d'identification, à une image de beauté standardisée et de jeunesse universelle. Rester conforme à un stéréotype le plus longtemps possible. *La personne* doit s'assumer très différemment. Intégrer le
temps long, c'est savoir se situer dans le cycle de vie et reconnaître, du coup, les séquences qui le composent. Peu à peu, souvent maladroitement mais pas toujours, cette succession des âges
de l'existence redevient naturelle. Ce qui compte, c'est de l'inscrire
dans un projet. Le consommateur entrepreneur aura besoin que,
sans hypocrisie, on n'ignore plus son âge, mais pas pour l'y enfer-

mer, pour en faire au contraire un tremplin. Cette inscription dans le présent doit être au service de l'avenir.

C'est assez facile dans l'enfance et la préadolescence. Se porter vers l'avenir est alors tout à fait naturel. On n'évite pas, du coup, les excès. Ainsi le secteur du jouet s'est-il caractérisé, au milieu des années 1990, par un fort développement des produits à contenu éducatif, destinés à l'éveil accéléré des capacités cognitives du tout petit enfant. Cette tendance a d'ailleurs été critiquée par les spécialistes de la psychologie enfantine : il ne faut pas aller trop vite en besogne. Mais les parents sont pressés de voir leurs chérubins disposer le plus vite possible du maximum d'atouts pour affronter la dureté des temps à venir.

La reconnaissance des âges du début de la vie aboutit dorénavant à une segmentation de plus en plus fine des classes d'âge : il y a les petits enfants, les jeunes enfants, les préados, les ados, les presque adultes... Les groupes de presse qui leur sont consacrés ont introduit un raffinement extrême. Prenons l'exemple de Bayard Presse (le leader incontesté sur ce marché, mais ses principaux concurrents, Disney et Milan, font à peu près la même chose). Dès que le tout jeune enfant souffle sa première bougie, on l'accueille comme lecteur de *Popi*, et ce jusqu'à 3 ans. Ensuite, le relais est pris par *Pomme d'api*, jusqu'à 7 ans, au moment où c'est *Astrapi* sur lequel on enchaîne, jusqu'à 10 ans qui est l'âge d'*Okapi*. À partir de 14 ans, on entre dans les années *Phosphore*. Le découpage si fin du temps de l'enfance et de l'adolescence est déjà ancien dans le domaine de la presse qui possède une dimension éducative et qui est en réalité achetée par les parents. Il tend dorénavant à devenir courant pour les jouets. Mais on voit apparaître aussi cette échelle des âges dans les produits alimentaires comme le lait. Candia y ajoute tel complément vitaminé censé être optimisé pour la croissance de l'organisme à une période donnée. Lactel propose un emballage qui, tout en rappelant la bouteille d'antan, est totalement opaque, ce qui doit permettre une meilleure conservation du lait destiné aux jeunes enfants. Il n'est pas sûr que ce soit absolument nécessaire, mais cela conforte l'imaginaire des parents pour lesquels le lait est le produit de base de la croissance de leur chère progéniture. Cela permet aussi d'introduire un supplément de qualité au produit et donc de le vendre plus cher, de le démarquer du bas de gamme, sans signe distinctif. Quant aux marques de distributeurs, avides de tout copier, elles ont, pour certaines d'entre elles, déjà copié ces nouvelles bouteilles toutes blanches qui mettent un terme au règne sans partage des fameux *tetra brick* [10].

Pour les adultes aussi, la notion de capital humain réintroduira la logique des âges au moins dans deux secteurs déjà clairement identifiés. La prévention médicale, tout d'abord, être attentif à tel signe qui arrive à un âge assez précis : la presbytie ou la ménopause, par exemple [11]. L'autre secteur dans lequel la logique des âges s'imposera très vite est celui des services financiers. Le lancement des fonds de pension s'accompagnera d'un ciblage publicitaire en fonction de l'âge dans la foulée comme ce fut le cas pour l'assurance-vie. Le Crédit agricole a déjà un slogan publicitaire : « Imaginez des Sicav adaptées à chaque moment de votre vie. » C'est un appel exigeant à la responsabilité, à la capacité de planification individuelle.

Et puis, le vieillissement démographique combiné à l'enrichissement relatif des retraités a fait éclore, depuis quelques années

---

10. En 1995 et en 1996, il y a eu vingt-deux lancements de nouveaux produits laitiers s'adressant aux différentes cibles segmentées des enfants dont certains dès l'âge de 2 ans. C'est un record. En voici la liste : « Boursin pour petits gourmands (Astra Calvé), From' d'Api (Senoble), Haribo Mini parade (Senoble), Kid Goûts Américains (Danone), Mini Bleu de France (Triballat), Mini Cabrette (Triballat), Mini Roulé (Triballat), Petit Yoplait Vanille (Yoplait), Petits Filous à Sucer/Petits Filous à Glacer (Yoplait), Pik et Croq (Fromageries Bel), Carré Grosjean (Besnier), Brin de Vitalité (Savoie Yoplait), Clowny Shake (Besnier), Crème Dessert Nesquick (Nestlé), Didigam (Harry's), Kid Création (Danone), Kinder Pingui (Ferrero), Prince Cœur de Lait (Danone), Mousse aux fruits (Danone), P'tit Louis (Bongrain), P'tits Monts (Nestlé), Surpriz (Yoplait), Croq'Animal (Ideval) ». Cf. Cidinov Images, *Marketing Magazine*, n° 18, janvier-février 1997. Il y a dorénavant des messages publicitaires conçus pour enfants de 3 à 5 ans. Avant 6 ans, les études montrent que l'enfant n'a pas réellement conscience de la fonction de séduction que remplit la publicité, il ne distingue pas encore le message du produit.

11. Voici un exemple de découpage séquentiel de la vie adulte dans le secteur de la prévention médicale liée toutefois au désir de préserver comme un capital la plus belle image possible de soi. Une campagne nationale contre le vieillissement de la peau fait afficher ce message dans les salles d'attente des dermatologues : « Votre dermatologue préserve votre capital peau. À partir de 25-30 ans : vieillissement de la peau dû au soleil. À partir de 35-40 ans : vieillissement naturel de la peau. À partir de 45-50 ans : vieillissement naturel et hormonal de la peau. »

déjà, le *senior-marketing* que certains n'ont pas hésité à qualifier de « marché du siècle [12] ».

Mais la réintroduction des âges, lorsqu'elle est trop crue, peut être choquante. L'exemple de la publicité pour l'eau minérale d'Évian à l'automne 1996 est tout à fait éclairant. Voulant prendre le contrepied d'un message traditionnellement sans âge, celui d'un buveur type d'eau minérale qui y puise de l'énergie et du bien-être cède la place à une succession de photographies déclinant les âges de la vie. Tout va choquer dans cette série de publicités : de la petite fille nue jusqu'à la limite du pubis (alors que l'Europe est en plein traumatisme pédophile) à la grand-mère cachant sa nudité derrière une serviette éponge tandis que ses cheveux blancs, libérés du chignon, flottent abondamment dans le désordre sur ses épaules. Pourtant, en contre-page, la publicité est intelligente, elle décrit l'intérêt de l'eau d'Évian aux différents âges de la vie : pour l'enfant, « tout le monde sait que le lait aide à grandir, mais tout le monde ne sait pas que le calcium d'Évian s'assimile aussi bien que celui du lait ». Le lait a une telle connotation de santé positive qu'il faut s'y référer, se mettre en situation de rivalité, c'est-à-dire l'attaquer comme un concurrent ! Pour la vieille dame, « éviter de manger du sel sans penser à boire une eau peu salée est une situation qui ne manque pas de sel ».

D'où vient le malaise en regardant ces publicités ? C'est très simple : la plasticité des corps parfaits, nus ou presque, largement utilisée dans les publicités, va de soi lorsqu'il s'agit de camper un *individu anonyme*, un être générique, même s'il est incarné par un mannequin devenu une star, mais la reconnaissance de l'âge, du cycle de la vie, est liée à ce passage de l'individu à la personne, et d'un seul coup l'anonymat se brise. Ce sont réellement des êtres humains précis que l'on observe et il n'est plus possible de les montrer de la même manière. L'intérêt porté à la personne du consommateur entrepreneur imposera l'invention d'une nouvelle approche publicitaire, on ne pourra pas se contenter de reprendre sans discernement les formules qui marchaient justement lorsque l'identification se faisait d'une façon purement abstraite et atemporelle, maintenant qu'il s'agit de personnes réelles. Face aux dif-

---

12. Couverture du magazine *Défis*.

ficultés qu'elle a générées, Évian a eu le bon goût de retirer sa campagne publicitaire au bout de quelques semaines.

On voit aussi d'autres effets pervers dans une réintroduction mal faite des âges de la vie. Ainsi, lorsqu'on s'adresse au nouveau segment des consommateurs de plus de 75 ans qui, peu à peu, deviennent à leur tour solvables (cela fait plus de dix ans que les jeunes retraités disposent de bonnes pensions), on décide souvent, par élégance et pour les flatter, de les rajeunir, et les messages publicitaires commencent souvent par cette formule : « Vous avez plus de 50 ans, ce produit est pour vous. » Oui, mais voilà, ceux qui viennent juste d'avoir 50 ans et qui tombent sur ces publicités se sentent mal à l'aise : est-ce réellement à partir de cet anniversaire-là que l'on est concerné par les protections urinaires, les conventions obsèques ou les croisières animées par Jacques Martin ? Bien sûr que non, cela vise ceux qui pourraient, dans un grand nombre de cas, être leurs propres parents ! En procédant ainsi, on fait peut-être plaisir aux plus de 75 ans, mais on produit un effet repoussoir sur ceux qui ont entre 50 et 75 ans.

D'une façon générale, on peut s'interroger sur la pertinence du terme de *senior* qui a fleuri abondamment au cours des dernières années dans la réflexion sur l'offre de produits, le marketing et la communication. S'il s'agit de dire qu'il y a désormais une réalité économique incontournable, celle du poids financier des plus de 50 ans, c'est une évidence, et ça le sera encore plus demain [13].

Si, par contre, cela consiste à laisser penser qu'il y a une homogénéité des plus de 50 ans, ce serait déjà contestable. On distingue d'ailleurs couramment trois sous-catégories d'âge parmi les *seniors* : les plus de 50 ans encore actifs, les jeunes retraités avec une santé satisfaisante, les retraités plus âgés qui ont de lourdes difficultés : santé, veuvage, dépendance. Mais, si cela induit l'idée qu'il y a plus de raisons de rapprocher les 50-55 ans des plus de 60 ans que des 40-45 ans, ce serait encore plus absurde. Le marketing de l'âge va devenir une réalité pour toutes les séquences de la vie. Pour certains produits, la coupure à 50 ans aura un sens,

---

13. Voir le rapport établi par le CRÉDOC pour l'International Longevity Center France, *Le Pouvoir et le rôle économique des plus de 50 ans*, Paris, 1996.

pour d'autres elle n'en aura pas. Constater, par exemple, que les *seniors* sont des acheteurs de la Renault Mégane Scenic n'est pas suffisant si l'on ne voit pas que ce sont de jeunes seniors retraités dont le comportement les rapproche des couples avec un ou deux enfants à charge, et les oppose aux plus âgés de leur classe d'âge. De même, des études mettent en évidence que de 30 à 60 ans la plupart des achats se font séparément au sein du ménage, tandis qu'à partir de 60 ans ils se font à deux. Dans ce cas précis, l'attitude des 50-60 ans est proche de celle des plus jeunes et non pas de celle de la majorité des retraités. Ces études mettent en évidence que ce sont les événements de la vie qui modifient la forme de la consommation, sachant que ces événements surgissent en moyenne aux alentours d'un âge donné. On peut citer par exemple le fait de terminer ses remboursements d'emprunt, de voir son dernier enfant quitter le foyer, de devenir grand-parent, et bien sûr de partir à la retraite [14].

Il arrive aussi qu'on retrouve dans la consommation ce qu'on peut appeler « la boucle de la vie » : certains besoins seraient identiques dans les premières décennies, mais aussi dans celles du troisième ou du quatrième âge, tandis qu'ils cesseraient de se faire sentir au cœur du cycle de vie. Ainsi, Stérimar, décongestionnant nasal à base d'eau de mer, cherche à sortir du carcan du médicament prescrit seulement lorsque le nez est bouché. Ses promoteurs voudraient le faire passer pour un produit d'hygiène quotidienne, tout autant selon une logique de prévention – « éviter de nombreux problèmes : complications ORL » – que selon celle du confort : « il aide à résoudre tous les petits problèmes du réveil et de l'endormissement ». Tout d'abord il s'agit de créer un nouveau réflexe – « À quand Stérimar sur la tablette de la salle de bains entre Coton-Tige et brosses à dent ? » –, puis il y a cette mise en évidence de la boucle des âges : « Dans la vie, il n'y a pas que le bout de nez des bouts de chou. D'accord, c'est souvent pour eux qu'on achète Stérimar... Mais il y a les autres : les juniors, les seniors, avec leur ribambelle de petits maux. » Le tout orchestré

---

14. Étude Scanner/SIMM 95 Interdéco présentée dans *Seniorscopie*, la passionnante lettre d'information sur les plus de 50 ans, du groupe Bayard Presse, n° 31, février 1997.

pour une publicité destinée à *Notre temps*, le plus gros tirage des magazines pour retraités.

En mars 1997, *Le Temps retrouvé*, éternel rival de *Notre temps* (celui-ci vend 1,1 million d'exemplaires et celui-là 600 000 !), abandonne son titre et, plus encore, son sous-titre : « Le magazine des seniors ». Le pari est osé quand on a un tel tirage et de plus une clientèle plutôt âgée, qui n'aime pas forcément qu'on change ses habitudes. Ce magazine s'appelle dorénavant *Pleine Vie*. Outre sa pagination plus attrayante et la place très importante qu'il consacre aux loisirs, il y a une autre intention et elle est sans doute pertinente : reconnaître les âges de la vie, ce ne doit pas signifier enfermer les hommes et les femmes dans des catégories toutes faites et, qui plus est, tellement larges que ça n'a pas beaucoup de sens : les plus de 50 ans, les retraités, les seniors... C'est plutôt par la reconnaissance des spécificités de chaque époque de l'existence et la pleine valorisation des activités appropriées : s'occuper de ses petits-enfants, vouloir retrouver le goût de se faire plaisir, avoir des hobbies, lire... De plus, à trop marquer les étapes, on finit par faire croire qu'elles se succèdent de manière saccadée, comme des ruptures successives, alors qu'il n'en est rien. Tout est bien plus continu, progressif.

Et puis, ce terme de *senior* devenu si courant dans le marketing de ces dernières années a fâcheusement irrité ceux mêmes qu'il vise. Bien sûr, il a quelque chose de sympathique et de valorisant (il vaut mieux que les « vieux » !). Mais il a une connotation mercantiliste trop prononcée. On s'intéresse subitement à eux du fait qu'ils ont, dans l'ensemble, un peu plus de billets de banque dans leur porte-monnaie. Or les retraités ont d'abord envie d'être reconnus pour le rôle actif qu'ils peuvent jouer dans la société. Le premier aspect de ce nouveau rôle, qui est aussi le plus important, réside dans l'aide matérielle qu'ils apportent à leurs enfants et petits-enfants. À 60 ans, un ménage consacre en moyenne 6 % de son revenu à ses descendants, ce qui est considérable. Mais à 80 ans ce taux est plus élevé encore puisqu'il atteint 12 %. À l'inverse, les ménages de moins de 40 ans ont un revenu courant qui est majoré d'environ 4 % du fait de cette aide. Mais sait-on que ce sens de la solidarité s'exprime aussi en dehors du cadre familial ? Sait-on, par exemple, que 59 % des donateurs de la Fondation de France sont âgés de plus de

60 ans ? Et que 49 % des personnes de 60 ans et plus font des dons atteignant au total, tous types confondus, 200 milliards de F par an ? Tout cela, c'est aussi un poids économique important, une fonction économique essentielle.

Les générations de retraités jouent désormais un rôle social historique : celui d'accompagner le passage de notre société du salariat au postsalariat. Bénéficiaires en toute légitimité des avantages du monde salarial, ils en mettent une large part au service des plus jeunes qui ont à se débattre avec la douloureuse éclosion d'un monde nouveau. C'est pourquoi le pouvoir de consommation des plus de 60 ans doit être reconnu et stimulé, mais absolument pas dans une recherche de plaisirs égoïstes. Il y a là une différence notable avec la situation nord-américaine où cette figure du consommateur *senior* à la recherche d'une maximisation de ses plaisirs propres se rencontre beaucoup plus souvent qu'en Europe.

Intégrer le temps long, gérer son capital humain, c'est aussi accepter la mort, ne plus la refouler comme nous l'avons bien trop fait dans la période passée de seule jouissance de l'instant présent. Les choses évoluent peu à peu dans ce domaine. Les Pompes funèbres générales, qui détiennent 30 % du marché des obsèques en France (évalué globalement à 7 milliards de F par an), commanditent périodiquement des sondages sur la perception de nos concitoyens : en 1994, 53 % d'entre eux déclaraient penser souvent ou assez souvent à la mort, contre 47 % en 1979. À l'inverse, 47 % y pensaient rarement ou jamais, contre 52 % en 1979. L'évolution est notable.

Jusqu'à présent, seul un Français sur dix rédige un testament, alors que deux Américains sur trois le font. S'agit-il d'une trace perceptible de ce refoulement encore trop accentué de la mort, malgré les évolutions récentes dans une société française qui, au siècle passé, éprise de romantisme, se complaisait au contraire à trop la mettre en scène ? Ou bien n'est-ce pas plutôt le signe que nos concitoyens ne sont pas encore suffisamment décontractés à l'égard de l'argent et du patrimoine ? Les deux à la fois, très vraisemblablement. Mais tout cela va changer peu à peu. Il devient déjà moins rare qu'un retraité expose clairement à ses enfants l'état de sa richesse, alors qu'il n'y a pas si longtemps il s'agissait d'un sujet tabou. De plus, des dispositions récentes exonèrent davantage les transmissions de capital en cours de vie non seulement aux enfants, mais aussi aux petits-enfants, ce qui est une excellente chose.

Bien sûr, l'allongement de la durée de la vie repousse le moment du premier contact avec la mort. La plupart des adolescents et même des jeunes adultes ont encore leurs quatre grands-parents. Pourtant, peu à peu, on accepte à nouveau d'entreprendre de parler de la mort, voire de la préparer. On voit, par exemple, se multiplier les publicités, notamment à la télévision, vantant les intérêts des conventions obsèques. Celles-ci permettent de tout préparer de son vivant et surtout de préfinancer ce qui sera la *dernière consommation* pour un montant souvent de plusieurs dizaines de milliers de F. Quel jugement porter sur ce type de pratique ? D'un côté, la personne qui souscrit une convention de ce type fait preuve de responsabilité jusqu'au bout, allège le fardeau de ceux qui lui sont proches et qui lui survivront. Mais, à l'inverse, n'est-ce pas également le signe d'une prétention poussée à l'extrême, le désir de vouloir tout contrôler, d'être le maître absolu de tout ce qui peut arriver jusqu'à l'événement ultime et même de ses suites ?

La cérémonie des adieux ne doit-elle pas être au contraire assumée, c'est-à-dire organisée par les survivants, certes dans le respect des dernières volontés du défunt, mais aussi avec l'engagement effectif et visible de ceux qui, par la suite, auront à faire effort de mémoire ? N'est-ce pas l'une des étapes du nécessaire travail de deuil ? Dans toutes les sociétés humaines, les rites funéraires suivent évidemment des règles collectives, œuvrant à la cohésion sociale. La convention obsèques, traitant celle-ci comme un nouveau produit de consommation, est à la limite de transgresser cette règle. Les Pompes funèbres générales utilisent comme formule d'accroche publicitaire : « Il n'y a que vous pour décider ce que seront vos dernières volontés. » Certains poussent encore plus loin le raisonnement. Les adeptes de l'euthanasie souhaitent pouvoir choisir par eux-mêmes, au stade ultime de maladies incurables, le moment où ils cesseront de vivre. Le raisonnement paraît bien compréhensible – éviter des souffrances inutiles, rester digne jusqu'au bout –, mais il recèle une prétention folle : celle de tout vouloir maîtriser par soi-même en faisant fi du mystère absolu de la condition humaine [15]. C'est le consommateur entrepreneur qui pousse son attitude au-delà du raisonnable en ne voulant rien laisser au hasard, en gardant tout sous son contrôle.

Il y a d'ailleurs un parallèle frappant entre cette tentation de tout contrôler à la fin de la vie et à son commencement. Les techniques médicales rendent possibles des programmations toujours plus précises de la naissance. Elles comporteront demain le risque d'une sélection des fœtus. Que l'on soit amené à effectuer une interruption de grossesse au seul motif que des examens prénatals auront permis de déceler un bec-de-lièvre a quelque chose de disproportionné. La liberté accordée à chacun ne peut faire oublier l'accroissement de la responsabilité qui en découle. Comment discerner les bons critères d'exercice de cette responsabilité ?

Voilà bien la difficulté suprême. Chaque personne jouira de moyens considérables au service de son autonomie. C'est tout aussi formidable que terrifiant. Pour certains, ce défi sera trop difficile à relever et les conduira plutôt à se fuir qu'à se trouver. Le 1er janvier 1997, le journal du soir de France 3 diffuse un assez long reportage sur les tendances de l'année 1996. On y trouve l'illustration de cette terrible alternative. À côté de ce qui rassure et rend optimiste, on voit tout ce qui, à des degrés plus ou moins importants, incarne cette attirance pour la fuite de soi-même : de la sympathique finale de championnat de karaoké, où les chanteurs mi-animateurs, mi-professionnels du samedi soir se valorisent dans le mimétisme à l'égard des vedettes des chansons qu'ils entonnent, à la médiatisation du phénomène *drag queens*, stade très avancé du transformisme, jusqu'à cette image impressionnante d'une soirée

---

15. Il y a aussi le cas étrange des adeptes de la crémation. Ils ont créé une mutuelle spécifique, La Prévoyance et l'assistance crématiste, affiliée à la Mutualité française. À une prestation classique d'assurance capital décès pour couvrir les coûts funéraires s'ajoutent une prévoyance et même une mutuelle qui versent une allocation journalière en cas d'hospitalisation. « Le MUTAC apporte également écoute, conseil, soutien et solidarité crématiste par l'intermédiaire d'un réseau de correspondants proches de vous. » Voilà un exemple bien intéressant : c'est en se glissant sur un nouveau marché, celui des conventions obsèques, qu'un réseau cherche à accroître sa force et sa capacité de fédérer ceux qui ont une même conception quasiment philosophique de la mort. La MUTAC revendique plus de 30 000 adhérents.

dite « branchée » dans une discothèque à la mode où, sur la scène, un homme très beau, presque nu, a le visage déformé par un bas de soie, cambrioleur cambriolé dans son intimité corporelle !

Comment ne pas parler, en l'occurrence et encore une fois, du goût prononcé pour la provocation de Beneton ? En décembre 1996, la marque italienne, dont l'activité principale est de vendre des vêtements dans le monde entier, publie un magazine bilingue, *Colors*. En réalité, il s'agit du numéro 18 d'un journal diffusé dans de nombreux pays, mais les Français le découvrent à large échelle, car Beneton a réussi un coup de marketing extraordinaire, celui d'être distribué gratuitement avec le quotidien *Le Monde* du 8/9 décembre 1996. Sur cent pages consacrées au *shopping for the body*, on assiste à une mise en scène largement sadomasochiste. Une collection d'objets en provenance du monde entier, tous explicites, est présentée. Cela va de la mortification (chaîne métallique dont on nous dit qu'elle est prisée par l'*Opus Dei*, mais qu'elle produit des effets comparables à ceux du LSD) à l'exposition de morceaux de prothèses faciales en silicone (œil, nez, oreille). Bien entendu, il y a tout ce qui peut s'attacher au corps pour le plier aux fantasmes les plus troubles (du poids à laisser pendre afin de restaurer le prépuce d'un circoncis au film alimentaire adhésif utilisé par les travestis colombiens afin de comprimer leurs parties génitales et les rendre invisibles sous leurs habits). Inutile de prolonger l'énumération. Les droits de l'homme, auxquels se réfère à plusieurs reprises le magazine, sont bien manipulés.

Lorsque l'homme a tous les pouvoirs et qu'il ne peut les assumer, le risque de se rejeter lui-même, de s'autodétruire, peut devenir une triste réalité. Il n'y a rien de bien neuf, sauf – et ce n'est pas rien – la publicité à grande échelle autour de ces thèmes. Tous ces objets sont commercialisés, ils sont reproduits avec leur prix, et le lecteur peut devenir consommateur car les pages jaunes à la fin du magazine lui fournissent les adresses. Bien entendu, rarissimes seront ceux qui le feront. Mais la perversité du magazine réside justement dans la pseudo-banalisation d'une présentation sous forme de catalogue grand public [16]. Dans le passé, Beneton

---

16. En février 1997 sort le n° 19 de *Colors*. Toujours aussi provocant mais, cette fois-ci, il porte sur les animaux avec une photo de couverture violente représentant un chien écrasé dont les organes éclatés s'étalent sur le bitume (il

a cherché à utiliser les drames de la guerre et du sida, le voilà qui s'intéresse désormais à la difficile transformation de l'individu en personne et à ses dérives toujours possibles. Il a au moins le mérite de percevoir les tendances.

Chacun se trouve ainsi placé devant ce choix : assurer son indépendance et aller au bout de soi-même, exploiter ses potentialités sans tomber dans le piège de croire qu'on peut se passer des autres, ou bien au contraire ne pas avoir la force de s'assurer comme personne et sombrer dans un jeu de manipulation et de désappropriation de soi-même : sectes, drogue, marginalité, suicide... La question du lien social, de la relation de soi aux autres, est bien au cœur des préoccupations du consommateur entrepreneur. Le danger des sectes n'est pas leur nombre, il y a eu dans l'histoire des périodes au cours desquelles elles étaient plus nombreuses et possédaient davantage d'adeptes, mais la tentation régressive qu'elles dévoilent : ne plus s'appartenir à soi-même dans tous les aspects de la vie, qu'ils soient matériels, affectifs ou philosophiques, au moment où, pour s'y intégrer, la société exige une intégrité et une cohérence de la personne toujours plus grandes en ne lui fournissant plus les grandes structures d'encadrement collectives. Forcé de réussir sur de nombreux plans qui s'interpénètrent toujours davantage, l'individu est fragilisé et risque de sombrer corps et âme à la moindre difficulté. Chacun d'entre nous est un peu comme un sous-marin au fond de l'océan. Tout seul, il ne peut pas grand-chose, mais la communication avec le reste de la flotte lui permet de maintenir son cap. L'interpénétration entre les différentes facettes de la vie (professionnelle, affective, familiale, intellectuelle) pourrait être interprétée comme l'impossibilité qu'aurait le sous-marin à cloisonner les différentes parties de ses installations et de son espace intérieur. Ainsi, la moindre voie d'eau pourrait entraîner l'inondation de toutes les parties du bâtiment et le couler définitivement.

---

y a d'ailleurs dans les pages intérieures une collection de photos d'animaux écrasés de toutes espèces). Comme d'habitude, Beneton prétend contribuer ainsi à la défense des grandes causes (ici le monde animal). Probablement échaudé par l'expérience précédente, ce numéro n'est plus distribué gratuitement avec *Le Monde*. Il faut l'acheter chez les marchands de journaux 32 F. Évidemment, beaucoup de lecteurs s'étaient plaints de l'initiative malheureuse du quotidien.

Rester relié aux autres, non pas par philanthropie mais comme une nécessité absolue, comme une éthique telle que la définit Edgar Morin, l'éthique de la reliance. « La notion de reliance englobe tout ce qui fait communiquer, associe, solidarise, fraternalise : elle s'oppose à tout ce qui fragmente, disloque, disjoint (brise toute communication), renferme (ignorance d'autrui, du voisin, de l'humain, égocentrisme, ethnocentrisme). La reliance doit être comme la religion de ce qui relie, faisant front à la barbarie qui divise (le diable, *diabolus*, étant le diviseur) [17]. »

Le renouveau de la spiritualité, encore plus perceptible qualitativement que dans les statistiques, correspond à ce besoin de la personne de consolider sa cohérence globale et de la partager avec d'autres. Le développement dans les pays occidentaux des spiritualités orientales, notamment du bouddhisme, s'inscrit typiquement dans cette tendance. L'adhésion de vedettes d'Hollywood à certaines Églises qu'en Europe on assimile à des sectes (scientologie, par exemple, avec Tom Cruise, John Travolta...) est aussi tout à fait caractéristique. Le Nouvel Âge, particulièrement développé aux États-Unis, cherche à réconcilier, par une démarche spirituelle, la nature avec la technologie et la science. On prétend que de nombreux créateurs, dans les agences de communication anglo-saxonnes, sont convertis au Nouvel Âge et que cela se ressent sur le type de publicité qui envahit les écrans depuis quelques années, mettant de plus en plus souvent en scène des univers cosmogéniques ou plus platement des couchers de soleil sur des immensités planétaires.

Le marketing de la personne

Le passage de l'individu à la personne sera une révolution pour le marketing. Le défi est clair : comment faire du sur mesure dans tous les domaines, pas seulement à l'égard des vêtements, des chaussures ou des meubles, mais aussi en ce qui concerne les produits courants, ce que les professionnels appellent « le champ de la grande consommation » : l'alimentaire, l'entretien, les pro-

---

17. Edgar Morin et Sami Naïr, *Une politique de civilisation*, Paris, Arléa, 1997, p. 183.

duits ménagers ? Eh bien, il existe dorénavant des techniques pour cela. Elles s'appellent « les mégabases de données » et, pour parler franchement, elles font un peu froid dans le dos. Importées des pays anglo-saxons, elles sont arrivées en France en 1994. Les années d'individualisme auront donné naissance au culte des styles de vie, une façon de différencier les consommateurs – même lorsque ce n'était pas nécessaire –, de les positionner sur des cartes destinées à tout embrasser en un seul coup d'œil. Les années de la *personne* semblent déboucher sur l'idéal totalitaire de tout savoir sur tous en prenant s'il le faut les moyens adéquats : échantillons énormes, multiplicité des questionnements, traitements informatiques encore plus élaborés. Comme pour les styles de vie, ces techniques de marketing comportemental remplissent une fonction symbolique, un peu magique, pour les hommes de marketing un peu déboussolés par les consommateurs d'aujourd'hui. On découvrira peut-être dans quelques années qu'on a trop cru à leurs promesses.

Voici comment fonctionnent ces techniques. Comme tous les ménages français, vous recevez un questionnaire dans votre boîte aux lettres. Celui-ci s'appelle par exemple « Grande enquête spécial consommation ». Il est composé de quatre pages qui comportent environ cent cinquante questions écrites en tout petit. La plupart d'entre elles sont des choix fermés, il vous suffit de cocher la case de votre choix. On vous demande de vous présenter très précisément : identité, adresse, numéro de téléphone, niveau d'études, composition détaillée de votre famille avec pour chaque enfant sa date de naissance, revenu du ménage, patrimoine financier... On vous interroge également sur tout ce qui concerne votre cadre de vie, vos loisirs, vos lectures, le montant de vos factures téléphoniques... Arrivent enfin les questions ayant trait directement à la consommation (toutes les autres la concernant aussi, bien évidemment) : habitudes d'achat, budget, liste des magasins fréquentés (grandes et moyennes surfaces généralistes et spécialisées)... avant de passer en revue une centaine de marques en tout genre, dont on vous demande pour chacune d'elles si vous en achetez « souvent » ou « parfois » les produits.

Bref, une enquête aussi longue que celles de l'INSEE ou du CRÉDOC, mais sans enquêteur, vous y répondez vous-même. Mais, au fait, répondez-vous ? On vous promet en échange toute une gamme de coupons de réduction à valoir sur vos futurs achats. Sur 25 millions de questionnaires distribués, il en revient entre 1 et 2 millions remplis consciencieusement. C'est peu et beaucoup à la fois. Retenons que c'est beaucoup, car c'est cela qui compte.

Toutes ces réponses alimentent ensuite une très vaste banque de données. À quoi sert-elle ? Tout d'abord à faire des croisements statistiques très fins rendus possibles par le nombre de données. Finies les typologies qui ne pouvaient guère aller au-delà de la vingtaine de groupes distincts. On peut retenir un critère statistique qui ne concerne qu'un dixième de la population (une classe d'âge par exemple), le croiser avec une deuxième caractéristique qui ne se trouve que dans un cas sur vingt (le fait de vivre dans une région bien précise) et filtrer tout ça avec une dernière réponse qui n'est fournie que dans un cas sur huit (l'appartenance à une certaine classe de revenu). Ces trois critères à la fois ne se retrouvent que dans un foyer sur 1 600. Une base de données réalisée avec un panel de consommateurs traditionnels – quelques dizaines de milliers de ménages au maximum – n'est pas assez large pour rendre possible l'identification du groupe concerné. Avec les mégabases, plus de problème, il y a de 500 à 1 000 ménages qui présentent ces caractéristiques [18], c'est-à-dire un nombre suffisant pour dresser le profil à peu près représentatif de la consommation moyenne qui les caractérise : types de produits, marques achetées, enseignes commerciales fréquentées. On peut donc, à la limite, établir une typologie à plus de 1 000 critères et connaître pour chaque classe la consommation spécifique. On se rapproche donc beaucoup d'une définition individualisée des profils de consommateurs.

Ces données peuvent être ensuite utilisées pour faire du géomarketing, c'est-à-dire pour cibler les messages publicitaires sur des zones géographiques homogènes. Il suffit simplement de combiner les résultats obtenus sur la mégabase avec un quadrillage de la France entière en îlots géographiques découpés à partir

---

18. Ce serait 1 000 ménages à condition toutefois que les trois critères retenus soient indépendants les uns des autres, ce qui n'est pas le cas ici, et en formulant l'hypothèse forte que le taux de retour des questionnaires ne dépende pas des réponses aux trois questions à partir desquelles ce filtre a été élaboré.

de données du recensement. L'INSEE commercialise ces données soit directement, soit par l'intermédiaire de sociétés spécialisées [19] ; la poste fait de même grâce à une typologie de ses tournées de facteurs.

Puisqu'il y a environ un millier d'hypermarchés en France, chaque grande société peut avoir une cartographie précise des pénétrations de ses propres produits ou de ceux de ses concurrents dans chacune des zones de chalandise de ces grandes surfaces. Elle peut adapter sa politique commerciale en termes de promotion, de tête de rayon, non seulement à chaque enseigne (Carrefour ou Leclerc), mais aussi en distinguant chaque magasin d'une même enseigne selon son lieu d'implantation.

On peut aller plus loin encore. Le fichier de la mégabase peut aussi être utilisé directement. On y sélectionne un ensemble de consommateurs auxquels on adressera des messages commerciaux par courrier. C'est ce qui s'appelle « le marketing direct ». Jusqu'à présent, cette technique était réservée soit aux fichiers de clients de sociétés commerciales (La Redoute, Les Trois Suisses...), soit aux abonnés de journaux ou revues, soit encore aux fichiers généralistes (extraits d'annuaires téléphoniques hors listes rouge et orange, par exemple) fondés sur un grand nombre de critères géographiques, d'année de naissance, de classification des prénoms, etc. On peut dorénavant élargir ces méthodes de contact direct grâce à ces mégabases. Il faut alors combiner le fichier de 1 à 2 millions de questionnaires détaillés avec celui des 20 millions de foyers abonnés au téléphone, commercialisé de son côté par France Télécom. Certes, ce dernier est plus sommaire (seulement une dizaine de critères liés à l'adresse de l'abonné), mais, en s'inspirant des méthodes du géo-marketing, on peut pla-

---

19. On peut légitimement s'interroger sur cette pratique. Est-il acceptable que des données recueillies sur la base d'une obligation statistique de recensement de la population destinée à guider la politique du pays et celles des collectivités territoriales soient ensuite commercialisées pour des applications marketing très fines par l'administration statistique elle-même ? De plus, la pertinence de ces travaux s'explique par la segmentation spatiale de plus en plus caractérisée de l'habitat (qui se ressemble s'assemble). Or n'est-ce pas encourager ce processus que de fournir des données qui permettent d'accroître la spécialisation de l'offre commerciale sur chacune de ces zones ? Il y a là une réflexion éthique sur le service public, les droits et les libertés qui n'est pas simple.

quer le premier sur le second et disposer ainsi de 40 000 zones géographiques distinctes avec 500 foyers présents dans chacune d'elles, sur lesquelles on présuppose que s'appliquent les critères comportementaux repérés dans l'enquête de consommation.

Telle marque de lessive pourra ainsi envoyer un coupon de réduction extrêmement avantageux à valoir sur ses produits à ceux qui ont répondu être les clients des marques concurrentes. Bien entendu, elle n'aura aucun intérêt à concéder les mêmes avantages à ses propres clients. Voilà, en théorie, résolu l'un des effets pervers les plus connus des opérations commerciales traditionnelles : faire faire de bonnes affaires à vos clients les plus fidèles, ce qui n'est évidemment pas rentable, et passer à côté des nouveaux clients que vous souhaitez séduire.

On touche ici ce qui est peut-être la limite du système. Le consommateur toujours plus avisé et expert finira peut-être par comprendre assez vite qu'en se déclarant fidèle consommateur des produits Danone il minimise ses chances d'avoir des bons de réduction pour sa marque préférée, tandis qu'il sera peut-être harcelé de propositions alléchantes de la part de Nestlé. De deux choses l'une, ou bien il répondra avec franchise et le fait que petit à petit ces techniques se généralisent aboutira à accélérer les transferts de clients (souvent provisoires) d'une marque à l'autre, et l'on entendra les responsables de ces marques se plaindre ensuite de l'infidélité de leurs consommateurs et de la fâcheuse tendance qu'ils ont à passer d'une marque à l'autre, en oubliant un peu vite que ce n'est que le résultat de techniques qu'ils auront eux-mêmes décidé de promouvoir. Ou bien de nombreux consommateurs biaiseront leurs réponses afin d'optimiser leurs gains en coupons de réduction. Il est peu probable qu'ils se comportent spontanément ainsi, mais il suffit qu'une émission de télévision de grande écoute décode le processus pour qu'ils comprennent vite... [20].

---

20. Il existe, au début 1997, deux sociétés qui commercialisent des mégabases de données : Calyx et Consodata. Le prix de l'adresse est de 1 F, ce qui est relativement cher, mais il pourrait assez vite baisser. Chacune de ces sociétés se fixe comme objectif de disposer de 3 millions d'adresses dans le courant de 1997. Consodata prévoit même d'atteindre 6 millions d'adresses en l'an 2000 et n'hésite pas à annoncer son intuition d'avoir plus de la moitié des Français dans ses fichiers entre 2003 et 2005 !

Le marketing individualisé se développe également grâce à une autre technique très complémentaire de celle que nous venons d'exposer. Il s'agit de la fidélisation de la clientèle grâce aux cartes nominatives. Ce type de carte n'est pas nouveau ; il s'est d'abord développé pour le crédit à la consommation ainsi que dans les clubs, accordant une petite ristourne au bout d'un nombre d'achats donnés (cartes FNAC, par exemple). On assiste aujourd'hui à une intensification de ces pratiques. Là encore, il s'agit d'utiliser les techniques informatiques des bases de données. En utilisant une carte de client aux caisses de votre hypermarché, la machine repère et enregistre le détail de vos achats. On sait, avec plus de précision encore que par des questionnaires plus ou moins bien remplis, tout ce qui était dans votre caddie. À l'inverse, on ne sait pas ce que vous avez pu acheter dans un magasin différent deux jours auparavant. En traitant toutes les données en mémoire, il sera possible, là encore, de vous adresser un ensemble de propositions commerciales destinées à orienter vos prochains achats, soit par la poste, soit même instantanément sur votre ticket de caisse.

Certaines chaînes de la grande distribution ont lancé, en 1995-1996, des cartes de fidélité qui offrent des avantages décalqués sur ceux des cartes offertes par toutes les compagnies aériennes. On acquiert des points à chaque passage en caisse qui permettent ensuite d'obtenir des cadeaux. Voici encore une technique utilisée dans les achats professionnels que l'on adapte à la grande consommation.

L'effet commercial est encore plus fort lorsque ces cartes regroupent plusieurs enseignes de magasins complémentaires. C'est le cas par exemple de l'opération Points ciel qui est certainement la plus importante (plus d'un million de consommateurs concernés) et qui regroupe à la fois de très grandes chaînes de magasins (BHV, Casino, Galeries Lafayette, Monoprix, qui, avec l'établissement de crédit Cofinoga, en sont les instigateurs) et des réseaux de commerces plus spécialisés : Avis, Prénatal, Total, etc. En 1996, 8 milliards de F d'activité commerciale ont été intégrés dans ce programme de fidélisation, et les prévisions se montent à 10 milliards en 1997. Les cadeaux que l'on peut obtenir avec le programme Points ciel sont des billets d'avion, éventuellement pour des destinations lointaines. En deux ans, 3 000 billets d'avion ont ainsi été distribués, et 120 000 consommateurs disposent d'un capital de points suffisant pour en obtenir, dont 40 000 pour l'étranger. Les gestionnaires de cette vaste opération sont d'ailleurs surpris par la lenteur relative avec laquelle les consommateurs font valoir leurs droits à ces prétendus « cadeaux » : environ une année de retard [21].

La fidélisation aux enseignes, recherchée par ce type d'opération, s'avère réussie : dans l'ensemble, les titulaires de cette carte de fidélité soit vont plus souvent dans les boutiques concernées, soit achètent davantage de produits. Mais cet outil est beaucoup plus puissant. Il servira également à beaucoup mieux connaître le profil du consommateur de chaque adhérent au programme et permettra, à partir de cette vaste banque de données, de lui faire également des propositions commerciales très spécifiques adressées directement à son domicile.

D'autres enseignes spécialisées font la même chose dans leur propre réseau. La chaîne de magasins de vêtements Camaïeu femme, par exemple, a lancé une carte de ce type en novembre 1996, le suivi des achats de chaque cliente alimentant une base de données qui permet de personnaliser les offres promotionnelles ; les pétroliers ont également systématisé ce type de cartes dans leurs stations-service. Il est aisé de comprendre la différence entre des bons donnés à la caisse, une technique très ancienne puisque c'était celle des timbres des Coop d'autrefois, et l'offre apparemment identique, mais qui transite par un enregistrement magnétique de tous les achats.

Le marketing de la personne, parfois dit « marketing comportemental », ou bien encore *one to one marketing* (en anglais, ça fait plus sérieux !), est appelé à un fort développement. Il répond au désir de reconnaissance du consommateur entrepreneur et surtout au fait qu'il ne souhaite plus être traité comme un mouton enfermé dans l'enclos de sa classe typologique forcément réductrice. C'est aussi une façon de l'inclure dans un réseau qui permet de bénéficier d'avantages, d'être reconnu, distingué, dorloté, bref d'être relié. Selon le type de produit, le consommateur peut avoir un comportement très différent, très singulier, et les hommes de

---

21. Cf. *Marketing direct*, n° 17, janvier-février 1997.

marketing souhaitent pouvoir le repérer. Mais cet aspect *big bro-ther is watching you* (en anglais, ça fait plus peur !) est finalement assez désagréable, voire franchement insupportable. Avec la crise de la consommation du début des années 1990, beaucoup de métiers de la vente et de la consommation se sont remis en cause. C'est une bonne chose. Ils ont voulu être plus intelligents, c'est louable, mais c'est dangereux !

Plus les techniques de commercialisation se modernisent et plus les fichiers individuels d'achats des clients se raffinent. Nous verrons qu'il y a tout lieu de croire que les achats sur Internet se développeront assez rapidement et que le *cyber-consommateur* ne sera bientôt plus un sujet de science-fiction. Il se trouve aussi que certaines pratiques d'archivage y sont contestables. On les appelle les *cookies*. Le principe est simple : chaque serveur peut garder en mémoire, sur le propre disque dur de l'internaute, toute une série de données très précises recueillies sur le client lors de son premier achat (mensurations, style et coloris s'il s'agit d'un vête-ment), mises à jour régulièrement avec les achats suivants ; le serveur les consultera à chaque connexion pour se rappeler immé-diatement à qui il a à faire et proposer en temps réel une offre sur mesure. Mais l'indiscrétion peut aller plus loin : les *cookies* peuvent aussi enregistrer la succession des différents sites visités par l'internaute. Si l'utilisateur ne veut pas accepter cette trans-mission d'informations personnelles recueillies à son insu, il peut activer une commande dans son programme de navigation et effa-cer tous les *cookies*, à condition, évidemment, de savoir que ces fichiers ont été créés, ce qui est loin d'être évident [22].

Il arrive même que les entreprises stockent toutes les données disponibles sur leurs marchés sans trop bien savoir dès maintenant à quoi cela servira précisément. Depuis 1994, toutes les fiches de caisse individuelles qui passent dans la centaine d'hypermarchés du groupe Casino (à l'enseigne Géant), mais aussi

---

22. Conscientes de cette contestation à l'égard de cette méthode (un sondage de la Trust Foundation révèle que 70 % des Américains critiquent cette absence de protection de la vie privée), un ensemble de sociétés réunies autour de Nets-cape proposent la mise en place d'un système dénommé « standard de profil ouvert ». L'idée est simple, il y aurait plusieurs niveaux d'informations classées par ordre d'intimité, et l'utilisateur expliciterait le degré qu'il est prêt à dévoiler pour chacun des sites qui souhaiteraient en disposer (*Le Figaro* du 4 juin 1997).

dans 300 supermarchés et 400 supérettes qui appartiennent à la chaîne, sont engrangées dans un entrepôt de données *(data warehouse)*. Cela constitue déjà une source considérable d'informations sur les produits qui sont fréquemment achetés ensemble, ou bien au contraire qui ne le sont pratiquement jamais, également sur le moment de leur achat [23]. Grâce à sa carte de fidélité, le groupe Casino entend bien enrichir cette base considérable d'informations avec des données extrêmement précises sur les caractéristiques de sa clientèle, afin, là encore, d'individualiser sa promotion commerciale. Mieux encore, le tout doit alimenter une immense base de données appelée « mine de données » *(data mining)* destinée, d'après ses responsables, à permettre de répondre un jour à des questions que l'on ne s'est pas encore posées [24]. Bien entendu, toutes les chaînes de taille similaire ont des projets identiques.

Marketing direct, *one to one*, la tendance est désormais au ciblage maximal du message publicitaire. De ce point de vue, l'une des techniques les plus récentes concerne l'apparition de publicités orales par téléphone au beau milieu des communications privées. Le principe est simple : on vous offre des unités de télécommunication si vous acceptez d'entendre vantés les mérites de tel ou tel produit. Là encore, cette initiative nous vient des États-Unis. La forme la plus fréquente est celle d'une carte téléphonique prépayée, généreusement offerte par un annonceur, qui ressemble aux télécartes traditionnelles. Au dos figure un numéro vert. C'est en le composant que vous obtenez vos unités avec, comme préalable, l'écoute du message publicitaire. L'opération peut être lancée sans ciblage particulier, comme l'a fait le groupe Kraft Jacobs Suchard au moment de la fête des grand-mères en mars 1997 – le code-barres sur le paquet de café Grand'Mère permettait d'obtenir deux minutes de communication gratuite –, ou au contraire avec une grande précision d'après des fichiers de

---

23. Lorsque l'on repère que des produits sont souvent présents ensemble dans les caddies des mêmes consommateurs cela permet de monter des opérations de marketing qui les associent. À l'inverse lorsque ces produits ne sont que très rarement achetés simultanément, cela veut dire qu'il y a des types de consommateurs distincts ou des occasions spécifiques d'achats à chacun de ses produits. Tenter une opération publicitaire associant ces produits serait très hasardeux.

24. *In Enjeux-Les Échos* d'avril 1997.

consommateurs triés selon différents critères statistiques. Dans ce cas, grâce à des systèmes de codes confidentiels, on peut arriver à cibler sa publicité au maximum, voire la personnaliser.

Nous sommes menacés d'être passés au scanner du matin au soir dans tous les ordinateurs des sociétés qui, sous prétexte de commodité de commande, de livraison ou de paiement, savent tout sur nous. Et cela dans le plus grand respect de la lettre, sinon de l'esprit, de la loi informatique et libertés, car il y a bien en bas de page des formulaires, écrite en tout petits caractères, cette fameuse formule : « Nous nous réservons le droit de communiquer ces données aux sociétés avec lesquelles nous sommes liées contractuellement, sauf désaccord notifié de votre part. » Tout est dit. Mais est-il sûr pour autant que l'on puisse réellement percer ce qui reste, malgré tout, de mystérieux dans la combinatoire des milliers de choix que nous faisons tous les jours dans notre vie de consommateur ? Rien n'est moins sûr. Le statisticien sait bien que corrélation ne veut pas dire causalité et qu'en réalité il ne maîtrise que la première de ces notions.

Mais ces techniques personnalisées comportent un autre danger, celui d'approfondir les différences sociales en matière de consommation, de fragmenter le tissu social. Plus on sera capable, pour chaque produit, de connaître avec la plus grande précision les caractéristiques du segment de clientèle qu'il séduit, plus on cherchera à en renforcer le marketing sur ces critères. C'est l'une des formes de l'éclatement du *vivre ensemble* qui caractérisait la société de consommation. Il en est une autre que l'on verra plus loin et qui a trait à l'évolution du paysage de la distribution. S'adresser sur une grande échelle à un public assez peu différencié contraignait à atténuer la spécificité du message, à le rendre plus lisse.

Avec ces nouvelles techniques, il n'y aura plus d'autocensure. Si le message individualisé ne touche avec certitude que les seuls ménages parisiens de 35 à 45 ans, disposant d'un revenu annuel de plus de 500 000 F, on ira droit au but... en matière de services financiers, de propositions immobilières et de destination de tourisme, et de façon strictement confidentielle si c'est la bonne stratégie à utiliser.

Il n'est pas à exclure qu'une observation trop indiscrète de tous les détails de nos achats en magasins, qu'une exploitation trop détaillée de nombreux questionnaires, auxquels on aura certes répondu spontanément (mais toujours avec un appât, un petit cadeau promis en échange), finissent par provoquer une réaction de rejet du consommateur, ou du moins de certains d'entre eux, un boycott ou un contournement. N'oublions jamais que l'une des forces de l'usage de la monnaie scripturale dans les transactions de la vie courante est de garantir l'anonymat. Si la généralisation de la monnaie plastique (celle des cartes de crédit ou de fidélité) devait se traduire par un marquage nominatif et permanent de tous les achats, cela serait une régression de la liberté individuelle.

Chapitre 6

LA REVENDICATION DE QUALITÉ

> Les animaux se repaissent ;
> l'homme mange ;
> l'homme d'esprit seul sait manger.
> A. Brillat-Savarin,
> *Physiologie du goût.*

L'affaire de la vache folle a éclaté en mars 1996, lorsque le ministre de la Santé britannique a évoqué un lien possible entre la maladie de Creutzfeld-Jakob et l'encéphalopathie spongiforme bovine. Elle est tragique pour les quelques personnes qui en sont mortes et leurs familles, elle représente un drame pour les paysans qui voient leurs troupeaux abattus si l'une de leurs bêtes est atteinte. Elle vient introduire une suspicion supplémentaire et réciproque entre pays européens, dont nous n'avions vraiment pas besoin. Elle amplifie un peu plus la défiance des citoyens à l'égard des décideurs, principalement politiques, et singulièrement les eurocrates de Bruxelles depuis la révélation de cette consigne stupéfiante de développer la désinformation. C'est une affaire qui est loin d'être terminée, puisque la maladie se déclenche à retardement.

Les experts *pessimistes* prévoient des milliers de morts à venir, tandis que les *optimistes* arrêtent leurs chiffrages à quelques centaines sans que l'on soit d'ailleurs capable d'en tirer une conclusion sur la gravité objective de l'épidémie. Les gros plans que rend possibles la société médiatique empêchent de relativiser ; or nous avons besoin d'une *métrique* pour pouvoir étalonner les catastrophes. Sans cela, seule l'émotion parle, manipulée par des images choisies et des chiffres bruts que l'on peut toujours dramatiser [1].

Mais, en ce qui concerne les tendances de fond de la consommation, la vache folle nous aura peut-être fait gagner dix ans, voire davantage. Sur le plus traditionnel des postes de dépenses réputé saturé, l'alimentation, cette affaire précipite peut-être un basculement durable de la logique des quantités à celle de la qualité. Elle révèle brusquement des changements d'attitudes et de préférences de la part des consommateurs dans un domaine qui semblait marqué par les habitudes et les inerties. Cette affaire de la vache folle a peut-être joué un rôle de catalyseur dans nos comportements à l'égard de l'alimentation, un peu comme la guerre du Golfe à l'égard de la consommation en général au début de la décennie.

Dans tous les pays, la crise de la vache folle a entraîné des baisses de consommation de viande de bœuf. D'après une enquête de l'institut IPSOS réalisée à l'occasion du SIAL [2] (Salon international de l'alimentation) au cours de l'automne 1996, ce sont les Allemands qui se sont révélés les plus réactifs : 55 % déclarent avoir réduit leur consommation de bœuf depuis le début du printemps de la même année. Viennent juste derrière les Nord-Américains avec un taux de 52 %, ce qui peut paraître d'ailleurs assez surprenant, étant donné qu'il n'y a pas eu de cas de vache folle outre-Atlantique ; toutes les régions du monde ont été concernées, les taux déclarés de réduction de consommation étant de 41 % au Japon et de 37 % au Brésil. Avec un taux de 29 %, les Français n'ont pas trop cédé à la panique.

D'après une enquête du CRÉDOC réalisée à la même époque, 25 % des Français indiquent qu'ils ont changé de comportement

---

1. La plus banale des épidémies de grippe cause bien plus de morts que la vache folle n'en générera tout au long de son histoire !
2. Le SIAL est un salon professionnel qui se tient tous les deux ans à Paris. Réunissant exposants et visiteurs du monde entier, il est la manifestation qui remplit le plus les hôtels parisiens. La France reste bel et bien la patrie de référence pour l'alimentation. Un atout qu'il faut continuer à exploiter !

à la suite de la crise de la vache folle. Parmi ceux qui sont dans ce cas, 16 % déclarent ne plus manger de viande bovine du tout, 30 % en manger deux fois moins et 45 % en manger seulement un peu moins. Ceux pour lesquels la diminution a été substantielle l'ont remplacée par du poisson (83 %), de la viande de volaille ou de lapin (80 %), du porc (61 %) et, assez loin derrière, par du mouton ou de l'agneau (46 %). L'offre s'est d'ailleurs vite adaptée, notamment dans la restauration rapide où l'on a vu fleurir de nouvelles recettes à base de poulet et de poisson. Il semble qu'au milieu de l'année 1997 les choses tendent à rentrer dans l'ordre, la consommation de viande bovine se rapprochant de ce qu'elle était avant le début de la crise, avec environ 5 à 7 % de baisse non récupérés.

Étrange, d'ailleurs, cette stratégie des consommateurs : la plupart de ceux qui ont changé de comportement n'ont pas totalement arrêté de manger du bœuf, ils en ont réduit la fréquence. De deux choses l'une, ou c'est encore dangereux d'en ingurgiter et il serait logique d'arrêter totalement, ou bien ce ne l'est pas et, dans ce cas, pourquoi réduire sa consommation ? La réponse des consommateurs apparaîtrait ainsi plus émotionnelle que rationnelle. Mais il faut aller plus loin dans le raisonnement. La difficulté à porter un jugement clair sur la rationalité du comportement des consommateurs dans de nombreux domaines résulte d'un point de vue trop cartésien. Or, dans de nombreux domaines de la vie quotidienne, tout autant que dans les sciences et les techniques, nous passons à l'ère de la « logique floue ». Les propositions « A » et « non-A » ne sont plus strictement contradictoires. Elles s'appliquent chacune avec une part de probabilités qui fait qu'en situation d'incertitude – ce qui tend à être de plus en plus souvent le cas – on peut admettre que l'une et l'autre des réponses à ces situations deviennent possibles simultanément. Il paraît que l'application de la logique floue a permis de faire que le métro de Tokyo ne freine plus avec des saccades désagréables pour le passager ; peut-être qu'elle fournira également une façon de comprendre la continuité (et non pas la séquentialisation) des pratiques du consommateur.

L'alimentation : la fin de la spirale déflationniste ?

Depuis plus de trente ans, la part de l'alimentation n'a cessé de diminuer dans le budget des ménages : elle est passée, en France, de 34 % en 1960 à 19 % en 1995. Cette évolution est générale dans tous les pays industriels. Les plus pauvres conservent un coefficient budgétaire consacré à l'alimentation beaucoup plus élevé : 36 % en Grèce, 35 % en Irlande, 30 % au Portugal en 1993, tandis qu'aux États-Unis ce taux n'est plus que de 11 %. Partout, on assiste à une baisse relative des prix alimentaires : − 7,5 % de 1990 à 1995 en France, − 6,3 % en Allemagne, − 4,1 % au Royaume-Uni... Les marchés résistent en valeurs grâce à un courant d'innovation qui substitue toujours plus d'aliments élaborés, de plats cuisinés (au moins en partie) aux achats de matière alimentaire brute. En Europe, les produits en forte croissance sont les plats préparés qui font gagner du temps avant les repas, notamment les surgelés (+ 50 % en 5 ans depuis 1990), les petits en-cas salés de grignotage (+ 40 %), les desserts lactés frais (+ 36 %), les céréales de petit déjeuner (+ 27 %). Enfin, il ne faut pas oublier le boom des eaux minérales (+ 32 %) et celui des jus de fruits (+ 23 %).

Dans ces tendances générales, chaque pays a sa spécificité. Les Allemands ont plébiscité les produits salés de grignotage, les crustacés frais, la viande surgelée et la confiserie à base de chocolat. Outre-Manche, ce sont les eaux minérales, les desserts lactés frais, le vin, mais aussi les pâtes et le riz, qui sont en très forte croissance. Les Italiens ont adopté les céréales de petit déjeuner qu'ils ne connaissaient pas (+ 157 % en 5 ans, contre une évolution de + 27 % seulement dans toute l'Europe), les pizzas et pâtisseries surgelées. Quant aux Français, ils ont particulièrement apprécié les jus de fruits et de légumes, les aliments diététiques, les vins de qualité, sans oublier le riz, les plats cuisinés, les produits laitiers frais et les chocolats et confiseries.

Concernant la dimension *immatérielle* de l'alimentation, nous avions beaucoup insisté, dans *La Société des consommateurs*, sur le thème de la *rassurance*. Où en sommes-nous quelques années plus tard ? Le *terroir*, tout d'abord, continue à progresser, tout comme la remise au goût du jour des produits de jadis. Mais cette tendance de croissance devrait assez vite stagner. On en a même peut-être déjà abusé. Certes, dans ce monde interconnecté et sans frontières, l'ancrage historique et géographique (c'est-à-dire culturel) des produits garde tout son sens, mais ce thème est vite saturé. De plus, il y a eu certains abus : le terroir suppose une qualité objective des ingrédients et de la recette qui n'a pas été toujours respectée. Une tendance récente et qui continuera à s'épanouir est l'incorporation du terroir dans des produits classiques en jouant sur la provenance de l'un seulement des ingrédients, d'ailleurs éventuellement rajouté : beurre demi-sel au *sel de Guérande*, huile de tournesol parfumée au *basilic de Provence*... De même, le retour à la famille a été largement exploité par les publicitaires et les industriels. Il conservera lui aussi toute son actualité bien qu'il ne semble plus avoir de potentiel de développement.

Il n'en est pas de même de l'exotisme (que je préfère appeler l'« ethnicisme ») qui continuera à progresser fortement. Il témoigne de l'avidité non feinte de découvrir les cultures des quatre coins du monde ; or la figure du consommateur entrepreneur ne pourra qu'accélérer cette tendance. L'ethnicisme, c'est le terroir des autres, de même que notre terroir, c'est l'ethnicisme des autres peuples. Mais, tandis que le terroir recèle le risque d'un repli sur soi régressif, l'ethnicisme appelle une ouverture résolue au monde entier. Sur de nombreux produits évoquant le plaisir, on a vu se systématiser, au moins dans les publicités, la référence aux racines territoriales : café, chocolat, huile d'olive... Cela s'est étendu à des produits courants qui ont pu échapper ainsi à la banalisation et reprendre le sentier de la croissance : riz, pâtes, soupes, sauces... Il est en quelque sorte devenu aisé, à l'occasion d'un repas pris au restaurant ou même préparé à la maison, de faire le tour du monde en quelques plats [3] !

---

3. Trois innovations commerciales sont à signaler dans ces domaines : les rayons de fruits exotiques dans les hypermarchés parfois animés par des vendeurs originaires de contrées tropicales, les *food-courts* dans les centres commerciaux (idée importée des États-Unis) qui consistent à rassembler dans un même périmètre des *fast-foods* proposant des recettes du monde entier, et les boutiques entièrement consacrées à un produit choisi (thé, café...) avec des provenances du monde entier et la vente de produits dérivés (livres, services de table, etc.).

Depuis l'affaire de la vache folle, cette tendance à l'ancrage territorial des produits dépasse largement l'appétence culturelle et englobe des préoccupations de sécurité, c'est-à-dire de santé. Pour les produits alimentaires courants, on parle de « traçabilité », c'est-à-dire du droit reconnu au consommateur de ne rien ignorer de la trajectoire du produit qu'il va consommer, ni même de celle de chacun des ingrédients qui le composent. Cette demande ne pourra que s'intensifier. Elle prend à rebours le rapport traditionnel entre l'industriel et les consommateurs, de confiance aveugle de ceux-ci à celui-là, qui s'en accommodait fort bien d'ailleurs : comme si seul comptait le résultat, indépendamment des moyens utilisés pour y parvenir. L'essoufflement des marques dans la consommation courante n'est pas sans rapport avec cela, nous y reviendrons un peu plus loin.

Il y a dorénavant un changement radical. Ce qui se passe en amont de la commercialisation intéresse résolument le consommateur. Il veut savoir, pour comprendre et pour accorder sa confiance. C'est, là encore, directement lié à l'évolution des métiers et des emplois. Très nombreux sont ceux qui, par leur activité professionnelle, interviennent à un moment ou à un autre dans le processus de fabrication préalable à la mise sur le marché de produits de grande consommation. Ils savent que le prix d'achat des matières premières conditionne le coût du produit final et qu'il n'y a jamais de choix absolu en ce domaine. Ils s'intéressent aux arbitrages que font en conséquence les industriels. Ils sont parfaitement au courant de toutes les combines, les astuces et les ficelles des processus de fabrication, comme du marketing, du merchandising, de l'emballage, etc., et ceux qui ne le seraient pas le seront très vite en regardant *Capital* !

La santé est vraiment le thème majeur de cette fin de siècle. Elle trouve un terrain de prédilection dans l'alimentation. Thème privilégié de l'immatériel de rassurance, elle demeurera essentielle pour le consommateur entrepreneur assumant ses responsabilités et son autonomie. Le rapport entre alimentation et santé n'est évidemment pas nouveau. Il a toujours existé dans l'imaginaire du consommateur. Lorsque l'ouvrier (français) était attiré par la consommation de viande rouge, rare et coûteuse il y a quelques décennies, il associait sa couleur à celle de son propre sang. Ainsi était-il persuadé qu'en ne cuisant pas trop sa viande il augmentait la richesse de son propre sang. Ce qui est nouveau aujourd'hui, c'est d'une part l'ampleur qu'a prise cette tendance et, d'autre part, son caractère implicite qui se traduit quelquefois par une adaptation du processus industriel et toujours par une mise en avant publicitaire. Au-delà de la stricte fonctionnalité, c'est bien l'immatériel de la consommation alimentaire qui est investi par le thème de la santé. Mais dans le cadre communautaire, comme sur le territoire national, l'encadrement réglementaire est assez strict. On n'a pas le droit de dire, ni surtout d'écrire, tout et n'importe quoi pour vendre son produit.

On distingue l'allégation nutritionnelle (riche en vitamines C, à teneur réduite en graisses) de l'allégation fonctionnelle (le calcium aide l'organisme à renforcer sa structure osseuse) et de l'allégation santé (le calcium améliore la densité osseuse). Les réglementations s'affinent sur le droit à utiliser ces différentes notions (principalement dans le cadre de la commission interministérielle d'étude des produits destinés à une alimentation particulière : la CEDAP) [4]. Mais l'allégation relative à la maladie, celle qui suggère une relation directe entre un aliment et la prévention, le traitement ou la guérison d'un mal bien précis, est strictement interdite au sein de l'Union européenne. On se rappelle le cas du yaourt LC1, initialement lancé sous la marque Chambourcy, et désormais Nestlé, qui n'a pas eu le droit de proclamer dans ses publicités son prétendu pouvoir de « renforcer les défenses immunitaires de l'organisme » et qui a dû se contenter d'une formule moins précise, faisant allusion aux « défenses naturelles de l'organisme ». Mais ce qui n'est pas légalement autorisé peut toujours être suggéré par du rédactionnel inspiré... Ainsi, beaucoup de journaux ont publié sur le rôle préventif à l'égard des maladies cardio-vasculaires du régime alimentaire dit *crétois* ou plus largement *méditerranéen*, dans lequel, on le sait, l'huile d'olive joue un rôle essentiel... C'est également pourquoi on voit, depuis quelques années, se développer la technique des « publi-reportages ». Il s'agit de sortir du seul slogan répétitif pour laisser de la place à l'explicatif. Les bienfaits supposés de tel produit seront argumentés par des citations de professeurs de médecine ou

---

4. Cf. « Tendances de la consommation », DGCCRF, supplément à *Actualités*, n° 96, décembre 1996.

d'autres experts. Une fois le consommateur ainsi *informé*, les publicités classiques seront chargées de relayer le message d'une façon traditionnelle.

À mesure que la figure du consommateur entrepreneur s'imposera, la conception préventive de la médecine destinée à renforcer le capital humain tout au long de la vie prendra de l'importance et jouera en faveur des produits alimentaires munis de propriétés thérapeutiques. Une chose est sûre en tout cas, les industriels accordent une attention particulière à ce qu'on appelle d'un terme barbare les « alicaments » ou encore la « neutraceutique ». Alors que le SIAL de 1994 montrait que les industriels de l'agroalimentaire redécouvraient le terroir, le salon de 1996 était celui de la santé. Près de 20 % des produits présentés se situent sur ce créneau, et on peut raisonnablement penser qu'actuellement c'est environ 30 % de la recherche-développement dans l'agroalimentaire qui visent à mieux exploiter encore ce rapport étroit entre alimentation et santé.

Mais l'argument de la santé est d'une telle force qu'il peut écraser les autres attributs du produit alimentaire. Ce qui serait résolument une erreur. Plus la santé prend de l'importance dans l'alimentation, plus il est nécessaire d'équilibrer cette tendance avec toutes les autres : le plaisir de la table, l'origine des produits, les retrouvailles familiales, l'aspect tout bonnement festif de l'alimentation. Il serait donc tout aussi absurde pour un industriel agroalimentaire de mépriser cette tendance que de la laisser occuper toute la place. Après avoir *communiqué* sur les bienfaits pour l'organisme d'une huile alimentaire dosant plusieurs graines « qui apportent tous les acides gras essentiels dont le corps a besoin à tous les âges de la vie », Lesieur a décidé de repositionner les publicités pour Isio 4 sur un créneau plus large : celui du retour à l'alimentation de base avec des ingrédients végétaux et la transmission familiale des recettes. Il est possible également que sur le créneau des yaourts dits à « ferments actifs », c'est-à-dire dont l'action est bienfaisante pour l'organisme, le LC1 ait été trop *high tech* au détriment de son concurrent de chez Danone : Bio, dont le nom évoque plusieurs imaginaires à la fois, dont le naturel.

Danone persiste en lançant sur le marché français, en avril 1997, un nouveau lait fermenté, Actimel, censé avoir des propriétés actives sur la flore intestinale, avec ce slogan sans ambiguïté pour inciter à la consommation : « le nouveau geste santé du matin [5] ». En choisissant la forme de la petite bouteille à la place de celle du pot de yaourt, il s'agit d'induire une consommation matinale au petit déjeuner, alors qu'en France c'est extrêmement rare. Actimel a déjà été lancé avec succès en 1994 en Allemagne, Autriche, Belgique et aux Pays-Bas.

La qualité ne s'autoproclame pas. Elle doit fournir les preuves de son existence. Les labels sont faits pour cela et ils attirent de plus en plus de consommateurs. L'affaire de la vache folle aura promu tous les labels agroalimentaires et en aura suscité de nouveaux. Et ce n'est certainement pas fini ! Le plus connu de tous est incontestablement le *label rouge*. Il est apposé sur plus de 350 produits, et 82 % des consommateurs l'identifient. Du côté des distributeurs, on crée aussi des labels. Carrefour avait fort opportunément mis en place les « filières qualité » avant que n'éclate l'affaire de la vache folle, et Continent a développé la gamme de viande de bœuf « Élevages de France ». Il faudra bientôt s'organiser pour que le consommateur ne croule pas sous un nombre tel de labels qu'il ne sache plus s'y retrouver ! Et gare à l'apparition de faux labels, sans contenu réel mais avec une calligraphie semblable à celle des vrais.

La marque de l'industriel ou du producteur peut aussi redevenir un signe de qualité, un *label créé et accaparé par une entreprise* en quelque sorte. Encore peu développée dans le domaine de la viande bovine, la plus célèbre d'entre elles sur le marché français est Charral, leader incontesté de la viande fraîche sous vide. Au plus fort de la crise (en avril 1996), la marque « à la tête de taureau », dont la notoriété auprès du grand public a beaucoup progressé pendant les quelques années où elle a été le mécène du navigateur Olivier de Kersauzon, décide une grande campagne de communication publicitaire avec 1 550 passages sur 15 radios et le slogan « Charral, une marque s'engage ». D'après ses promoteurs, le coup a été efficace, limitant le recul des ventes qui s'est avéré trois fois moins important que pour les produits banalisés.

Un nouveau sigle, CQC (critères qualité contrôlés), est arrivé

---

5. Cf. déclaration dans *Libération* du 1er avril 1997 et *LSA* du 27 mars 1997 : « Bio occupe 57,4 % du marché des ferments actifs et LCI seulement 10 %. Bio-Caséi lancé en mars 1995 est retiré des rayons en 1997. »

sur le marché en janvier 1997 à l'initiative du ministère de l'Agriculture. Complémentaire du label rouge, tout autant que des marques collectives Bœuf de tradition bouchère ou Bœuf verte prairie, le CQC indique au consommateur qu'un contrôle a été effectué par un organisme certificateur indépendant. Il est en quelque sorte un *super-label* destiné à permettre aux consommateurs de distinguer entre les vrais et les faux labels. Espérons qu'il sera perçu comme tel. Les associations de consommateurs ne sont pas persuadées de sa pertinence [6].

D'ailleurs, lorsque les consommateurs ont reporté une partie de leurs achats de viande bovine sur les volailles, ils ne l'ont pas fait n'importe comment. « Les poulets labellisés entiers ont décollé de 20 % en avril (au début de la crise) et de 8 % en mai, tandis que dans le même temps les non-labellisés chutaient de 6 à 7 %. Simultanément, la découpe de poulets labellisés a battu tous les records : + 70 % en avril contre + 15 % pour la découpe standard, et + 16 % en mai (contre + 12 % pour le standard) [7]. » La volaille est d'ailleurs le meilleur exemple de prolifération des labels. Si Loué constitue le principal d'entre eux (25 % du marché), il en existe au total plus de 200.

Les appellations d'origine contrôlée jouent un rôle similaire à celui des labels. On les retrouve sur diverses familles de produits dont, par exemple, les produits laitiers. Il existe 33 AOC dans les fromages dont les plus connus sont le comté, le roquefort, le cantal, le reblochon et le saint-nectaire. Ces labels de qualité sont en croissance significative. Tous marchés alimentaires confondus, les produits arborant des signes distinctifs de qualité représentent environ 11 % du chiffre d'affaires global (90 milliards).

Reste le cas de l'agriculture biologique. Elle aussi a connu un coup de fouet grâce à la crise de la vache folle. Totalement marginale depuis deux décennies, elle réussit une percée significative. L'offre s'organise et dispose dorénavant d'un label spécifique (AB) prôné par le ministère de l'Agriculture. Une marque nationale est

---

6. Quatorze associations de consommateurs ont dénoncé dans le Critères qualité contrôlés « une marque comme les autres » qui ne peut qu'« entretenir la confusion » dans un ensemble où il existe déjà de nombreux signes officiels de qualité. Cf. *60 Millions de consommateurs*, n° 305, avril 1997.

7. Cf. *Points de vente*, n° 671 du 29 janvier 1997.

apparue, en 1996, avec un grand renfort de publicité : *La Vie*. Pour la première fois, c'est un véritable industriel qui dispose d'une expérience significative dans l'agroalimentaire, Victor Scherrer, qui en est le patron. Il est également président de l'ANIA (association nationale des industries agroalimentaires) et vice-président du CNPF. Certaines chaînes d'hypermarchés développent leurs propres lignes de produits. Carrefour fabrique dans presque tous ses magasins des pains biologiques et a décidé le lancement, en 1997, de 48 produits biologiques dans le frais et l'épicerie sous sa propre marque, afin de « démocratiser » l'accès à ces produits. Monoprix a lancé en 1994 une marque spécifique – Monoprix Bio – et vend dans environ 80 magasins des fruits et des légumes biologiques, après avoir essayé de le faire dans 200 surfaces en 1990 sans toutefois trouver une clientèle suffisante. Mais en 1997 l'ère est à nouveau à l'expansion, et Monoprix compte doubler le nombre de références. Auchan introduit dans ses hypermarchés de la viande biologique. Il n'en reste pas moins que le marché du biologique est encore microscopique : seulement 1 à 2 % des Européens seraient des consommateurs réguliers et 20 % des acheteurs occasionnels de produits bio. On s'accorde à reconnaître son potentiel de développement supérieur à 10 % en France au cours des années 1990, mais sera-t-il suffisant pour assurer le décollage ? Une chose est sûre, le nombre de clients intéressés est en progression constante. « La part des produits issus de l'agriculture biologique pourrait atteindre en France 2 à 3 % du marché de l'agroalimentaire en l'an 2000 [8]. » Et pourquoi pas davantage encore par la suite ? En Allemagne, la part de marché est déjà trois fois plus importante.

En France, la production agricole risque d'avoir du mal à suivre. Il n'y a, en 1997, qu'un peu plus de 4 000 producteurs biologiques qui cultivent 115 000 hectares. C'est très peu (0,3 % de la surface agricole), et la progression est très lente. Il faut dire que certaines contraintes freinent cette évolution. Chaque producteur qui décide de se reconvertir dans le biologique doit en effet traverser une période de deux ans avant de pouvoir prétendre au label « AB » (le temps que ses terres se « désintoxi-

---

8. Catherine de Silbuy, *L'Agriculture biologique*, Paris, PUF, QSJ ?, 2e éd., 1997, p. 103.

quent »), durant laquelle il produit moins sans pouvoir vendre plus cher. Cela favorise les importations : celles en provenance de l'Union européenne ont décuplé de 1994 à 1997 (notamment en provenance des pays de l'Est). Les chambres d'agriculture développent dorénavant un réseau de conseillers spécialisés afin d'aider les reconversions [9].

Bien entendu, la qualité a un prix. Les consommateurs sont d'ailleurs prêts à le reconnaître, mais encore faut-il s'entendre sur la différence acceptable. Ainsi, à l'égard des produits de l'agriculture biologique, il semble que les clients seraient prêts à accepter un supplément de prix se situant entre 10 et 30 %, alors que celui-ci se situe plutôt entre 40 et 100 % [10]. Cantonnés à une très petite part de marché, les adeptes du bio ont longtemps constitué un groupe à part, avec une philosophie et des pratiques de consommation assez spécifiques. Ils ont de la sympathie pour les médecines douces, auxquelles ils ont couramment recours. On rencontrait chez eux une proportion plus forte d'enseignants et d'employés. Pendant longtemps, le bio a été handicapé dans son développement par une conception *alternative* de la société de production et de consommation, d'où des débats interminables chez les producteurs entre les *intégralistes*, qui développent des réseaux de distributions spécifiques, comme la vente directe ou sur les marchés, et qui admettent de passer par les chaînes de commercialisation spécifique (La Vie claire, L'Herbier de Provence...), et les expansionnistes qui pactisent sans vergogne avec la très grande distribution.

Plus le bio se développera et moins les consommateurs seront singuliers. De même, ils seront la plupart du temps des acheteurs non exclusifs d'aliments biologiques. Si l'alimentation bio a des vertus favorables à la santé – ce qui n'a pas encore été démontré –, celles-ci résident dans le dosage beaucoup moins important de traces d'engrais chimiques de synthèse, de pesticides et de rési-

---

9. Cf. Jacques Pior, responsable des produits biologiques aux chambres d'agriculture, cité par Emmanuelle Réju, *La Croix* du 22 avril 1997.

10. Les agriculteurs bio considèrent que le différentiel actuel entre les prix est artificiellement entretenu par le fait que l'on n'impute pas à l'agriculture traditionnelle les coûts des effets externes négatifs qu'elle induit en termes de pollution et qu'il faudra bien qu'un jour la collectivité finisse par assumer.

dus (comme les nitrates). Or la nocivité de ces produits est liée à la quantité globale qu'on en absorbe. Panacher son alimentation avec une part de bio revient donc à réduire la dose moyenne ingurgitée. L'argument écologique est d'ailleurs le même : aboutir à une réduction des quantités de produits chimiques, mais sans viser à leur disparition, ce qui semble irréaliste. On est bien loin d'arguments idéologiques qui frisent l'intégrisme. Mais on peut étendre encore le raisonnement. S'alimenter, ce sera encore plus demain qu'aujourd'hui jouer au Meccano avec une très grande quantité de pièces disponibles que l'on pourra combiner à l'infini. On ne construira pas un comportement cohérent en faisant toujours la même chose. Au contraire, on piochera en fonction de ses possibilités (ses contraintes du moment), ses envies, les arguments contradictoires auxquels on sera spécialement sensible à un moment donné, et tout cela finira par faire un repas, une semaine d'alimentation...

La revendication du consommateur à l'égard de l'alimentation est aujourd'hui de conjuguer le retour au plaisir avec la recherche de l'équilibre et de la santé. Il refuse une conception un peu masochiste selon laquelle il faudrait choisir l'un au détriment de l'autre. Aujourd'hui, « bien manger, c'est chercher plus de saveurs ». Lorsqu'en 1988 on demandait aux consommateurs de dire ce que signifiait « bien manger », 5 % d'entre eux faisaient référence au « plaisir » et 1 % seulement aux « saveurs ». En 1995, dans une enquête similaire, ces deux items atteignaient respectivement 12 % et 6 %, soit un bond de 12 points en sept ans pour ces deux réponses réunies. En revanche, le choix traditionnel de l'aliment est en recul : en 1988, « bien manger » était associé à « légume » pour 15 % des Français ou à « viande » pour 15 % d'entre eux ; en 1995, il n'y en avait plus que 9 % et 8 % respectivement qui répondaient de cette façon.

C'est un signe de plus de l'ouverture à la concurrence que cette grande substituabilité des produits les uns aux autres. On ne choisit plus d'abord de manger de la viande, puis d'écouter son plaisir en sélectionnant tel ou tel morceau, on privilégie la recherche d'une saveur qui fera tantôt opter pour une préparation carnée ou au contraire pour un plat à base d'autre chose. Et cette tendance a de l'avenir puisque les jeunes l'expriment avec force : « Non seulement les plus jeunes manifestent les plus fortes attentes vis-à-vis de la saveur générale de l'alimentation (30 % chez les 18-24 ans en 1995, contre 21 % dans l'ensemble de la population), mais ils sont aussi le groupe chez qui cette attente croît le plus vite (+ 11 points en 7 ans chez les 18-24 ans, contre 4 points dans l'ensemble de la population). Cela dément l'idée généralement reçue selon laquelle les jeunes perdraient le goût des bonnes choses [11]. »

On apprend dans la même enquête du CRÉDOC que, bien entendu, les goûts et les préférences alimentaires varient considérablement avec l'âge. Les 18-29 ans préfèrent les plats italiens (lasagnes, spaghettis, pizzas) et les gâteaux, les mousses au chocolat, les glaces, les îles flottantes, les crèmes et desserts lactés. Les 30-39 ans apprécient les produits de la mer et les préparations du terroir. De 40 à 49 ans, on s'embourgeoise avec des produits de gourmet : magrets de canard, foie gras, mais aussi desserts et pâtisseries élaborés. Après 50 ans, les préférences se portent sur des produits plus simples : pot-au-feu, rôti de bœuf, légumes et fruits. Difficile de dire s'il s'agit plutôt d'un effet d'âge ou de génération, probablement les deux à la fois.

S'il fut un temps où l'alimentation a pu dériver vers le fonctionnalisme (manger vite pour pas cher), on s'en éloigne clairement. D'une part, les attributs objectifs doivent intégrer le thème de la santé, tout à la fois comme protection contre le risque de maladie et, surtout, comme recherche d'harmonie, de prévention, c'est-à-dire de préservation de son capital humain. D'autre part, on assiste au retour des dimensions fondamentales du plaisir, de la culture, de la convivialité. Le consommateur entrepreneur cherchera résolument l'articulation de ce qu'on a pu considérer comme contradictoire. Être bénéfique pour la santé et source de plaisir sont indispensables à l'équilibre et à l'organisation de sa vie, tant au moment présent qu'à long terme et conformément à l'idée de *capital humain*. Et cela avec, en toile de fond, l'obsession de maîtriser son temps, ce qui favorise les innovations susceptibles d'en faire gagner.

Pour comprendre leur logique, le CRÉDOC décompose les

---

11. Patrick Babayou, Jean-Luc Volatier, « Les consommateurs veulent plus de saveurs dans leur assiette », CRÉDOC, *Consommation et modes de vie*, n° 113, 31 décembre 1996.

comportements alimentaires en quatre phases dépendantes les unes des autres et que les ménages cherchent à optimiser : l'approvisionnement, le stockage, la préparation, le repas. Des gains de temps sont toujours possibles à chacune de ces phases : la commande à distance (par catalogue, Minitel ou magasin virtuel), la livraison à domicile, l'amélioration des techniques de conservation.

D'autres innovations viseront encore à raccourcir le temps de préparation, voire à le supprimer et à déconnecter la préparation elle-même de la cuisine, son lieu traditionnel, lorsque les exigences du nomadisme l'imposeront : ouverture facilitée de l'emballage, suppression de la cuisson ou autocuisson, emballage assiette, etc. Quant au temps nécessaire au repas, il restera certainement très variable selon les jours de la semaine. Il n'est pas à exclure cependant qu'il continue à se réduire et, même, dans de nombreux cas, qu'il ne soit plus un temps spécifique, qu'il faille des aliments commodes pour pouvoir manger en se déplaçant, en travaillant, en téléphonant, en écoutant un collègue, une visioconférence, etc.

On le voit, la satisfaction du plus nécessaire des besoins est l'une des occasions privilégiées de rencontre des nouvelles spécificités fonctionnelles, tout autant que des caractéristiques immatérielles de la consommation actuelle et à venir. Reste une seule difficulté, mais elle est de taille : le prix. Comment rendre conciliable le fait que les attentes se multiplient, se raffinent et que, dans toutes les enquêtes, le prix continue à être le premier critère de choix des consommateurs en matière de produits alimentaires ? Ne serait-il pas logique, à partir du moment où l'on demande beaucoup plus de qualités (et de qualité) à l'alimentation, que l'on accepte de la payer plus cher ?

Les gains de productivité considérables depuis plusieurs décennies dans l'agroalimentaire ont habitué le consommateur à payer moins cher. Ils ne continueront vraisemblablement plus au même rythme au fur et à mesure que la revendication qualitative l'emportera sur les besoins quantitatifs.

Il ne sera pas facile au consommateur d'accepter de payer plus cher. Non par manque de moyens, plutôt par tradition culturelle. Les économies sur ce poste de consommation finançaient ses achats dans tous les autres. D'ailleurs, accepter de payer plus cher ses produits alimentaires consiste, dans une certaine mesure, à redonner une priorité budgétaire à l'alimentation et *ipso facto* à quelque peu relativiser les autres fonctions. De plus, les produits alimentaires sont l'un des champs privilégiés de la grande distribution, et, de ce fait, leurs prix sont attirés dans la spirale des baisses. Il est néanmoins possible que l'on assiste à une rupture dans la tendance longue, que la part de l'alimentaire cesse de décroître dans le budget du consommateur, voire qu'elle se mette à progresser. C'est en tout cas une opportunité séduisante pour tous les opérateurs de la filière agroalimentaire.

Plus l'alimentation sera perçue comme apportant une réponse à d'autres besoins que celui de se nourrir, plus le consommateur acceptera d'en payer le prix. La consommation alimentaire doit devenir une consommation de santé, de culture, de convivialité, elle doit être multifonctionnelle pour justifier l'augmentation de son coût.

Mais il ne faut pas se tromper. Le consommateur n'acceptera pas d'acheter son alimentation plus cher uniquement pour des raisons imprécises d'amélioration de la qualité. S'il y a augmentation du prix de son panier moyen, cela s'effectuera par une substitution progressive de certains produits peu chers et sans beaucoup d'attributs immatériels par d'autres innovants et plus coûteux. Cela ne se fera pas tout seul mais par un effort de conviction de la part des offreurs, parfois aidés, il est vrai, par des crises comme celle de la vache folle susceptible d'amplifier ce courant, mais dont bien sûr personne ne souhaite la répétition.

Mais, au fait, comment s'effectue l'arbitrage par le consommateur entre un produit de base dont le prix est le critère principal de choix et un produit plus élaboré forcément plus cher ? Quelle est la signification de ce concept de *qualité* qui fait passer de l'un à l'autre ? Tentons d'éclairer ce dilemme quotidien du consommateur et ce qui demeure bien souvent une énigme pour l'industriel ou pour le commerçant.

La qualité : une notion délicate à cerner

Sous son apparente simplicité, la notion de qualité recèle une très grande pluralité de significations. Elle connote à la fois les propriétés objectives du produit et des services, et la représentation ou les attentes subjectives des différents groupes de consommateurs. Or, dans chacun de ces deux versants, une incompréhension plane toujours entre le concepteur du produit et son utilisateur final. Ou, pour dire les choses autrement, il y a une véritable barrière qui sépare le spécialiste qu'est le créateur du généraliste qu'est le consommateur. Le premier dispose évidemment d'un savoir accumulé, d'une habitude à l'égard de sa technique, que n'a pas le second. Quant au vendeur, sa place n'est pas confortable non plus. Dans de nombreux secteurs, il se sent valorisé par son expertise des produits qu'il commercialise, d'autant plus que les échanges les plus intéressants et les plus fréquents qu'il peut avoir avec ses clients, il les a avec les passionnés de son secteur. Ce sont ces clients-là qui le valorisent et non les consommateurs pressés qui achètent à la hâte un objet dont les principales qualités sont la sobriété, le bon goût et surtout la simplicité d'utilisation.

Comme l'immense majorité des Français, j'ai un magnétoscope. C'est d'ailleurs le troisième que je possède (sans compter le tout premier, acheté il y a une quinzaine d'années avec la norme β qui a disparu depuis que le format VHS a conquis l'univers domestique dans le monde entier). Sur le premier au format VHS, acheté il doit y avoir dix ans, la télécommande comportait dix touches, elle était d'utilisation facile. Le deuxième appareil avait une télécommande plus élaborée : quinze touches. J'étais déjà dépassé et, comme beaucoup de pères de famille, je me suis vite senti obligé de laisser les manipulations aux doigts experts de mes deux fils. Ce deuxième appareil tombé en panne, il me fallut bien en acquérir un nouveau, ce que j'ai fait il y a dix-huit mois, en me promettant de privilégier la simplicité d'usage comme critère de choix. Mais il se trouve qu'alléchés par ce nouvel achat mes fils m'accompagnèrent et jouèrent à mon égard un rôle de prescripteur tout à fait usuel aujourd'hui de la part d'adolescents. Le vendeur, habile, finit par proposer un appareil censé rendre compatibles les désirs de mes fils, notamment la compatibilité avec la norme vidéo américaine NTSC, et mon besoin d'un maniement commode et simple. Je me laisse séduire par le système du *show view* que je n'utiliserai jamais... Mon nouveau magnétoscope est évidemment un appareil de haut de gamme, dont la télécommande comporte vingt-huit touches ! Je suis encore moins capable de le programmer que le précédent !

Cela fait des années que les industriels connaissent le désarroi des utilisateurs devant les trop nombreuses options des appareils électroniques qu'ils proposent, mais cela ne les empêche pas de continuer. Un ingénieur qui passe sa journée entière dans ses programmes n'arrive pas à se convaincre qu'en multipliant les possibilités techniques de ses produits il en accroît exponentiellement la complexité d'usage. Les efforts incontestables de lisibilité des manuels, qui ont été effectués ces derniers temps, ne font rien à l'affaire. D'abord, le consommateur n'a pas le temps de lire des manuels qui peuvent dépasser allégrement les cinquante pages (c'est le cas par exemple des téléphones portables) et, de plus, il ne peut mémoriser [12] les gestes à effectuer pour réaliser ne serait-ce qu'une dizaine d'opérations courantes sur son magnétoscope, son four à micro-ondes, son répondeur téléphonique, son autoradio, sa chaîne hi-fi, ses alarmes de voiture ou de domicile qui, bien entendu, obéissent tous à des logiques distinctes ! Qu'il serait

---

12. Quelle mémoire d'éléphant ne faut-il pas avoir pour devenir un consommateur entrepreneur de cette fin de siècle ! Prenons le seul exemple des codes : il faut au minimum se rappeler celui de sa carte bancaire (parfois de celle de son conjoint), ceux des trois ou quatre cartes spécifiques à chaque réseau de magasins qu'au minimum on acquiert, ne serait-ce que pour bénéficier de la remise de 10 % sur les prix pratiqués un mois par an, son digicode (et éventuellement ceux nécessaires pour rentrer dans l'immeuble de ses parents ou de ses enfants), celui qui sert à activer l'alarme de sa voiture, les chiffres magiques qui permettent de consulter son compte bancaire par Minitel et, enfin, la demi-douzaine de numéros de téléphone indispensables qui sont brusquement passés à dix chiffres depuis l'automne 1996... sans compter l'arrivée des téléphones portables qui multiplient les numéros qu'il faut mémoriser ! Quand on pense qu'en plus la moitié de ces codes doivent rester secrets, qu'il ne faut pas en théorie les écrire dans son portefeuille... Bien entendu, comme beaucoup je transgresse la règle et quelque part figurent tous les numéros dont il faut que je me souvienne... en ayant toutefois un algorithme simple de codage des numéros codés... qu'il faut que je n'oublie à aucun prix !

doux que chaque vendeur comprenne que l'on n'est pas seulement consommateur du produit qu'il distribue...

À partir d'une enquête réalisée par le CRÉDOC sur les multiples facettes de la perception de la qualité, il est possible de hiérarchiser les notions qu'elle recouvre pour le consommateur. Si l'on considère la qualité en général (indépendamment du produit auquel elle s'applique), onze critères ont été mis en évidence, dont l'ordre décroissant d'importance est le suivant (le chiffre entre parenthèses qui suit chacun de ces critères représente la moyenne des notes attribuées entre 0 et 6) [13].

Les quatre premiers critères renvoient à des caractéristiques intrinsèques du produit : la *facilité d'utilisation* (4,88), la *durée de vie* (4,86), l'*adaptation aux besoins* (4,84), la *fiabilité* (4,83).

Une catégorie intermédiaire de critères, très hétérogène, renvoie aux conditions d'usage, d'achat et à la subjectivité du consommateur : l'*agrément d'utilisation* (4,62), le *prix* (4,53), l'*avancée technologique* (4,23), l'*esthétique* (4,18).

La dernière série de critères (dont un seul recueille une note inférieure à la moyenne) fait clairement intervenir des notions sociales plus abstraites : la *marque* (3,63), la *nouveauté* (3,53), les *avis et opinions de l'entourage* (2,88).

Bien que cette hiérarchie soit assez robuste, on observe certaines inflexions selon les catégories sociodémographiques des personnes interrogées. Les cadres et les professions libérales accentuent la préférence pour les critères utilitaires, fondés sur les propriétés techniques des produits. Inversement, les ouvriers se disent plus influencés par les caractéristiques sociales : avis de l'entourage, marques... Les employés ont des avis voisins des ouvriers, en accordant un peu plus d'importance à la nouveauté.

---

13. Voici l'intitulé exact de la question : « Pour chacun de ces critères, vous donnerez une note comprise entre 1 et 6 servant à mesurer l'importance que vous attachez personnellement à ce critère. Vous donnerez la note 1 à un critère auquel vous n'attachez aucune importance et la note 6 à un critère d'importance maximale, les notes intermédiaires vous serviront à mesurer votre jugement. » Enquête réalisée auprès d'un échantillon de 900 personnes représentatif de la population française âgée de plus de 18 ans. Présentation et analyse des résultats dans Les Ateliers, ENSCI, département Prospective de la consommation du CRÉDOC, Mind Movers, « Comprendre et évaluer la qualité », *Cahier de recherche du CRÉDOC*, n° 39, décembre 1992.

Enfin, les professions intermédiaires, sociologiquement proches des employés, se distinguent de ces derniers par un poids légèrement supérieur attribué aux critères utilitaires et à l'esthétique du produit.

Ce sont les plus jeunes et les plus âgés des consommateurs qui accordent davantage d'importance aux éléments relevant du contexte culturel – marques, opinions de l'entourage, nouveautés, esthétique –, même si, bien sûr, les contenus concrets qu'ils attendent de ces signes immatériels ne sont pas identiques et appartiennent à leurs générations respectives. Au contraire, au milieu de la vie, les notions plus objectives liées à l'utilité jouent un rôle plus important.

Plus le revenu progresse, plus la perception utilitaire paraît importante, et plus le niveau de diplômes est élevé, moins la marque est associée à la qualité. Cette dernière corrélation est statistiquement très significative. La marque, dans sa conception traditionnelle, est plutôt un repère du passé, d'un consommateur moins aisé culturellement et financièrement qu'il ne l'est en moyenne aujourd'hui. N'oublions jamais que la marque était un refuge. Le consommateur, devenu acteur autonome, revendique sa propre expertise. Il passe d'une marque à l'autre avec plaisir, celui de pouvoir se démontrer à lui-même, et par la même occasion à toute la chaîne des industriels et des vendeurs, qu'il n'est plus du tout un client captif.

Est-ce à dire que la marque est totalement dépassée ? Non, bien au contraire. Nous avons déjà largement expliqué que la composante immatérielle de la consommation ne peut que se renforcer, et la marque en est bien l'une des dimensions privilégiées. Simplement, elle doit se rapprocher davantage de la fonctionnalité du produit. Elle doit en quelque sorte incarner les véritables caractéristiques du produit. Elle doit redevenir un signe de qualité, non pas en s'autoproclamant telle, mais en résumant, en synthétisant des attributs objectifs. C'est à cette condition qu'elle peut créer un supplément d'univers et faire rêver. C'est pourquoi, depuis les changements des comportements des consommateurs du début des années 1990, on a pu repérer que les produits de luxe se portaient étrangement plutôt bien. D'une façon générale, ils sont en effet perçus comme de qualité objective incontestable, socle indispensable sur lequel se greffe un imaginaire substantiel pour le consommateur.

Ce sont toutes les marques de milieu de gamme qui sont toujours au purgatoire. Impossible de leur faire complètement confiance sur la qualité objective de leurs produits. De plus, elles sont directement concurrencées par le développement spectaculaire des marques de distributeurs. Du point de vue du consommateur, celles-ci sont susceptibles de remplir exactement la même fonction que les marques industrielles. Elles sont associées à des imaginaires que les enseignes de la grande distribution ont tout à fait la capacité et la force de mettre en scène.

Les marques de distributeurs peuvent aussi offrir des opportunités aux commerçants indépendants, c'est le cas lorsqu'ils s'affilient à certains réseaux de franchisés. La grande distribution, quant à elle, tend dorénavant à développer non plus une marque associée purement à une enseigne, ce qui serait une impasse à moyen terme compte tenu de ce que nous venons de dire des attentes des consommateurs, mais une panoplie de marques, chacune associée à l'une des attentes imaginaires. On trouve donc de véritables panoplies de marques de distributeurs au même titre que les grands groupes industriels possèdent des portefeuilles de marques nationales ou internationales. Pour une enseigne donnée, il y aura une marque de distributeur spécialisée *terroir*, une seconde consacrée à la *santé*, une troisième à l'*écologie*. On voit même éclore aujourd'hui des marques de distributeurs que l'on peut qualifier de *luxe*, ce qui aurait été impensable il y a seulement dix ans. La plupart des grands distributeurs comptent créer leur marque de produits biologiques. Carrefour a lancé, début 1997, sur ce créneau du luxe, une marque spécifique : « Escapades gourmandes ». L'objectif est de concurrencer les produits Hédiard, Fauchon, Albert Ménès, tout en affichant des prix inférieurs de 20 %.

L'institut Nielsen fournit des prévisions plutôt préoccupantes pour les marques industrielles nationales, alors que nos distributeurs s'en tirent plutôt bien. En 1993, dans la grande distribution, les produits sans marque de premier prix représentaient 16 % des ventes, les marques de distributeurs 24 % et les marques nationales 60 %. Pour l'an 2000, les chiffres seraient respectivement 30 %, 30 % et 40 % [14]. La montée des marques de distributeurs est un phénomène déjà ancien qui date des années 1970 (on se souvient des fameux « produits libres » de Carrefour en 1976) et qui n'est pas spécifiquement français. En Grande-Bretagne, elles occuperaient déjà plus de 38 % des parts de marché. Les éléments qui expliquent ce succès sont aisés à comprendre : fixant leurs prix, les distributeurs se réservent des marges extrêmement confortables (plus de 20 % contre 15 % sur les autres produits) sans avoir le souci, ni des contraintes de fabrication, ni des coûts de recherche-développement, ce qui leur permet de se mettre très vite au goût du jour. Lorsque Promodès lance, en avril dernier, sa marque « Reflets de France » fondée sur le terroir et réunissant des produits fabriqués par des PME, le succès est immédiat et dépasse toutes les prévisions.

Leclerc, traditionnellement faible dans le domaine des marques à son enseigne (5 % de ses ventes contre 15 à 20 % en moyenne), a lancé au printemps 1997 une offensive d'envergure digne d'une campagne militaire : 16 000 affiches de 4 m x 3 m, 10 millions de dépliants, dégustation des produits pendant 10 jours dans ses 500 magasins. Tout en gardant une grande diversité de marques spécifiques, celles-ci sont présentées dans un visuel cohérent avec un logo en forme de cible de tir à la carabine portant cette formule « marque repère ». C'est donc ainsi une sorte de super-marque de distributeur que le groupement Leclerc préfère qualifier de label de qualité. Une grande campagne de publicité accrédite l'idée que l'on ne s'y retrouve plus dans le trop grand nombre de marques nationales : « Quand vous choisissez une marque, avez-vous plutôt l'embarras, ou le choix ? » Il s'agit donc de guider le consommateur vers des produits sélectionnés, *labellisés par la chaîne*, et vendus de 20 à 30 % moins cher que leurs concurrents des marques nationales. L'objectif est de 2 000 articles ainsi *repérés* pour le mois de juillet 1997. Si certains produits de la marque du distributeur ne satisfont pas les tests de qualité liés au passage sous la bannière « marque repère », ils sont menacés d'être retirés des magasins ou tout simplement rangés dans la catégorie des produits de premier prix. La réaction du

---

14. Publiés dans *La Tribune* du 4 avril 1997.

concurrent de toujours (Carrefour) ne s'est pas fait attendre. Le même jour, il annonce le lancement de produits « repère premier prix », utilisant donc le même mot, mais également une charte de couleurs très proche de celle de Leclerc. Et, comme si ça ne suffisait pas, Casino a entrepris au même moment une campagne de presse sur le thème « À chacun ses repères ». Au moins, on ne peut pas reprocher à la grande distribution d'avoir un message brouillé, variable selon les enseignes !

À partir du moment où le rêve ne peut plus être déconnecté de la réalité – ce qui est une assurance pour le consommateur de se faire beaucoup moins facilement manipuler –, le prix joue pleinement son rôle. La revalorisation de la logique fonctionnelle des produits ne peut qu'aller de pair avec celle de l'importance accordée au prix. Le *rapport qualité/prix* est d'une subtilité extrême, mais il est plus facile à calculer dès lors que le consommateur donne un contenu concret et fonctionnel à la notion de qualité. À la limite, et c'est bien présent dans l'enquête du CRÉDOC, le prix devient en lui-même un critère parmi d'autres dans la définition de la qualité (plutôt bien placé d'ailleurs, puisqu'il arrive au 6ᵉ rang sur 11). En caricaturant, on pourrait résumer les rapports complexes à l'égard du prix de la façon suivante.

Quand il y a un imaginaire très puissant chez les consommateurs, exacerbé et déconnecté de la réalité, comme ce fut le cas dans les années 1980 (et comme on l'observe encore aujourd'hui chez les grands enfants et les adolescents qui ont besoin de se *démarquer* – dans tous les sens du terme ! – de leurs parents), le différentiel de prix rendu possible grâce à la marque peut être important et assurer une très bonne vente à celui qui la possède.

Quand il y a un divorce brutal entre les marques et les consommateurs, à cause d'une incompréhension entre les attentes imaginaires des uns et les mises en scène immatérielles des autres, on assiste à une concurrence exclusive par les prix. C'est la tentation déflationniste qui a sévi plusieurs fois au cours des années 1990.

Quand l'attente des consommateurs se situe dans l'alliance entre la revalorisation des critères fonctionnels et la construction d'un nouvel imaginaire, que ce soit la *rassurance* ou la posture du consommateur entrepreneur, la priorité va au rapport qualité/prix.

Pour ce qui est du consommateur entrepreneur, c'est très aisé à comprendre. Il gérera ses achats de la même façon qu'une entreprise sélectionnera ses fournisseurs ou ses sous-traitants. Le rêve a peu d'importance, c'est la performance-prix (autre façon d'appeler le rapport qualité/prix) qui est déterminante. Mais il n'ira pas jusqu'au terme de ce processus, car le consommateur entrepreneur est bien une nouvelle espèce d'être social, l'hybridation d'une entreprise et d'une personne, et c'est ce qui appartient à la personne qui alimentera toujours l'attente imaginaire.

D'une façon générale, la qualité est aujourd'hui à la mode. Mais on doit se convaincre que les notions qu'elle recouvre sont très différentes et variables selon les groupes et les individus. Lorsqu'on parle de qualité dans les usines, on évoque en règle générale la réduction *a minima* de l'aléatoire et de l'incertain. On utilise des tables mathématiques pour établir un intervalle de confiance dans lequel fluctuent les caractéristiques techniques des produits autour d'une valeur centrale théorique. Faire des efforts pour promouvoir la qualité signifie réduire au maximum l'intervalle. Depuis longtemps déjà, on spécialise des ingénieurs en qualité qui prélèvent des échantillons destinés à établir des mesures de performances. Dans les services, on peut procéder de même, en mesurant la moyenne et l'écart type du temps d'attente d'un réparateur, d'un autobus ou de la livraison du courrier.

Mais, dans toutes ces démarches, on oublie le client, ou plutôt on se met à sa place, on décide une fois pour toutes de son attente supposée. On objective une notion qui contient non seulement une part très forte de subjectivité, mais aussi de tendances contradictoires et parfois irréconciliables entre différents consommateurs, voire chez le même consommateur selon son état du moment. Par exemple, un malade dans un hôpital n'accordera pas la priorité au même critère de qualité selon la gravité de sa pathologie, le fait qu'elle soit aiguë ou chronique, ou même le moment de son séjour. Parfois, la technologie médicale seule comptera ; d'autres fois, la prestation hôtelière sera essentielle. De plus, l'entourage du malade aura sa propre demande de qualité (souvent bien différente de la sienne). La démarche dite de « satisfaction client », qui apparaît désormais dans certaines entreprises, cherche à corriger cette définition trop autoproclamée de la qualité. Il s'agit d'interroger le consommateur après que la prestation ou l'achat a eu lieu et de mesurer, sur une batterie de questions ouverte sur de nombreux critères, ses différentes réactions. On relève ensuite ses insatisfactions pour chercher à les réduire.

Voici sur des exemples concrets de biens et de services quelques illustrations de la diversité des attentes à l'égard de la qualité.

Qu'est-ce qu'un fromage, une voiture... ?

On reprend ici une synthèse des réponses à l'enquête du CRÉ-DOC déjà citée sur la mesure de la qualité perçue ou ressentie par les consommateurs [15]. L'objectif est à la fois de montrer la multiplicité des critères qui entrent en ligne de compte et leur grande diversité selon l'objet et selon le client qui l'achète.

Un fromage de qualité. Pour un consommateur sur dix, c'est un fromage bien précis que l'on appelle par son nom : un camembert, un roquefort, un chèvre. Plutôt que de se compliquer l'esprit, le consommateur a décidé, une fois pour toutes, que, dans la diversité des produits, certains incarnaient le concept de qualité. Ce sont les plus de 60 ans qui réagissent ainsi. Un consommateur sur vingt associe la qualité du fromage à son mode de fabrication. Celui-ci doit être naturel, artisanal, fermier, à base de lait cru, non pasteurisé (les cadres). Près d'un client sur cinq considère que la saveur et la fraîcheur des fromages (perçues au moment de l'achat, plus qu'à celui de la dégustation) sont les critères majeurs de qualité (hommes, célibataires, employés ou étudiants). D'autres, près d'un sur cinq également, mettent l'accent sur la consistance du fromage et sur son goût (en privilégiant le moment de la dégustation). Beaucoup de femmes se déterminent ainsi. Enfin, près d'un acheteur sur cinq recherche le juste milieu. Le fromage ne doit pas être trop fort, trop gras ou trop dur. Ces consommateurs savent plus ce qu'ils ne veulent pas que ce qu'ils désirent acheter. Il est clair que les fromages à pâtes cuites, de type industriel ou de fabrication hollandaise, ont leur préférence.

---

15. La plupart de ces résultats ont été obtenus à partir d'une analyse lexicale, c'est-à-dire à partir des réponses en langage naturel fournies par un échantillon représentatif de 500 personnes. L'équipe du CRÉDOC qui a réalisé ces travaux était composée de Saadi Lahlou, Valérie Beaudouin et Pascale Hébel.

Dans ce dernier groupe, on trouve beaucoup de femmes, mais aussi des retraités et des ouvriers.

Une voiture de qualité. Commençons par la très petite minorité (4 à 5 %) qui continue à se projeter dans l'aspect extérieur, la forme de la voiture. Ces acheteurs en attendent beauté et vitesse. Sans surprise, ce sont des jeunes célibataires, des étudiants (mais aussi quelques agriculteurs) qui réagissent ainsi. Environ un automobiliste sur dix associe la qualité à des garanties techniques de confort et de sécurité sur le freinage, la motorisation, la carrosserie, la tenue de route. Les personnes qui ont plus de trois enfants de moins de 15 ans, et plus largement les femmes, répondent ainsi. Le groupe le plus fourni (un client sur trois) recherche une synthèse d'un peu tout à la fois. La voiture de qualité doit présenter un habitacle confortable, mais aussi une certaine esthétique tout en garantissant bien sûr une grande sécurité. Cela peut paraître banal, mais la voiture est tellement multifonctionnelle que ces clients-là donnent une définition elle-même plurifonctionnelle, sans éviter du coup une certaine banalité. Le profil typique a la trentaine, c'est un homme, cadre ou profession libérale, aisé, marié, avec un enfant.

Un peu plus d'un automobiliste sur dix recherche avant tout une voiture bon marché, consommant peu d'essence, pratique, petite, mais aussi assez nerveuse. C'est l'usage et l'économie qui priment. Dans trois cas sur quatre, ce sont des femmes qui formulent cette demande. Mais on trouve aussi des jeunes, des étudiants ou des veufs et des divorcés. Environ 15 % des automobilistes citent une marque comme signe de qualité : les françaises sont nettement en tête, mais on trouve aussi des allemandes, des anglaises, voire des américaines, et même des japonaises. Sans surprise, ce sont les plus âgés qui réagissent ainsi. Le panorama ne serait pas complet si l'on oubliait le très petit segment (de 1 à 3 %) qui se projette dans le luxe absolu. La voiture de qualité, c'est la décapotable, elle est grosse, luxueuse, belle. On trouve dans ce tout petit groupe à la fois des défavorisés, pour lesquels le modèle est tout à fait inaccessible, et des nostalgiques (des retraités, des veufs).

Un habitat de qualité. Pour un Français sur quatre, un habitat de qualité implique à la fois de l'espace et du confort. Bien sûr, ces notions sont très générales et assez floues, mais elles correspondent assez bien au discours stéréotypé des publicités ou des petites annonces immobilières. Ceux qui répondent ainsi sont plutôt des titulaires du bac avec des revenus moyens-supérieurs, d'âge mûr (40 à 60 ans). On y trouve aussi des Parisiens et davantage de femmes. Un autre quart des réponses définit à l'inverse la qualité idéale d'un logement par son charme et le cadre dans lequel il s'inscrit. Ce sont les partisans du *home, sweet home.* La maison – car c'est de cela qu'il s'agit et jamais d'appartement – est indépendante, sans mitoyenneté, de plain-pied, un peu isolée du monde, avec un jardin privatif, éventuellement un garage et une piscine. Là encore, ce sont des réponses plutôt féminines, de personnes jeunes, relativement peu diplômées et vivant dans de petites agglomérations.

Entre ces deux extrêmes, on trouve cinq autres classes regroupant chacune environ 10 % des réponses. Il y a ceux qui s'intéressent à l'infrastructure technique de l'habitat : bonnes installations sanitaires, électriques, de chauffage (des personnes plutôt âgées, des agriculteurs, ceux pour lesquels cela ne va pas de soi). On trouve des partisans d'une habitation bien construite, solide, robuste face aux agressions de l'extérieur, dans tous les sens du terme (plutôt des hommes assez âgés avec des revenus moyens). Vient ensuite la classe des personnes attachées à l'agencement de l'espace – bien cloisonné, permettant la spécialisation des pièces –, pour lesquelles l'intérieur prime sur l'extérieur (femmes maîtresses de maison vivant en appartement). Signalons le groupe de ceux qui ont des désirs de luxe ; les termes qu'ils emploient sont typés : baie, loft, villa. Ils accordent beaucoup d'importance à « la vue ». Pour ces personnes, l'habitat idéal est souvent double : un appartement en ville et une villa à la campagne ou, mieux encore, au bord de la mer (ce sont plutôt des hommes, parisiens mais de catégorie sociale assez moyenne, qui expriment ainsi leur rêve et non la réalité). Enfin, dernier groupe, ceux qui veulent concilier indépendance et proximité. Ils comprennent qu'il faut accepter d'arbitrer entre la valeur intrinsèque du bien et les distances à minimiser (hommes à revenus élevés, surtout des professionnels actifs).

Une banque de qualité. C'est, de nos quatre thèmes, celui sur lequel la diversité des réponses est la moins caractérisée. Pour exactement un Français sur deux, une banque de qualité se définit par un accompagnement humanisé et des prestations techniques standard. On veut une qualité de contact, un accueil par un personnel sérieux, rapide et fiable. Bien entendu, on souhaite des heures d'ouverture commodes et des guichets automatiques nombreux. Un quart des consommateurs ont des revendications plus précises et sont plus exigeants, notamment à l'égard des services financiers. Ils sont conscients que ce type de service est onéreux, mais ils souhaitent que son coût soit modéré. Certains des clients de ce groupe sont plutôt des angoissés, consommateurs de crédits qu'ils souhaitent souples avec des autorisations de découverts aux agios raisonnables. Et puis il y a le groupe des satisfaits. Environ 10 % des enquêtés considèrent qu'ils n'ont pas de problème avec leur banque et que, en conséquence, elle est de qualité. Bien souvent d'ailleurs, ils citent des noms de grandes banques (dont ils ne sont pas forcément les clients) comme incarnant la qualité qu'ils recherchent.

On le voit, la notion de qualité est d'une diversité qui pourrait paraître désarmante. Ce qui la rend particulièrement délicate tient à deux facteurs symétriques. D'une part, la qualité perçue par le consommateur ne peut être réduite à ce que l'innovateur industriel propose. Il y a un contenu tellement lié aux représentations sociales que les subjectivités collectives jouent à cet égard un rôle essentiel. Réfléchir à la qualité de ces produits et de ces services, de façon intrinsèque, purement technique et objective, en oubliant les attentes du consommateur, reviendrait à vouloir faire son bonheur sans lui, ou malgré lui. C'est voué à l'échec. Mais, à l'inverse, la capacité d'anticipation du consommateur dans ses attentes futures à l'égard de la qualité est très faible et, pour le dire franchement, assez pauvre. Si l'on se contente d'écouter le consommateur, la qualité est une notion profondément conservatrice, assez souvent nostalgique, presque jamais avant-gardiste. Et, lorsqu'un produit nouveau le séduit, sa réaction a quelque chose d'assez désarmant : « Comment n'y avait-on pas pensé plus tôt ? » Lui, c'est sûr, de bonne foi, vous jure que quinze ans plus tôt il se serait déjà précipité sur cette nouveauté. Certes, le produit n'existait pas, mais le besoin est supposé préexistant ! Ce qui est bien entendu totalement faux. Attention à l'adage selon lequel le client a toujours raison ! Cette formule est la plupart du temps erronée. Le client a le pouvoir, c'est déjà beaucoup, c'est essentiel, mais ne croyez pas qu'en plus il a raison. Le consommateur est souvent de mauvaise foi, et parfois vindicatif.

Pour séduire, la qualité marie, par une étrange alchimie, les deux notions de fonctionnalité et d'immatérialité du produit, avec cette étonnante notion du temps qui court-circuite le passé et le présent. Et cela vaut particulièrement pour l'innovation. Jean-Noël Kapferer cite, au début de son livre de référence sur les marques [16], cette belle histoire de la publicité de Nescafé au début des années 1980, au moment où la marque se décide à une rupture radicale dans sa communication. Nescafé ne se présente plus comme un produit d'abord pratique et familial, mais il évoque un retour aux images et à l'ambiance du pays du café. Tout le monde se souvient du petit train sud-américain et de la musique qui l'accompagnait. Le renforcement de notoriété fut immédiat et considérable. Comment décoder ce changement ? La plupart des observateurs pensent qu'il s'agit de contrer le principal concurrent, Jacques Vabre, qui depuis longtemps occupait ce créneau de l'évocation latino-américaine. Peut-être était-ce une habile prémonition du retour à l'ancrage territorial et à l'ethnicisme du produit qui s'est beaucoup renforcé dans la seconde moitié des années 1990 ? Pas du tout. À l'origine, on trouve une innovation. Grâce à une nouvelle technique de lyophilisation, Nescafé devenait capable de restituer beaucoup plus de diversité dans les arômes de son café et, du coup, de proposer au consommateur un nouveau choix. L'arabica pouvait devenir « pur Colombie »... L'innovation n'était pas seulement, ni même d'abord, de nature immatérielle, mais fonctionnelle. Le succès a tenu à la parfaite imbrication de ces deux dimensions. Par le fait même, l'innovation à la fois était porteuse d'une avancée vers l'avenir (confirmation d'une technique qui fait gagner du temps, la lyophilisation) et renforçait une image traditionnelle d'authenticité, qui ancre dans le passé. Être capable de faire se rejoindre l'avenir et le passé grâce à une innovation, voilà qui plairait à beaucoup !

L'autopsie d'un échec est aussi intéressante, peut-être davantage encore, que le décodage d'un succès. Il arrive souvent que des innovations ne marchent pas, car l'apport qu'elles réalisent

---

16. Cf. Jean-Noël Kapferer, *Les Marques, capital de l'entreprise. Les chemins de la reconquête*, Paris, Les Éditions d'Organisation, 1995.

en termes de fonctionnalité est contradictoire avec les ancrages immatériels des produits. Bien sûr, il est plus facile de le reconnaître après coup que de le repérer avant. Voici quelques exemples parmi beaucoup d'autres, mais qui sont évocateurs.

Toujours à propos de café, Legal lance en 1989 le café préparé, dans un tétra brick. Pour tous ceux qui veulent gagner du temps, il suffit de chauffer et de boire. Plusieurs variétés sont commercialisées : café noir, café au lait, à la chicorée... C'est un échec. Pourquoi ? Le café liquide évoque le café de la veille, qui a le mauvais goût du café réchauffé. Peu importe que le nouveau produit échappe à cette critique, c'est l'imaginaire du consommateur qui parle.

Quelques années plus tard, Matines lance l'œuf dur reconstitué en cylindre long. Il suffisait d'y penser. C'est tellement plus commode à utiliser. Déjà cuit, débarrassé de sa coquille, vendu sous vide, « bâton d'or » devait encore séduire la ménagère pressée. Mais comment ne pas prévoir que, ce faisant, on tuait la forme matricielle fondamentale de l'œuf associée à toute vie animale et même à la conception de la vie humaine ? Bien sûr, le produit ainsi que quelques concurrents qui suivirent n'ont pas marché. Son utilisation n'est possible qu'en restauration collective, là où l'on ne voit ni les approvisionnements ni la préparation en cuisine.

À plusieurs reprises, Kronenbourg a voulu faire échapper la bière à son image traditionnelle pour élargir son marché. En 1986, cette marque lance la gamme Krony, mélange censé être astucieux de la boisson traditionnelle avec des extraits fruités : pêche-passion, kiwi-pamplemousse, etc. Les couleurs s'épanouissent : jaune, vert, rose... Cela ne marchera pas plus que la tentative, au début des années 1990, avec K, une bière censée avoir perdu son amertume et destinée aux femmes. Échec. Ces bières n'étaient paraît-il pas bonnes. Argument insuffisant, que l'on retrouve d'ailleurs pour l'œuf dur au kilomètre. Lorsque l'innovation est acceptée par le consommateur, celui-ci peut modifier son goût. Les premiers cafés lyophilisés, par exemple, n'étaient pas vraiment succulents. Mais, au-delà du caractère très pratique de cette consommation, la forme du produit, de la poudre, était assez proche de celle du café moulu : l'imaginaire s'y retrouvait. Il semble bien que l'immatériel de la bière intègre définitivement une certaine amertume, une petite rugosité dans le palais qui l'identifie à un produit typiquement masculin.

En 1988, Bic veut s'attaquer au parfum. Fort de ses succès précédents avec le stylo, le briquet et le rasoir, vendus à bon marché en énormes quantités et conçus comme des produits jetables, le parfum Bic est lancé à grande échelle en France, en Grande-Bretagne, en Italie, au Japon et aux États-Unis. Plusieurs agences se relaient pour soutenir des débuts très difficiles. Mais le produit n'a jamais décollé et a été vite abandonné. Techniquement, ce parfum était au point, mais c'est le concept immatériel qui était inacceptable. On ne peut pas prendre un produit à ce point identifié au luxe pour en faire un objet courant et banal. Il faut des paliers dans la démocratisation et la banalisation des produits.

Le produit dont l'échec est resté dans toutes les mémoires, qui dans une certaine mesure l'incarne comme un cas d'école, c'est Tang. Lancé dans les années 1970 pour se substituer au véritable jus d'orange, le moins que l'on puisse dire est qu'il n'incarne pas vraiment le thème de la naturalité. Ce n'est, là encore, pas suffisant pour expliquer qu'il ait disparu des magasins (ou en trouve encore, dans certains distributeurs automatiques de boissons). Car les *soft drinks*, les *sodas* de toute sorte continuent à très bien marcher au cours des années 1990, même ceux à base d'arômes artificiels. Non, là encore, la matérialité du produit tue l'imaginaire associé à l'ingrédient principal. À l'inverse du café, comment accepter de voir un jus d'orange représenté par une poudre ? Dans un cas, le produit de base est profondément associé à une matière sèche, dans l'autre à un corps liquide, et il ne sera pas facile de modifier les ancrages. Les produits alimentaires lyophilisés mis au point pour accompagner les visiteurs de l'espace ou les adeptes des expéditions lointaines n'arrivent pas non plus à séduire au-delà des pratiquants de sports extrêmes.

En cette fin des années 1990, il y a de nombreuses tentatives pour réintroduire de la *couleur bleue* dans la consommation. Soit sur les emballages (le fameux yaourt LC1 pour n'en citer qu'un), soit dans les vêtements (mode des vêtements « marin »), soit dans la consistance même des produits (le nouveau Pepsi Cola, lancé dans le monde entier), soit tout bonnement dans la mise en scène devenue si fréquente du globe terrestre sur de nombreuses publicités. Sans oublier toute la gamme de marques destinées aux seniors qui se retrouvent derrière l'étendard du bleu : Radio-Bleue, Vacances bleues... Pourtant, le bleu est une couleur plutôt contre nature pour la consommation : c'est froid, technologique, hygiéniste, très peu d'aliments ont naturellement cette couleur (d'où le pari étrange de Pepsi de faire un cola de cette teinte). Or il me semble que le bleu est une couleur qui colle assez bien avec le consommateur entrepreneur. Si l'on en cherchait une, comme dans les devinettes, qui incarne l'univers professionnel, c'est bien celle-là. D'ailleurs, les *blue-jeans*, devenus à ce point un uniforme pour tous, ne sont-ils pas le premier des produits de travail qui se soit généralisé depuis déjà assez longtemps, tel un précurseur, dans l'univers de la consommation ?

Dimensions fonctionnelle et immatérielle sont liées consubstantiellement. Ce sont les deux membres inférieurs d'un même corps : le produit. Impossible de le faire bouger de plus d'un pas avec l'un seulement de ses soubassements, dangereux de tenter le grand écart en éloignant démesurément l'une de ses caractéristiques de l'autre et périlleux de tenter le saut à pieds joints, c'est-à-dire de tout modifier à la fois. C'est la complexité qui lie le fond et la forme. On pourrait dire, en paraphrasant Edgar Morin, qu'il y a tout le fond du produit qui est récapitulé dans sa forme, tandis que cette dernière est déjà tout entière présente dans sa fonctionnalité.

Mais on évolue vers une complexité plus grande encore, celle des plurifonctionnalités et, du même coup, des références immatérielles multiples. Les produits 2 en 1, voire 3 en 1, ne sont pas seulement des astuces de marketing et des innovations intelligentes. Dans sa forme courante, le produit 2 en 1, c'est le shampooing qui lave les cheveux et les démêle à la fois, c'est la lessive qui nettoie le linge et l'adoucit en même temps. Métaphoriquement, et parfois réellement, cela peut aller bien plus loin. C'est l'aliment qui nourrit et soigne à la fois, c'est le programme de télévision qui distrait et qui éduque, c'est la voiture qui permet de se promener et de travailler.

L'ère du consommateur entrepreneur, fondée sur le décloisonnement des lieux, des temps, des fonctions, ouvre quasiment à l'infini les champs de concurrence entre tous les produits et tous les services.

L'époque où nous réfléchissions en distinguant les différentes fonctions de la consommation, en supposant qu'elles étaient étanches les unes par rapport aux autres, est révolue. Certes, nous sommes toujours prisonniers des nomenclatures et même ici, dans le cours de notre réflexion, nous n'y aurons pas complètement échappé. Mais il faut bien se dire qu'au-delà des contraintes physiques qui feront qu'un pantalon ne sera jamais fabriqué comme un plat alimentaire, dans les idées qui seront à l'origine de leur conception, dans les ouvertures d'esprit dont devront faire preuve leurs distributeurs, il pourra y avoir beaucoup de points communs et donc de concurrence.

Pour ses vacances, le consommateur pourra opter pour une destination traditionnelle ou un lieu éminemment historique, suivre un séminaire de recyclage professionnel, s'initier à un hobby et pratiquer une discipline culturelle, se refaire une santé en thalasso, plonger dans la méditation spirituelle ou apprendre à faire de la cuisine chinoise. Bien sûr, c'était déjà le cas depuis longtemps, mais pour tout ça il désirera des prestations substantielles, et pour cela il faudra faire se concerter des professionnels, recruter des conférenciers, des professeurs, des médecins, des cuisiniers... Toutes les attentes de la personne se trouvent récapitulées dans un même service, hier assez banal [17].

On pourrait tenir le même raisonnement à l'égard de l'achat d'une voiture, d'un décodeur des chaînes satellites, d'un caddie de produits alimentaires ou d'un simple magazine. Tout s'interpénètre et tout entre en concurrence. Car, du coup, le séjour de vacances pourra se retrouver en balance avec l'achat d'un appareil de remise en forme à domicile, ou avec l'inscription à un club de quartier, ou encore avec l'achat d'une encyclopédie, ou enfin avec celui d'un ordinateur permettant une connexion sur Internet.

---

17. Pour refuser de nouvelles implantations de zones de magasins d'usine, qui seraient vite une façon de contourner les dispositions prises pour limiter les grandes surfaces, le ministère du Commerce et de l'Artisanat argumente qu'en les laissant se développer dans toutes les régions de France ce ne serait plus une forme de *tourisme économique*. Ainsi ceux qui vont à Troyes dans le désormais célèbre centre dénommé « Marques Avenue » acheter des vêtements à prix réduits sont-ils réputés *faire du tourisme* dans une région spécialisée dans le textile et la confection, même si leur déplacement consiste seulement à passer du train aux boutiques, puis de nouveau à la gare, une fois les emplettes achevées.

Chapitre 7

LE RETOUR DES INÉGALITÉS

> Il est nécessaire qu'il y ait de l'inégalité parmi les hommes, cela est vrai ; mais cela étant accordé, voilà la porte ouverte, non seulement à la plus haute domination, mais à la plus haute tyrannie.
>
> Blaise PASCAL, *Pensées*.

La consommation se fonctionnalise davantage, c'est l'une des conséquences de la mutation du consommateur en professionnel. Mais, dans le même temps, elle est de plus en plus souvent investie d'une recherche de *sens*. Cette tendance est aujourd'hui en plein développement dans tous les pays occidentaux, et cela durera. L'homme autonome et responsable en quête d'équilibre avec lui-même le sera aussi avec son environnement sociétal et écologique, et cela entraînera certains de ses choix de consommateur. La « consommation engagée » est celle de produits qui expriment l'adhésion à une valeur collective et qui se targuent d'être porteurs d'un idéal de solidarité. On peut aussi l'appeler « consommation citoyenne ». Ce qui la motive, c'est bien souvent le désarroi ressenti face à la fameuse « fracture sociale ». Ce qui l'amplifie, c'est la perte de confiance à l'égard d'une classe politique qui paraît de moins en moins capable d'y remédier.

Cela commence à partir du milieu des années 1980. Le corps social découvre les nouveaux processus d'exclusion, ce qu'on appelle « la nouvelle pauvreté ». Celle qui frappe notamment les jeunes et provoque le renouveau de formes de bénévolat et d'assistance dont les Restaurants du cœur seront sans nul doute la figure emblématique.

Et ce n'est pas un hasard. Dans la mouvance des Restos du cœur se trouvent confrontés ou plutôt articulés, d'un côté, le show-business qui incarne la réussite, la surconsommation provocante des stars, la consommation ordinaire (mais onéreuse) de tous ceux qui achètent disques et cassettes des premiers et, de l'autre, la très dure réalité des hommes et des femmes qui manquent de tout et, bien souvent, de quoi satisfaire le plus élémentaire des besoins : la nourriture. Alors qu'ils font depuis longtemps un travail considérable, quantitativement plus important que celui des Restos, ce ne sont pourtant ni le Secours populaire, ni le Secours catholique qui vont incarner la prise de conscience renaissante de cette époque, ni même le mouvement ATD Quart-Monde dont le fondateur, le Père Wresinsky, fera pourtant un rapport très remarqué sur les nouvelles formes d'exclusion au Conseil économique et social en 1987. À partir de cette époque, les citoyens aimeront qu'on leur propose de petits signes de solidarité qui ne se situent pas en rupture ou en alternative de leur vie de consommateurs ordinaires, mais qui en soient complémentaires, voire qui y soient intégrés. Les banques alimentaires, par exemple, utiliseront l'enceinte même des grandes surfaces pour organiser leurs collectes auprès des consommateurs. Il ne s'agit pas seulement d'une façon un peu facile de se déculpabiliser. C'est un signe plus fort, celui de vouloir marquer sa solidarité tout en indiquant clairement que, malgré ses limites, cette société de consommation demeure bel et bien celle dans laquelle on souhaite continuer à vivre.

En 1988, la société française est unanime pour approuver la création du RMI, et c'est à son honneur. Il ne s'agit pas seulement de créer un revenu d'existence distribué à tous ceux qui sont en deçà d'un certain niveau de ressources, l'objectif est de fournir les moyens à chacun de se réinsérer dans la société grâce à un plan de formation, un bilan de santé, un logement correct. Puis le mal se transforme. À l'exclusion qui continue de progresser [1] s'ajoute quelque chose de beaucoup plus sourd et de pesant : la menace pour chacun, ou presque, d'une stagnation de sa situation, voire de sa détérioration. Le pouvoir d'achat qui stagne, le plan de compression des effectifs toujours dans l'air si l'on est salarié, la conjoncture générale toujours aléatoire si l'on est déjà entrepreneur, et, pour tous, une quasi-certitude : les difficultés seront encore plus vives pour la génération de ses enfants. Pourtant, malgré la crise, il y a encore un peu de croissance, la Bourse de son côté ne cesse de faire de belles performances. Tout cela suscite un pressentiment, source de nombreux ressentiments : celui du redémarrage des inégalités sociales et qu'il y a plus de perdants que de gagnants. Comme si la montée de l'exclusion et le retour des inégalités étaient deux facettes d'un même processus, celui de la désagrégation de l'ancien modèle social qui, du coup, concernerait tout le monde, ou presque.

Un retour déstabilisant

Le désarroi face au retour des inégalités est légitime, elles vont en effet à l'encontre de ce qui avait fait le ciment de notre unité sociale et républicaine. Et puis, tous ressentent, sans toujours être aptes à le formuler, que le postsalariat dans son mouvement naturel tendra à amplifier cette tendance. C'est bien l'une des raisons majeures de la réticence à son égard. En France, tous les organismes d'études (INSEE, CRÉDOC, CSERC qui a succédé au CERC) ont mis en évidence ce redémarrage des inégalités sociales au cours des années 1980 et 1990.

En ce qui concerne les revenus, la rupture de tendance est nette. Après avoir diminué durant la décennie 70, les inégalités de revenus se sont stabilisées au cours des années 1980 et s'accroissent durant cette décennie 90 (notamment depuis la récession de

---

1. Il y avait 407 000 bénéficiaires du RMI au 31 décembre 1989. Ce chiffre ne cesse de progresser depuis : il était de 582 000 à la fin 1991, de 792 000 deux ans plus tard. Il se situe à 1 010 000 au 31 décembre 1996. Le RMI n'est pas seulement une prestation minimale pour des personnes qui y demeurent très longuement. Il sert aussi de temps de transition. Il y a heureusement des sorties réussies du RMI.

1993). À partir des données de l'INSEE, l'équipe de sociologues autour d'Henri Mendras s'est livrée à un calcul édifiant concernant l'évolution du niveau de vie après impôts des ménages actifs (ou de moins de 60 ans) [2]. Les 10 % les plus riches (premier décile) ont vu leur niveau de vie progresser de 20 % de 1984 à 1994, les 10 % suivants (deuxième décile) ont connu une hausse de 15 %, les 10 % suivants (troisième décile) enregistrent quant à eux une augmentation de 10 %. Pour le quatrième décile, la progression n'est déjà plus que de 7 % et elle se situe aux environs de 5 % seulement pour tous les autres déciles à l'exception du dernier. En effet, pour les 10 % de ménages les plus pauvres, la progression de leur revenu au cours de ces dix ans a été de l'ordre de 10 %, grâce à la mise en place du RMI, ce qui demeure toutefois inférieur à la moyenne, tous revenus confondus, qui est de 12 % de hausse de ce milieu des années 1980 au milieu des années 1990.

Si l'on met donc à part cet effet RMI, le résultat est clair : plus le revenu était élevé, plus le taux de croissance l'a été également. Le tiers le plus aisé financièrement a augmenté son revenu deux à quatre fois plus que le gros bataillon des revenus moyens et inférieurs !

Le Conseil supérieur de l'emploi, des revenus et des coûts arrive à des conclusions similaires. Il précise toutefois : « Au cours des années 1990, parmi les pays de l'OCDE, seuls le Royaume-Uni et les États-Unis ont enregistré un accroissement fort et persistant des inégalités salariales [3]. » C'est réconfortant et inquiétant à la fois ! Certes, les autres pays ont contenu l'amplitude du phénomène, mais la *libéralisation* dans nos anciens pays d'Europe n'est pas achevée. Cela signifie-t-il que nous soyons condamnés à connaître le même sort ? L'avantage de la régulation libérale est bien connu, c'est la création d'emplois. Cependant, elle a pour contrepartie qu'« aux États-Unis, par exemple, depuis une dizaine

---

2. Louis Dirn, « Chronique des tendances de la société française », *in Revue de l'OFCE*, n° 60, janvier 1997.

3. Pierre Conialdi, chercheur au CERC puis à l'IRES, va plus loin encore. Se fondant sur les travaux américains de Freeman et Katz, il estime que la « dispersion des salaires est aujourd'hui plus forte aux USA qu'elle ne l'a jamais été depuis 1940 », *in* « Les inégalités de revenus : changement de régime dans les années 80 », *CFDT aujourd'hui*, mars 1997.

d'années, la croissance des salaires réels a été faible, voire négative pour la plupart des emplois à bas salaires [4] ».

L'ancien tableau social formé par la hiérarchie de catégories socioprofessionnelles n'est plus pertinent pour rendre compte des nouvelles inégalités. Celles-ci traversent toutes ces catégories. Les grilles de salaires appartenaient au monde organisé de la société salariale. Il en est de même à l'intérieur des classes d'âge. Des statisticiens de l'INSEE se sont livrés à un calcul très intéressant. Ils ont créé un indice de bien-être social qui fait la synthèse de la moyenne du niveau de vie par tranche d'âge et de sa dispersion : plus il y a de différences dans les niveaux de vie à l'intérieur d'un groupe donné, plus cela diminue le bien-être social ; il en est évidemment de même si la moyenne de ce niveau de vie baisse [5]. Qu'observe-t-on pour la période 1984-1994 ? Les moins de 30 ans cumulent une baisse relative du niveau de vie et une progression des inégalités. Ce qui aboutit à un indicateur de bien-être social en très forte dégradation (− 20). Le sens de variation est le même pour les 30-39 ans et pour les 40-49 ans (dégradation respective de l'indice de bien-être social de − 5 et de − 1). À l'inverse, au-delà de 70 ans, le niveau moyen progresse et la dispersion diminue, ce qui entraîne une hausse de l'indice de bien-être social de + 17 (de 70 à 79 ans) et de + 6 (plus de 80 ans). Entre 50 et 70 ans, la situation est intermédiaire. Ces résultats sont clairs : ils confirment que les jeunes (et dans une moindre mesure les moins de 50 ans) souffrent de conditions financières dégradées mais, en outre, plus différenciées qu'il y a dix ans. C'est l'un des signes tangibles de l'entrée dans la société postsalariale.

Dans son approche des inégalités, le CRÉDOC ne se limite pas au seul domaine du revenu, il inclut au contraire un ensemble de caractéristiques des situations de vie : accès aux loisirs, niveau

---

4. « Inégalités d'emploi et de revenu », *Rapport du CSERC*, Paris, La Documentation française, 1996. Selon les statistiques de l'OCDE, la fréquence des bas salaires (ceux qui sont inférieurs aux deux tiers du salaire médian de l'ensemble des salariés à plein-temps) varie entre 12,5 et 13,5 % en France, en Allemagne et en Italie, atteint 15,7 % au Japon, mais surtout 19,6 % au Royaume-Uni et 25 % aux États-Unis. Dans ces deux derniers pays, l'accroissement de la dispersion des salaires est clairement observable depuis la décennie 80.

5. Cf. INSEE, *Revenus et patrimoines des ménages*, édition 1996. La dispersion est évaluée par l'indice de Gini.

culturel, équipement du foyer et, bien sûr, fragilité à l'égard du chômage. Ses conclusions, publiées à la fin 1996, sont très claires : « L'amélioration générale des conditions de vie intervenue depuis quinze ans s'est accompagnée d'un accroissement des inégalités et d'une modification de la composition des groupes du haut et du bas de l'échelle sociale. » À ces deux résultats, aussi importants l'un que l'autre, s'en ajoute un troisième : « Cette évolution d'ensemble n'empêche pas que les inégalités de situations correspondent à des modes de *penser le monde* très différenciés entre les défavorisés et les nantis [6]. » Autrement dit, les clivages concernent également les représentations de la société et les façons de penser.

Reprenons successivement ces trois éléments mis en évidence par le CRÉDOC. Voyons la dispersion tout d'abord. Entre les 10 % des ménages les plus défavorisés et les 10 % des ménages les plus favorisés, le rapport était de 3,1 en 1981, il est passé à 3,3 en 1988 et reste à ce coefficient en 1994. Toutefois, si l'on retire, pour faire ce calcul, ce qui a trait à l'équipement du logement, où il y a eu une importante démocratisation, cet écart de 3,3 en 1981, puis 3,6 en 1988, a continué à croître pour atteindre 4,0 en 1994. Parmi les 17 critères retenus pour mesurer ces écarts, certains ont contribué à leur réduction : c'est le cas, par exemple, de l'équipement de base des logements (WC intérieurs, eau chaude, douche ou baignoire, téléphone). À l'inverse, d'autres critères ont contribué à accroître les écarts durant ces quinze années. Il s'agit de l'équipement du logement en biens dits « sélectifs » : lave-vaisselle, piano, magnétoscope (ce dernier est désormais passé à la phase de démocratisation). On trouve également les facteurs patrimoniaux : possession de valeurs mobilières, d'épargne liquide, de biens immobiliers et fonciers et, dans la foulée, le statut d'occupation du logement (locataire ou propriétaire). Enfin, le taux de chômage et le niveau de diplôme sont d'autres facteurs qui ont accentué les clivages.

Le deuxième enseignement tient au remodelage des groupes extrêmes. Au début des années 1980, au sein des 10 % des foyers les plus défavorisés, la moitié se composait de retraités. En 1995,

---

6. Georges Hatchuel et Jean-Pierre Loisel, « L'échelle sociale se transforme », CRÉDOC, *Consommation et modes de vie*, n° 112, 30 novembre 1996.

la part des retraités dans ce groupe du bas de l'échelle n'est plus que de 32 % (c'est encore beaucoup !). À l'inverse, les chômeurs, qui représentaient 19 % de ce groupe au début de la période considérée, atteignaient 32 % à la fin. L'amélioration de la situation de vie des retraités a concerné, pour l'essentiel, ceux qui ont quitté la vie professionnelle au cours de cette période de quinze années, bénéficiant de la liquidation de pensions vieillesse très avantageuses. À l'inverse, la situation des plus âgés des retraités, et notamment de ceux qui vivent seuls du fait du veuvage, s'est, quant à elle, peu modifiée. C'est ce qui explique que dans le groupe des 10 % les mieux nantis la part des retraités a fait un bond spectaculaire, passant de 8 % en 1980 à 22 % en 1995.

Dans ce groupe le plus favorisé, dès le début de la période, les cadres supérieurs occupent une place de choix puisqu'ils sont 28 %. Ce taux atteint 32 % en 1995. C'est pour la catégorie des actifs qui ne sont ni des cadres supérieurs ni des indépendants que la situation s'est dégradée : alors que leur poids était de 42 % à la veille de l'élection de François Mitterrand, dans le groupe des 10 % les mieux dotés, il a fondu pour atteindre seulement 28 % au moment où les Français portent Jacques Chirac à l'Élysée.

D'une façon générale, les classes moyennes, dont on connaît l'importance électorale, se sont vu déclasser. Il faudra y revenir. C'est bien entendu l'un des signes majeurs de la crise du salariat. Nous l'avons dit plus haut, c'est aussi une donnée structurellement défavorable à la dynamique de la consommation.

Le troisième résultat de ces travaux récents du CRÉDOC sur les inégalités n'est pas moins intéressant [7]. Il aboutit en effet à la démonstration que les défavorisés sous-estiment les inégalités. Prenons un exemple : la rémunération d'un P-DG d'une grande entreprise est estimée par les moins favorisés comme valant 9,7 fois en moyenne celle d'un manœuvre. De leur côté, les plus privilégiés donnent le taux moyen de 13,4. L'un et l'autre de ces

---

7. Deux rapports ont été publiés sur ce sujet, dont seulement un rapide résumé est fait ici. Franck Berthuit, Ariane Dufour, Georges Hatchuel, « Les inégalités en France : Évolution 1980-1994 », *Cahier de recherche du CRÉDOC*, nº 83, janvier 1996 ; Georges Hatchuel, Anne-Delphine Kowalski, Jean-Pierre Loisel, « Les inégalités en France : les différentes façons de penser en haut et en bas de l'échelle sociale », *Cahier de recherche du CRÉDOC*, nº 90, juillet 1996.

groupes sont en deçà de la réalité, mais il est clair que la sous-estimation est plus forte chez les défavorisés. Mieux qu'un long discours, cela explique pourquoi il n'y a pas de transparence dans ces domaines. Aux situations matérielles contrastées s'ajoutent des visions inégalement déformées du monde. Les privilégiés sont plutôt confiants dans l'avenir et dans le progrès, ce qui n'est pas du tout le cas des défavorisés qui sont par ailleurs davantage inquiets des découvertes scientifiques et de l'éventualité d'une guerre. Un point commun les rassemble toutefois : leur vision critique à l'égard de l'État. Les premiers lui reprochent de trop empiéter sur les prérogatives des entreprises et d'être globalement inefficace, les seconds reprochent au contraire aux pouvoirs publics de déserter les terrains prioritaires de la lutte contre la pauvreté, de la création d'emplois et des aides financières destinées aux plus démunis.

S'ils sont tous critiques, les mieux lotis attendent des réformes progressives de la société, tandis que les moins favorisés réclament des changements radicaux [8]. Enfin, dernier point à souligner sur ces visions différentes du monde et qui n'est pas sans rapport avec l'avenir : les attentes à l'égard de la famille. Si tous les groupes sociaux font jouer un rôle important à cette institution de base, les plus défavorisés ont une vision de la famille comme refuge, voire de repli dans une cellule réduite à ceux qui, à un moment donné, vivent sous le même toit. Les privilégiés la voient, au contraire, comme un tremplin pour les jeunes, leur assurant une solidarité de démarrage dans la vie active – notamment financière – qui doit perdurer après leur départ du foyer parental. Bien entendu, c'est cette seconde vision de la famille qui colle le plus à la figure du consommateur entrepreneur.

Le redémarrage sensible des inégalités que ce type d'études met en évidence n'est pas, jusqu'à présent, d'une ampleur statistique considérable. Mais il heurte l'opinion. Beaucoup sont d'abord

---

8. La remontée d'une contestation « radicale » est l'un des éléments majeurs dans les variations des opinions de la société française sur lequel le CRÉDOC a attiré l'attention au milieu des années 1990 ; c'est d'ailleurs sur ce clivage que s'est jouée l'élection présidentielle de 1995, y compris à droite : Édouard Balladur incarnant les changements « progressifs », Jacques Chirac, en parlant de fracture sociale à combattre, a semblé incarner des changements « radicaux ».

choqués par le principe même, d'autres s'inquiètent légitimement de ce que ce mouvement s'amplifie dans les années à venir[9]. Longtemps, le progrès social a été identifié à une réduction des différences sociales. Il y avait pratiquement un consensus sur ce point. Ce serait une erreur de croire que cette idée appartenait au seul patrimoine de la culture de gauche.

L'égalitarisme français est très ancré dans les mentalités ; il est issu de la Révolution française et de l'esprit républicain, et s'est diffusé à tous les camps politiques de notre pays. Prenons des exemples à droite. En 1978, lorsque Valéry Giscard d'Estaing, à la veille d'élections législatives qui s'avèrent menaçantes pour son camp, rappelle ce qu'il pense être « le bon choix » et dresse un bilan de la première moitié de son septennat, il indique avec fierté dans son célèbre discours de Verdun-sur-le-Doubs : « Le résultat de toute cette action a été une réduction des inégalités en France, réduction désormais constatée dans les statistiques et qui n'est plus niée que par ceux qui craignent d'être privés d'un argument électoral[10]. » C'est d'ailleurs dans la droite ligne de ses engagements précédents. En annonçant sa candidature, il écrit dans *Le Monde* du 13 avril 1974 que « l'effort pour resserrer, en France, l'éventail des revenus sera poursuivi ». Jacques de Bourbon Busset, que l'on pourrait difficilement qualifier d'homme de gauche, écrivait de son côté : « La lutte contre les inégalités sociales est le grand dessein collectif qu'une nation devrait se donner[11]. » En 1975, on institue une commission officielle destinée à recenser les inégalités sociales et à formuler des suggestions pour les réduire, dont la présidence est confiée à Jacques Méraud, inspecteur général de l'INSEE, connu pour sa grande intégrité et son extrême rigueur à l'égard des chiffres. Et de fait, après avoir progressé

---

9. La société de crédit à la consommation Cetelem, que l'on ne peut pas soupçonner d'agir comme un groupe de pression politique, a créé un baromètre trimestriel d'« ambiance » pour sonder les états d'âme des consommateurs. Le résultat en mars 1997 met en évidence que ce sont « les inégalités sociales » qui ont le solde d'opinions global (différence entre les réponses favorables et défavorables) le plus élevé : − 38. Et ceci, avant « le niveau de vie des gens » − 30, « l'ambiance générale » − 26 et « l'insécurité » − 26.

10. Allocution de Verdun-sur-le-Doubs, 27 janvier 1978, *in* Valéry Giscard d'Estaing, *Le Pouvoir et la vie*, Paris, Livre de Poche, 1989, t. 1, p. 401.

11. Jacques de Bourbon Busset, *Tu ne mourras pas*, Paris, Gallimard.

durant la décennie 50 et la première moitié des années 1960, les inégalités se réduisent de 1965 à 1980, avant, nous l'avons vu, de progresser de nouveau à partir du moment où le monde salarial commence à vaciller.

Lorsque l'on dit des Français qu'ils sont extrêmement attachés à une idéologie égalitaire, ce n'est pas un vain mot. Elle figure en toutes lettres au fronton de nos écoles et de nos mairies. Bien sûr, l'égalité a toujours été une fiction, mais qui a longtemps inspiré nos programmes politiques au point de laisser des traces profondes. Moins utopique que l'égalitarisme pur, on a également prôné « l'égalité des chances », variante qui semblait pouvoir aisément concilier l'idée de concurrence et de récompense accordée au mérite personnel avec celle de situation égalitaire, au moins au point de départ. Pour la résumer simplement : seule l'égalité sur la ligne de départ peut légitimer l'inégalité à l'arrivée. Là encore, cette idée était commune au libéralisme de droite et à la mobilité sociale républicaine plutôt ancrée à gauche.

Aujourd'hui, c'est tout à la fois la convergence vers l'égalitarisme absolu et la vision plus réaliste de l'égalité des chances qui semblent remises en cause. Des batteries de travaux tendent à prouver que tant l'un que l'autre de ces idéaux ont été des leurres et que les dispositifs mis en place pour assurer leur réalisation ont eu des effets très limités. Thomas Piketty, du CNRS [12], démontre qu'entre salariés la redistribution des revenus censée être assurée par le système fiscal et la protection sociale est beaucoup plus un mythe qu'une réalité, tout d'abord parce que les systèmes de prélèvements proportionnels aux revenus l'emportent largement sur ceux qui sont progressifs, ensuite parce que le système des allocations familiales, s'il redistribue vers les bas salaires, est complété par celui du quotient familial qui avantage les hauts revenus, enfin parce que les taux marginaux de l'impôt sur le revenu très élevés ne concernent en pratique qu'un très petit nombre de contribuables. Pierre Rosanvallon dénonce la « société assurancielle » qui, plutôt que de mettre en place une redistribution nécessaire des revenus, se contente en réalité de gérer l'assurance retraite (que ce soit pour le versement des pensions

---

12. Thomas Piketty, *op. cit.*

ou la couverture de la maladie). Le sociologue François Dubet enfonce un coin particulièrement sensible : au lieu de réduire les écarts sociaux, l'école les accentue. Bien étrange façon de garantir l'égalité des chances !

Mais celui qui va le plus loin et dont la réflexion rejoint fort à propos le thème de la consommation, c'est l'économiste Daniel Cohen [13]. Il établit un lien pertinent entre mondialisation et État-providence. Alors que la mondialisation des marchés rend inutiles leurs cohérences nationales, la redistribution des revenus par la collectivité publique pourrait assurer la solvabilité du plus grand nombre de ménages. Or la redistribution des revenus, et il rejoint Rosanvallon, est aujourd'hui complètement absorbée par le service des retraites. Ce n'est donc pas la mondialisation et l'ouverture généralisée des marchés qui doivent être dénoncées, mais l'incapacité de nos États modernes à redéployer leurs efforts sociaux vers les nouvelles priorités qui en découlent.

Autrement dit, les prélèvements obligatoires ont beau avoisiner des taux records depuis près de deux décennies, ce n'est en aucune façon un gage de redistribution effective, de solidarité active au sein de la société. Nous avons inventé une machine horriblement complexe qui n'a cessé de créer des dispositifs contradictoires : tantôt pour ponctionner une partie supplémentaire de la richesse produite afin de financer une dépense nouvelle, qu'elle soit collective ou individuelle, tantôt pour atténuer, voire exonérer le caractère désincitatif des prélèvements. Presque tout le monde verse beaucoup et reçoit beaucoup (prestations directes ou déductions). Mais le système est opaque, nous l'avons vu, il cumule toutes les critiques à la fois de ceux qui sont en haut et en bas de l'échelle sociale. Il n'a plus d'effet incitatif. Il est horriblement coûteux, et finalement les inégalités progressent. Lorsque le Parlement examine, au printemps 1997, le projet de loi de cohésion sociale destiné à endiguer la montée de l'exclusion et à lutter contre ses causes, il n'y a presque aucune marge de manœuvre budgétaire, ce qui rend peu réaliste la mise en place de ces objectifs ambitieux.

L'une des vertus des modes précédents de la consommation

---

13. Daniel Cohen, *Richesse du monde, pauvreté des nations*, Paris, Flammarion, 1997.

tenait à la nécessité d'une demande effective sur les marchés intérieurs pour assurer leur développement. À partir du moment où
les modes de vie des groupes de population les plus solvables
tendent à s'internationaliser, les masses critiques de consommateurs cibles sont atteintes à des niveaux internationaux. Il est clair
que nous sommes au cœur du risque majeur qui accompagnera
l'épanouissement du consommateur entrepreneur ! À supposer
qu'il n'y ait à terme qu'une minorité, certes substantielle, mais
une minorité tout de même, de consommateurs qui répondent à
ce modèle, cela ne l'empêchera pas de fonctionner et de créer des
échanges en quantité suffisante, car le consommateur entrepreneur français ressemblera énormément à son homologue allemand, italien ou anglais, voire à celui issu de contrées beaucoup
plus lointaines. Pour le dire autrement, la plupart des objets qui
symboliseront son mode de vie, ainsi qu'un grand nombre des
services qu'il consommera, seront conçus et fabriqués d'entrée de
jeu pour un marché mondial qui rassemblera toutes les minorités
actives des différents pays. Plus il y aura de pays qui accéderont
à des niveaux de développement suffisants pour voir émerger des
élites aisées et résolument internationales, moins il sera techniquement indispensable de combattre le développement des inégalités à l'intérieur de chaque pays [14]. Ce raisonnement, qui peut
paraître cynique, ne fait toutefois intervenir que des calculs purement économiques. Heureusement, les facteurs socioculturels ont
aussi leur rôle.

---

14. Dans *L'Impératif de solidarité, la France face à la mondialisation* paru aux
Éditions La Découverte en 1997, l'économiste Anton Brender tente la démonstration inverse. Pour lui, la réduction des inégalités dans les pays riches est un
levier économique puissant susceptible de résister à la concurrence de la production industrielle des pays émergents. Le raisonnement est simple : moins il
y a de bas revenus dans une société riche, plus cela entraîne une demande de
produits de consommation avec un haut niveau de qualité et plus cela avantage
relativement les productions nationales.

Le développement ambigu de la consommation engagée

Toutes ces inquiétudes sociales se répercutent dans les choix du consommateur. Fin 1992, 40 % des Français se disaient « beaucoup » ou « assez » incités à acheter un produit dont le fabricant soutient une cause humanitaire. Depuis, ce taux est en constante progression : 51 % fin 1993, 52 % fin 1994 et 54 % fin 1995. Bien sûr, il s'agit là d'une déclaration d'intention. Il y a loin de la coupe aux lèvres.

La consommation engagée a été l'un des thèmes de la rassurance des années 1990, nous le signalions déjà dans *La Société des consommateurs*. Elle demeurera caractéristique de l'ère du consommateur entrepreneur, mais peut-être de manière un peu plus dynamique, si ce dernier réfléchit davantage aux conséquences de ses actes. Ce sera donc un sujet commun à ces deux époques et un thème de prédilection s'il doit y avoir cohabitation entre ces deux figures types de consommateurs. Mais cette sensibilité générale peut s'exprimer en pratique de façon différente.

En 1995, d'après le CRÉDOC, le *made in France*, susceptible de protéger des emplois sur le territoire national, arrive en tête des différents thèmes de la consommation engagée : près de quatre Français sur cinq (77 %) se disent incités à l'achat d'un produit fabriqué dans l'Hexagone. Viennent ensuite le *respect de l'entreprise à l'égard de ses employés* (69 %), c'est-à-dire la qualité de sa politique sociale ; la présence de *garanties écologiques* dans le produit ou dans le processus de fabrication (65 %) ; le fait que le produit est *fabriqué dans la région* (62 %) et enfin le *soutien financier par l'entreprise productrice à une cause humanitaire* (54 %). Rappelons qu'il s'agit là de critères d'intention et qu'ils sont encore peu mis en pratique par les consommateurs. Ainsi, la France est l'un des pays dans lesquels, *en pratique*, les produits fabriqués dans le périmètre national séduisent le moins les consommateurs, alors que le *made in France* arrive en tête dans cette enquête. De plus, l'offre commerciale ne suit pas toujours, mis à part dans les secteurs de l'artisanat ou des produits du terroir (ce qui peut expliquer le taux de réponses élevé de sympathie à l'égard de la production régionale). C'est en contraste avec ce que l'on observe parfois à l'étranger. Les Américains n'hésitent pas à plaquer sur les produits qui peuvent en bénéficier l'étiquette magique « proudly made in America », en général assortie d'une petite bannière étoilée [15]. On voit aussi de temps en temps apparaître le drapeau français qui accompagne l'information indiquant que le produit a été fabriqué en France. Il n'est pas à exclure que dans les prochaines années une recherche de cohérence et d'harmonie dans la vie quotidienne aboutisse à ce que les consommateurs tiennent davantage compte de ces critères dans leurs achats quotidiens.

Une analyse plus fine permet de voir *qui* est plutôt intéressé par *quoi* dans cette palette de consommations engagées.

La cause humanitaire recueille la sympathie des plus jeunes et des plus âgés. Les jeunes adultes, ceux qui ont moins de 25 ans, se déclarent attirés par les produits de consommation dont les fabricants soutiennent une cause humanitaire (32 % de réponses « beaucoup » contre 28 % dans l'échantillon général). C'est aussi vrai des plus de 55 ans (35 % de 55 à 65 ans et même 38 % au-delà de 65 ans). C'est donc au milieu de la vie que la cause humanitaire recueille le moins d'avis favorables. La famille comme pour beaucoup le travail sont des lieux d'investissements et de sens suffisamment prégnants dans la vie adulte pour ne pas avoir besoin de se mettre en quête d'un supplément de sens dans la consommation.

L'écologie attire les femmes et les catégories moyennes. Les femmes se déclarent bien plus souvent attirées par l'argument écologique que les hommes (41 % de « beaucoup » contre 32 %, la moyenne de l'échantillon se situant à 37 %). Il est vrai que les produits verts sont d'abord apparus dans l'entretien du linge et de la maison, et qu'il s'agit là d'un secteur d'achats très majoritairement féminin. La préoccupation écologique est également

---

15. Wal-Mart, le numéro un de la grande distribution américaine, affiche sur ses sacs en plastique de sortie de caisse : « Nous achetons américain chaque fois que nous le pouvons, alors faites de même ! » Sur un côté du sac, on peut lire (août 1996) : « Nous venons de créer 12 emplois à Athens, GA » ; sur l'autre côté du sac figure une longue charte, « Wal-Mart et l'environnement », qui évoque l'amélioration des emballages, l'insertion des magasins dans le voisinage, bien sûr le recyclage et même le sponsoring de programmes éducatifs.

plus fréquente chez les employés (49 %) et les personnes de 45-54 ans (43 %).

Le « made in France » est plébiscité par les retraités. Deux retraités sur trois déclarent être « beaucoup » incités à l'achat de produits fabriqués en France (53 % de l'ensemble des consommateurs). Le taux progresse avec l'âge, passant de 68 % entre 55 et 65 ans à 69 % au-delà de 65 ans. Chez les personnes veuves, il atteint même le taux record de 79 %. Le produit fabriqué en France est au carrefour de plusieurs considérations. Il évoque évidemment la nostalgie du passé, il est encore parfois synonyme de qualité auprès des consommateurs *âgés* et il apparaît bien entendu comme l'une des réponses – certes essentiellement défensives – à la crise de l'emploi. 91 % des personnes qui sont sensibles au *made in France* se déclarent « beaucoup » préoccupées par le chômage (contre 84 % pour l'ensemble de la population).

La production régionale soutenue par les ruraux. Ce sont les habitants des communes rurales qui se déclarent le plus fréquemment motivés par l'achat de productions régionales : 48 % de réponses « beaucoup » contre 38 % dans l'ensemble de l'échantillon. Ce taux est plus élevé encore pour les résidants des agglomérations de moins de 20 000 habitants (51 %). Soutenir la production régionale, c'est un acte militant destiné à empêcher que le *pays* ne meure. En zone rurale, la peur du chômage se double de celle de la désertification. Nombreux dans ces zones, les retraités sont des ardents défenseurs des produits issus de leur région (46 % de réponses « beaucoup »).

Artisans et ouvriers sensibles au respect des employés. Le respect de leurs employés peut être un thème de communication des entreprises : elles font savoir qu'elles garantissent, par exemple, l'égalité des sexes dans les rémunérations et les responsabilités, le licenciement seulement en dernier recours ou l'embauche et la formation de personnes en réinsertion. Assez courant aux États-Unis, ce type d'engagement est en train d'apparaître en France. Certaines entreprises françaises l'utilisent désormais assez souvent dans un registre particulier, celui de l'emploi des jeunes. Les magasins É. Leclerc ont lancé de vastes campagnes de communication dans la presse pour expliquer qu'ils embauchaient de nombreux apprentis et que les jeunes recrutés pouvaient faire carrière au sein du groupe (il est vrai que c'était un argument destiné à combattre l'idée que la grande distribution tuait des emplois).

Les deux géants français de prestations de services que sont La Générale des Eaux et La Lyonnaise des Eaux rivalisent dans leur communication destinée à convaincre qu'elles croient aux jeunes, à leur avenir professionnel, et qu'elles en recrutent en conséquence. On ne peut pas s'empêcher d'y voir une stratégie de reconquête de l'opinion destinée à contrer l'image négative laissée par les montages financiers troubles dans de nombreuses collectivités locales, lieux de prédilection de l'action de ces deux groupes. Parmi les actifs enquêtés par le CRÉDOC, ce sont d'abord les artisans et petits commerçants (50 %) et les ouvriers (49 %) qui déclarent être « beaucoup » incités à l'achat par un engagement du fabricant à respecter ses employés. Ces catégories sont davantage sensibles à ce critère, car elles sont bien sûr les plus concernées.

L'apparente insensibilité des catégories aisées. Les diplômés de l'enseignement supérieur et les cadres supérieurs sont les moins motivés à l'égard de la consommation citoyenne. Cela peut sembler paradoxal, car dans les enquêtes de sensibilité générales ils expriment au contraire un plus grand intérêt pour les thématiques économiques, sociales ou humanitaires que l'ensemble de la population. Ce paradoxe tient au fait que les catégories culturellement aisées aiment apparaître peu influençables dans leurs achats, quel que soit l'argument incitatif utilisé. Elles se déclarent également insensibles à la publicité. Se pensant habituées à exercer leur esprit critique, elles sont réticentes face à ce qu'elles perçoivent d'abord comme des tentatives de manipulation. Il n'est pas dit cependant qu'en pratique les catégories aisées ne soient pas tout autant influencées et manipulables que les autres consommateurs.

Les pays d'Europe du Nord sont davantage sensibilisés aux thèmes de l'écologie. Il en est de même en Allemagne, où l'on se souvient encore du boycott lancé par l'association Greenpeace, en 1995, à l'encontre de Shell qui souhaitait couler une plate-forme pétrolière en mer du Nord. C'est une affaire fameuse, car quelques mois plus tard l'association écologiste faisait amende honorable. Elle reconnaissait que remorquer la plate-forme pour la démanteler dans un port du littoral était encore plus dangereux d'un point de vue écologique. Mais le mal était fait ou, pour le dire autrement, l'association avait bel et bien démontré son pouvoir et sa force, fût-ce en se trompant sur le fond. Néanmoins, comme dans toute bonne entreprise, il y eut des sanctions, et les responsables de la structure associative en Allemagne furent remplacés.

Aux États-Unis, toutes ces tendances liées à la consommation engagée sont très fortes et surtout davantage structurées. Il y existe même un guide d'achats pour consommateurs citoyens. *Shopping for a Better World* recense en 392 pages les produits de 2 000 marques en leur décernant des labels de plus ou moins grande citoyenneté. Ce guide est édité par The Council on Economic Priorities et se définit lui-même comme : « *The Quick and Easy Guide to all your Socially Responsible Shopping* [16] ». Son objectif est simple : harmoniser ses valeurs et ses achats. Huit familles de critères sont étudiées : *l'environnement* tout d'abord, avec l'étude du processus de fabrication, le recyclage des déchets, l'emballage utilisé, le gaspillage d'énergie... ; *les dons humanitaires*, c'est-à-dire la proportion des bénéfices de l'entreprise avant impôts qui sont versés à des associations, que celles-ci œuvrent sur le territoire national ou dans les pays pauvres ; *l'implantation locale*, c'est-à-dire le plus ou moins grand effort fait par l'entreprise pour avoir des rapports harmonieux avec les résidants du voisinage ; *la politique sociale de promotion des femmes*, en mesurant leur proportion parmi les cadres supérieurs ; *celle à l'égard des minorités ethniques* ; *la politique familiale de l'entreprise*, notamment en ce qui concerne les congés parentaux, le temps partiel, mais aussi l'aide aux salariés qui ont des enfants handicapés ; *la politique sociale au sens traditionnel* : assurance maladie, retraite, prévention des accidents du travail... ; enfin, *la trans-*

---

16. Benjamin Hollister, Rosalyn Will, Alice Tepper Marlin, *Shopping for a Better World*, San Francisco, Sierra Club Books, 1994. Le Council on Economic Priorities, basé à New York, décline son produit de différentes manières : « Un guide encore plus complet est disponible sur disquette. » Il existe aussi le guide *Students Shopping for a Better World*, spécialisé dans les produits pour adolescents et jeunes adultes, et le *Teacher's Guide to Students Shopping for a Better World*, destiné à aider les enseignants qui veulent promouvoir auprès de leurs élèves la consommation citoyenne.

parence : sont ainsi pénalisées les entreprises qui refusent de répondre à certaines questions posées par les auteurs du guide !

Le passage au crible des entreprises se comprend d'autant mieux qu'aux États-Unis, comme on le sait, l'État assure beaucoup moins de fonctions collectives qu'en Europe. Dans ce pays d'ultra-libéralisme, l'essentiel de la protection sociale est du ressort de l'entreprise, de même que la plus grande part du soutien aux plus pauvres passe par la collecte de fonds privés. La montée de la consommation citoyenne consiste alors à utiliser l'implication des entreprises comme argument de choix de la part des consommateurs. Ceux-ci sont appelés à éviter d'avoir une attitude myope dans leurs choix en n'utilisant que les critères de qualité et de prix. Ce qui rend particulièrement original *Shopping for a Better World* réside dans la prise en compte simultanée de tous ces critères. Cela permet de relativiser l'intérêt pour les entreprises qui veulent faire des coups de marketing en apparaissant comme engagées à fond dans l'une ou l'autre de ces dimensions, tout en négligeant les autres.

Résultats parmi d'autres : Coca-Cola s'en tire plutôt bien avec sept A ou B, et seulement un C dans le domaine de l'environnement. Schweppes est au contraire plutôt à l'index, avec un D dans la politique familiale et plusieurs C : attitude à l'égard des minorités, des femmes et l'information. De même, dans la restauration rapide, Burger King s'en tire beaucoup mieux que son rival MacDonald's.

L'association à l'origine du guide décerne également des récompenses chaque année. En 1994, parmi les gagnants, on remarque Xerox Corporation (habituée à collectionner les trophées à travers le monde), SAS Institute, Levi Strauss and Co.

Il existe même de véritables histoires à succès autour de la consommation citoyenne. Ainsi en est-il de la désormais célèbre marque de glaces Ben and Jerry, devenue la principale concurrente de Häagen-Dazs dans le haut de gamme en Amérique du Nord, qu'elle a dorénavant dépassée. Ses fondateurs ne paient pas de mine : Ben Cohen et Jerry Greenfield sont issus du San Francisco des années 1960. Ils racontent dans leur livre qu'ils ont décidé un jour de bâtir une entreprise autrement : en prenant une proportion importante d'employés dans les quartiers défavorisés. Depuis, et malgré leur développement, ils conservent cet engagement citoyen et ils l'ont étendu. Ce sont certaines usines ou des entrepôts qu'ils décident délibérément d'implanter dans des lieux particulièrement touchés par le chômage et la crise sociale, ils versent 7,5 % de leurs bénéfices avant impôt à des œuvres sociales ou de charité. Leurs glaces sont délicieuses et chères. Elles sont à base de crème fraîche – adeptes des régimes allégés s'abstenir ! – avec des ingrédients naturels mais bien recherchés : différentes variétés d'amandes, des noix achetées à des communautés défavorisées, du lait acquis dans les fermes locales pour éviter les élevages industriels qui utilisent trop d'hormones...

En 1996, les glaces Ben and Jerry font leur apparition en France. Trois groupes – Auchan, Monoprix et Prisunic – décident de les distribuer. Auchan communique par des murs d'affiches de 3 m x 4 m pour informer sa clientèle de l'année de cette nouvelle marque. Assez étrangement, l'engagement social de Ben and Jerry est passé sous silence. Ce qui est mis en avant, c'est l'exotisme du produit : « pour découvrir la variété des glaces américaines ». Dans la plupart des hypermarchés, on installe des stands d'animation-dégustation destinés à convaincre de la variété et de l'originalité des nouvelles saveurs. Là encore, pas un mot du message social des entrepreneurs ! Il est vrai que la crise est assez vive dans notre pays pour qu'il ne soit pas facile de dire au consommateur qu'il faut d'abord aider les défavorisés d'outre-Atlantique à s'en sortir !

Mais l'anecdote permet d'aller plus loin dans la réflexion. Il y a bien un moment où, pour favoriser la croissance d'une entreprise cotée à la Bourse de New York, ce sont les dures réalités qui reprennent le dessus. Le métier de base de la société désormais importante Ben and Jerry est bien de fabriquer des glaces industrielles, et c'est le produit par lui-même qu'il faut promouvoir, avec ses attributs spécifiques qui sont ceux du plaisir, quitte à s'éloigner du message social des fondateurs !

C'est exactement ce que n'a pas voulu faire Yvon Chouinard, le P-DG fondateur d'une autre entreprise citoyenne américaine de biens de consommation, volontairement restée de petite taille : les vêtements Patagonia. Ces vêtements de randonnée et de haute montagne sont devenus peu à peu des références dans de très nombreux pays. Leur créateur est à l'origine un sportif de haut niveau reconverti en chef d'entreprise, certes pas tout à fait comme les autres. De petite taille, timide au premier abord, Yvon Chouinard est un patron charismatique. Il explique que son objectif est de ne faire croître son entreprise qu'à petite vitesse, juste assez pour assurer la promotion interne de son personnel. Au-delà, elle perdrait son âme. Les ateliers ne pourraient plus être des lieux de qualité de vie installés en pleine nature américaine avec des immenses baies vitrées permettant à ses salariés d'en profiter pleinement, et... son patron ne pourrait plus consacrer plusieurs jours de la semaine à faire de la planche à voile sur les côtes californiennes ! Comme dans beaucoup de cas d'entreprises citoyennes nord-américaines, Patagonia verse 1 % de son chiffre d'affaires à de nombreuses associations écologiques. L'entreprise a mis au point une nouvelle matière fabriquée en recyclant des bouteilles en plastique et n'utilise plus que du coton dit biologique.

Cette tendance de la consommation engagée n'est pas exempte d'ambiguïté. Les petites solidarités de caddies peuvent donner une bonne conscience facile à l'égard de problèmes qui nécessiteraient des engagements plus nets des individus. N'est-elle pas finalement une récupération de sujets d'inquiétude sociale au seul bénéfice des comptes d'exploitation des entreprises qui savent en profiter ? Et si certains engagements sont respectables, d'autres ne sont-ils pas des abus manifestes ? Comment distinguer ce qui serait la *bonne* consommation engagée de la *mauvaise* ? Comment être sûr que, dans l'association entre une marque de produits de consommation et une cause humanitaire et sociale, il n'y a pas en définitive inversion des soutiens, c'est-à-dire que c'est d'abord la marque qui bénéficie de l'opération plutôt que la cause défendue ?

Il en est comme des grands spectacles médiatiques destinés à recueillir les dons du public pour une cause honorable. Ceux qui viennent s'y produire ne cherchent-ils pas souvent, à l'occasion, une publicité toute personnelle ? N'y a-t-il pas, par exemple, quelque chose de choquant à voir de si nombreuses entreprises de biens de consommation défiler durant le *Téléthon* pour offrir leurs « gros chèques » en direct ?

Et puis, en toute bonne foi, le consommateur peut se trouver entraîné dans des controverses qu'il n'a pas toujours les moyens d'arbitrer. Cela fait maintenant plusieurs années que l'association

Artisans du monde attire l'attention du public sur les importations de textiles et de chaussures fabriquées dans les pays du tiers-monde sans respect des règles sociales minimales. Une chaussure payée 300 F en France ne rapporte que 5 F à la main-d'œuvre locale qui l'aura fabriquée. Pour cela, il faut des conditions de travail effroyables (plus de 70 heures pas semaine) et, on le sait, une main-d'œuvre d'enfants. Afin d'élargir son action, Artisans du monde a regroupé quarante-deux autres associations dans un collectif intitulé « Libère tes fringues ». Leur but est clair : faire pression sur les producteurs et les distributeurs français pour qu'ils exigent de leurs fournisseurs la signature de chartes sociales. Aux États-Unis, après plusieurs mois de campagne virulente, la célèbre marque de textile GAP, qui occupe le deuxième rang pour les ventes, a signé en 1995 un accord avec plusieurs Églises américaines dans lequel elle s'est engagée à contraindre son fabricant installé au Salvador d'améliorer les conditions de travail de son personnel. La très célèbre marque de commercialisation de fruits exotiques frais Del Monte a dû elle aussi améliorer le sort des ouvriers philippins qu'elle emploie pour la mise en boîte des ananas. Toute cette action est bénéfique, sauf si, par excès de zèle, le consommateur se mettait à boycotter les produits trop explicitement montrés du doigt. Tous les experts sont d'accord, BIT en tête (mais aussi ceux d'Artisans du monde) : provoquer un boycott brutal plonge la région ou le pays producteur dans un état de misère pire que le mal que l'on veut combattre. Sans travail, les enfants errent et mendient, privés d'insertion scolaire ou sociale. La pression doit être subtile. Le rôle des consommateurs est important, indispensable, irremplaçable, mais il doit être organisé et coordonné avec celui des associations, des organisations internationales. Dès que les choses sont graves, heureusement, la consommation ne peut pas tout régler par elle-même. Elle a besoin du relais de l'action militante et politique, quitte à en être de temps en temps l'aiguillon [17].

---

17. À la suite de ses campagnes, le Mouvement des citoyens de Jean-Pierre Chevènement a déposé une proposition de loi en février 1997 visant la mise en place d'un label de *conformité sociale* garantissant la non-utilisation d'enfants dans toute fabrication des produits importés, avec de lourdes peines en cas d'infraction : deux ans de prison et un million de F d'amende. En 1995, le groupe

Mais les premiers à avoir eu l'idée d'associer consommation et solidarité ne sont ni les industriels ni les distributeurs, mais les militants eux-mêmes. Depuis de longues années déjà, différentes associations humanitaires conseillent l'achat de produits qu'ils ont eux-mêmes préalablement sélectionnés. Il leur arrive d'ailleurs de faire des catalogues à cet effet. C'est ainsi, par exemple, que le Comité catholique contre la faim et le développement propose à ses adhérents une petite boutique de la solidarité, où l'on peut acheter toutes sortes de produits importés des pays en développement et vendus dans des conditions tarifaires qui assurent une juste rémunération aux producteurs. Comment ne pas parler également des cartes de vœux ? Celles de l'Unicef sont les plus connues, mais il y a aussi celles de Médecins du monde...

Signe des temps : il est de plus en plus fréquent que les entreprises elles-mêmes achètent *en gros* ce type de cartes de vœux pour leurs besoins institutionnels en ajoutant éventuellement leur logo en surimpression. C'est aussi le CCFD qui a été parmi les premiers à proposer des « Sicav caritatives ».

Le principe en est simple : il s'agit de placements dont une partie plus ou moins importante de la rémunération est directement affectée à des projets de développement. Cela permet d'être généreux tout en préservant son capital. La montée de la consommation engagée fait qu'aujourd'hui certains grands réseaux bancaires classiques ont copié l'idée. La Société générale, par exemple, a créé le système « Conciliance » qui permet à ses clients détenteurs de Sicav de distribution d'affecter directement tout ou partie de leurs revenus à des associations qu'ils peuvent choisir parmi le Secours populaire, le Secours catholique, l'Armée du salut, l'Association des paralysés de France ou la Fondation pour la recherche médicale. Ne s'agit-il pas, là encore, d'un argument purement commercial destiné à créer un effet d'image ? C'est en tout cas ce que suspectent d'autres militants, ceux de l'Union fédérale des consommateurs dans leur mensuel *Que choisir ?* : « La banque joue sur la corde sensible de ses clients pour les pousser à souscrire des Sicav maison qui ne sont pas forcément perfor-

---

des députés communistes avait déjà déposé un texte similaire. Mais, là encore, il n'est pas sûr que l'interdiction totale d'importation, qui s'apparente au boycott, soit la bonne solution.

mantes », et de conclure : « Quitte à offrir son bénéfice, autant qu'il soit le plus élevé possible [18]. » Décidément, ce n'est pas simple de manier ensemble l'eau et le feu !

L'engagement de citoyenneté, lorsqu'il est perceptible dans un bien de consommation courante, définit l'un des aspects de la dimension *immatérielle* de la consommation, au même titre que la marque ou que d'autres allégations comme les bienfaits pour la santé, l'origine nationale du produit, ou, à l'inverse, son caractère *high tech*, c'est-à-dire innovateur de pointe. La dimension immatérielle d'un bien de consommation se veut une réponse aux attentes imaginaires des consommateurs. Or cela peut se faire de deux façons bien distinctes lorsqu'il s'agit de consommation engagée. En forçant un peu le trait, la première est fondamentalement critiquable, la seconde au contraire est beaucoup plus respectable.

L'immatériel humanitaire plaqué est la première de ces façons. La forme la plus fréquente en est le *produit vignetté* : une petite partie du prix de vente est affectée à une cause, soit directement par le fabricant, soit par l'intermédiaire d'un petit coupon figurant sur l'étiquette du produit que le consommateur doit envoyer lui-même. Les opérations de ce type se sont beaucoup développées depuis deux ou trois années. La plupart du temps, ce type d'opération n'est pas durable. L'immatériel humanitaire est plaqué sur le produit, il ne peut en aucun cas lui être assimilé, il est en quelque sorte interchangeable. Il s'agit alors d'un coup de marketing destiné à favoriser les ventes quelques semaines, la cause défendue devenant un prétexte publicitaire. Les industriels n'ont pas le monopole de l'abus de cette technique. Les distributeurs s'y laissent aller aussi. Pendant les fêtes de fin d'année 1996, le Printemps Haussmann a informé haut et fort sa clientèle et celle qu'il voulait séduire qu'il affecterait 1 % du chiffre d'affaires réalisé dans certains rayons à une grande cause humanitaire.

L'immatériel de solidarité incorporé dans le produit. À l'inverse, dans ce second cas, l'engagement humanitaire ou social pris par l'industriel a des conséquences directes, crédibles et durables sur

---

18. *Que choisir ?*, n° 333, décembre 1996. Le mensuel *Alternatives économiques* publie un guide des placements solidaires qui permet de s'y retrouver dans la centaine proposée.

les produits qu'il fabrique. La logique immatérielle s'incorpore dans le produit lui-même. C'est le cas des engagements sous forme de chartes : achat à des prix minimums garantis des matières premières aux pays producteurs de l'hémisphère Sud (café ou cosmétiques), sous-traitance dans des pays qui respectent le non-travail des enfants ou des prisonniers (textile), engagement envers le personnel de l'entreprise (licenciements uniquement en dernier recours, embauche et formation de personnes en réinsertion), recyclage des déchets industriels et mise en place de productions non polluantes (produits verts).

Un autre exemple qui a fait grincer quelques dents est la création, en 1992, de la fondation Ronald Mac Donald consacrée à l'enfance. Certes, son action est effective. Disposant par exemple d'un budget de 3,5 millions de F en 1996, elle a permis la construction de maisons pour héberger des parents d'enfants hospitalisés. Plus globalement, entre janvier 1995 et décembre 1996, 3 millions de F ont été distribués à soixante associations d'aide à l'enfance, grâce à une opération annuelle intitulée le « Big Mac Don » : sur les 17,50 F de chaque hamburger vendu un samedi de décembre, 10 F sont affectés à ces actions de mécénat. Mais comment ne pas voir dans cette action une tentative, somme toute assez modeste, de redorer une image de marque qui avait été un peu ternie par des incidents sociaux en 1994 et en 1995, dans les restaurants franchisés de la région lyonnaise de la célèbre enseigne américaine ? On lui reprochait alors de ne pas trop aimer les délégués syndicaux, les fortes têtes, et d'imposer parfois de significatifs dépassements d'horaires au personnel. Gare à ceux qui penseraient pouvoir disposer d'une vitrine sociale généreuse grâce à des partenariats humanitaires, mais qui se retrouveraient en contradiction avec la réalité vécue au sein de l'entreprise [19] !

L'industriel qui décide une campagne ponctuelle fondée sur un immatériel humanitaire et social plaqué risque la lassitude du consommateur et d'être accusé de chercher à profiter de la crise

---

19. Dans *Stratégies* du 10 janvier 1997, Lionel Bertinet, délégué de l'Admical (Association pour le développement du mécénat industriel et commercial), le reconnaît lui-même : « Nous poussons les entreprises à accorder leur politique interne et leur mécénat. » Quand il y a un trop grand décalage, le message de la fondation passe mal.

sociale. À l'inverse, celui qui opte pour un immatériel incorporé dans les produits d'une façon ou d'une autre travaille à long terme et contribue ainsi à se bâtir une réelle identité d'entreprise citoyenne.

Mais il faut être clair : en tout état de cause, l'industriel ou le distributeur ne doivent pas aller trop loin. Assumer ses responsabilités citoyennes pour une entreprise deviendra peu à peu une nécessité éthique comme elle est déjà censée l'être pour le particulier, mais ne peut se substituer à l'action des responsables politiques. Leur action défaillante ne peut être compensée que très modestement par le développement de la consommation engagée. Et si cette dernière peut jouer un rôle utile dans certains domaines, elle n'est guère en mesure de suffire à un consommateur citoyen qui perçoit l'étendue des difficultés sociales et qui se sent trop souvent désarmé à cet égard.

Une classe moyenne postsalariale ?

Il se trouve que, parmi les peuples riches, les Français sont ceux que, culturellement, les inégalités mettent le plus mal à l'aise. Certes, l'aspiration déclarée haut et clair à l'égalité s'accompagnait de montagnes de petits arrangements destinés à cacher des avantages personnels qui pouvaient faire croire que chacun s'en sortait mieux que son voisin. D'où, par exemple, le refus persistant de transparence sur les questions d'argent, de revenus, de factures [20]. L'attachement égalitaire du Français le cristallise sur certains symboles qui sont certes respectables, mais qui absorbent l'essentiel de l'énergie et des finances publiques au détriment d'autres sujets qui sont ignorés et qui pèsent plus lourd dans la mise en place des inégalités de demain. Lorsqu'on s'arcboute sur le maintien d'une quasi-gratuité de l'enseignement supérieur, on pense faire œuvre de justice sociale alors qu'en pra-

---

20. Cela n'empêche pas les Français de faire partie des peuples qui pratiquent le plus faiblement la fraude fiscale ! Peur des contrôles ou civisme exemplaire ? On ne peut exclure ni l'un ni l'autre. À moins qu'il ne s'agisse tout simplement des conséquences d'un système bancaire parmi les plus modernes et les plus incontestés du monde qui rend difficiles les dissimulations.

tique – puisque le faible taux d'enfants issus de catégories peu favorisées au niveau du second cycle universitaire n'a pratiquement pas bougé d'un iota depuis vingt ans – on fait de l'antiredistribution, c'est-à-dire qu'on avantage les enfants des milieux aisés. On finit d'ailleurs par désavantager tout le monde, car soumis au seul financement public, c'est l'ensemble de l'université qui n'a pas les moyens de travailler correctement. Il faut espérer que le désormais très strict encadrement des dépenses collectives de santé n'aboutisse pas, dans quelques années, à un résultat équivalent dans les hôpitaux publics.

J'ai longtemps été très réticent à l'égard des fonds de pension destinés à créer un troisième étage dans le système des retraites. Il me paraissait clair que soit ils étaient indispensables et alors, *de facto*, cela signifiait bien que ceux qui n'en bénéficieraient pas, les moins aisés des actifs, se retrouveraient à l'âge de la retraite avec de piètres pensions ; soit, au contraire, ces fonds de pension étaient un peu superflus (notamment parce que l'arrivée des femmes retraitées disposant de leur pension propre contrecarrerait la baisse de rendement actuariel des cotisations) et, dans ce cas, il m'apparaissait peu pertinent de détourner les masses financières du jeu des marchés de consommation, en leur accordant de surcroît d'importantes bonifications fiscales.

Ces réticences demeurent, mais aujourd'hui la décision est prise de lancer ces fonds de pension et, malgré certains engagements opposés, il ne paraît guère probable que l'on supprime ces dispositifs. Il serait par contre équitable que l'abondement de l'employeur à ces fonds de pension ne soit pas exonéré de cotisations vieillesse, comme cela est prévu dans la proposition de loi qui les instaure, rédigée par Jean-Pierre Thomas. Régimes obligatoires et fonds de pension doivent être complémentaires et non pas concurrents. Les études montrent qu'une forte majorité de Français est favorable à de tels fonds [21]... ce qui ne veut pas dire qu'ils se précipiteraient pour y souscrire à n'importe quel prix. Si l'on essaie de voir le bon côté des fonds de pension, en considérant que leur mise en place est devenue inéluctable, on peut, me semble-t-il, avancer deux considérations. La première est micro-

---

21. 75 % d'avis favorables à la fois dans les études du CRÉDOC et les sondages réalisés par la SOFRES dans le courant de l'année 1996.

économique : les fonds de pension accompagnent la prise de conscience du devoir individuel de responsabilité, chacun redécouvre ainsi la logique du cycle de vie. La seconde est au contraire macroéconomique : en délestant un peu le système des retraites publiques, on rend quelques marges de manœuvre à l'affectation des masses financières brassées par la protection sociale, en les consacrant à une réelle redistribution. Car il ne faut pas oublier que les systèmes traditionnels de retraite par répartition (général et complémentaire) assurent en règle générale une pension proportionnelle aux salaires passés. Leur mission principale est loin d'être égalitaire ou redistributive.

François Ewald, philosophe, ancien assistant de Michel Foucault au Collège de France, trouve de nombreuses vertus aux fonds de pension. Pour celui qui est certes devenu l'un des directeurs de la Fédération française des sociétés d'assurances, c'est même l'une des façons de faire revivre la solidarité dans une société postsalariale : « Il faut maintenant imaginer le partage du risque indépendamment du salariat. » Et de déboucher sur ce paradoxe : « Loin de détruire le paritarisme, la réforme peut aider à sa régénération », car les syndicats de salariés seront associés à la gestion de ces fonds. « Les fonds de pension sont compatibles avec la doctrine originaire de la solidarité, qui est de ne pas externaliser ses problèmes sur les autres [22] », car « la solidarité, pour être vertueuse, exige une éthique de la responsabilité ». Il y aurait donc ainsi un juste compromis entre une privatisation individuelle et facultative d'une assurance retraite qui pousse à la responsabilité en refusant de faire porter tout l'effort des pensions à venir sur les générations futures d'actifs, et une solidarité qui passe par les modalités de la gestion des fonds collectés.

La protection sociale dérive vers une logique assurancielle accompagnée d'une prise en charge assistancielle des plus démunis (RMI, allocations de parents isolés, etc.), mais cette seconde caractéristique joue trop le rôle de bonne conscience de la première. Par contre, toute sa fonction redistributive en faveur des classes moyennes s'est progressivement effritée. On ne peut repro-

---

22. « Les fonds de pension ne sont pas contraires à la solidarité », *Le Monde*, samedi 29 mars 1997 ; et « Retraites, la fin du Yalta social », *in L'Express*, 10 avril 1997.

cher à la protection sociale d'être la cause du déclin de l'ancienne classe moyenne, c'est l'effritement puis la remise en cause du salariat qui en sont l'origine. Mais on ne peut, à l'inverse, la féliciter d'avoir contrecarré ce mouvement.

L'attachement viscéral des Français à une notion générale et imprécise d'égalité est tout bonnement le signe de leur besoin de se structurer autour d'une vaste classe moyenne. Est-il possible que celle-ci se recompose dans une société postsalariale ? Tel semble être le défi majeur des années à venir. Comment y parvenir ? Cela devrait être l'un des sujets de réflexion privilégié des partis politiques, mais aussi de l'ensemble des forces sociales. Nous avons déjà présenté certaines idées destinées à atténuer la violence d'un passage brutal au postsalariat : mise en place du contrat d'activité, représentation syndicale unifiée, unification des statuts entre travail partiel et temps plein... On en retrouve ici une justification supplémentaire. Il convient d'en énoncer quelques autres.

Tout d'abord, il faut réduire l'ampleur du voile d'ignorance jeté sur la société postsalariale et ses risques. Cela fait longtemps que les économistes ont démontré que la recherche de l'égalité est un comportement rationnel de l'*Homo economicus* en situation d'incertitude face à son avenir. Si la société est capable d'assurer l'avenir de chacun, en tout cas d'aider chacun à croire en son avenir et à le bâtir en conséquence, les citoyens oseront entreprendre avec les risques que cela comporte, en restant attachés à une égalité qui ne soit ni naïve ni l'alibi de leurs peurs, mais qui s'inscrive dans un projet de société (au sens de J. Rawls). Cela passe par des aides à redémarrer en cas d'échec, par l'organisation de temps de respiration consacrés à des périodes de formation, par le maintien d'autres formes d'emplois pour des périodes temporaires de la vie, ou destinées à ceux qui ne seront jamais aptes à relever ce défi de l'autonomie professionnelle. Les associations intermédiaires, les entreprises d'insertion jouent en cette matière un rôle tout à fait primordial qu'il faut soutenir et encourager. Mais à condition de ne pas faire perdurer ou de ne pas recréer de vastes secteurs protégés qui apparaissent comme des injustices pour ceux qui entreprennent. L'encouragement et la prime doivent être attribués en priorité à ceux qui osent. Il y a un équilibre qui sera très délicat à trouver. En tout cas, ce n'est

pas contradictoire et cela nécessite même le maintien de prélèvements fiscaux qui pourront difficilement être réduits à court et
moyen terme.

La critique actuelle de la fiscalité est excessive. Certes, l'argent
public n'est pas toujours bien utilisé, loin s'en faut. Des gaspillages, pour ne pas dire des scandales récents, nous l'ont démontré.
La modernisation de la gestion de l'État et de ses satellites est loin
d'être achevée. De même, l'évaluation des effets des politiques
publiques, lancée au milieu des années 1980, doit être relancée.
Il y aurait d'ailleurs fort à gagner si le législatif s'en emparait. À
l'image de ce que fait le Congrès américain, le Parlement français
devrait disposer d'agences puissantes susceptibles d'effectuer
l'évaluation impartiale de la mise en œuvre des décisions législatives et réglementaires. Mais le mouvement actuel tendant à
laisser croire que tout irait mieux avec moins d'impôts est très
dangereux [23]. Rien ne prouve que l'excès de fiscalité démotive
l'entrepreneur. C'est réduire l'homme à un être purement vénal,
ce qu'il n'est pas. Le projet de l'entrepreneur est d'abord celui d'un
créateur. Aujourd'hui, il souffre certainement tout autant de la
bureaucratie des procédures administratives françaises, de leur
manque de coordination, de leur lenteur, que des charges fiscales.
Et, la plupart du temps, lorsqu'on allège le dispositif de prélèvement fiscal, que ce soit sur l'entreprise ou sur le particulier, on
institue des conditions particulières pour en bénéficier, qui

---

23. L'idée que « trop d'impôt tue l'impôt » souvent à la base de ce raisonnement s'exprime dans la fameuse courbe dite de « Laffer », économiste américain.
Edmond Malinvaud, figure prestigieuse de la formalisation économique au Collège de France, écouté et redouté par de nombreux ministres lorsqu'il était directeur général de l'INSEE, du milieu des années 1970 à la fin des années 1980, a
dénoncé dans un article remarqué de la *Revue d'économie politique* (n° 6,
novembre-décembre 1996) ces énoncés qui sont avancés comme des vérités alors
qu'ils ne sont pas démontrés. Dans cet article, Edmond Malinvaud appelle la
communauté des économistes qui prétendent faire des « découvertes » à davantage de modestie. L'auteur plaide pour un certain rééquilibrage entre hypothèses
et conclusions trop hâtivement avancées. Il s'interroge également. « La modéli-
sation mathématique n'est-elle pas trop pratiquée ? Le rôle de bonnes inférences
interprétatives n'est-il pas indûment ignoré ? » La baisse des impôts comme
mécanisme automatique de relance de l'activité économique ferait partie des
inférences interprétatives tant que son efficacité pleine ne sera pas démontrée
(aux États-Unis, elle s'est accompagnée d'un creusement très important des déficits, ce qui l'apparente plus à une politique keynésienne que libérale).

deviennent tellement complexes lorsqu'elles s'additionnent qu'elles ne provoquent pas l'engouement espéré. Seuls ceux qui disposent de conseillers fiscaux savent jongler avec les multiples textes pour en tirer le meilleur parti, ce que l'on appelle des effets « d'aubaine », sans que cela serve d'ailleurs forcément à stimuler leur logique d'entrepreneur.

Les petits entrepreneurs, eux, n'ont pas le temps de se plonger dans les arcanes et les subtilités des différents dispositifs. De plus, des fonctionnaires zélés réclament sans cesse des papiers supplémentaires, si bien que les conditions à remplir sont interprétées de façon aussi restrictive que possible.

Même lorsque ces différentes dispositions ne sont pas temporaires mais supposées pérennes, elles sont pourtant sans cesse modifiées dans leur champ concret d'application. Stabiliser le niveau de la fiscalité et les règles du jeu fiscal à moyen terme est certainement une priorité pour l'entrepreneur. Évidemment, cela tombe mal aujourd'hui où notre système fiscal, avant d'être stabilisé, a besoin d'une grande réforme pour retrouver une cohérence et une lisibilité.

Parmi les nombreuses analyses du système fiscal français, deux économistes, François Bourguignon et Pierre-André Chiappori, se sont distingués en prenant le risque de proposer une réforme à la fois ambitieuse et simple dans son principe. Au point de départ de leur réflexion, on trouve tout à la fois la critique de l'absence de lisibilité du système et de sa très faible progressivité en fonction du revenu (10 % seulement de la masse fiscale) comme du peu de redistribution réalisée grâce à lui (quasiment limitée au RMI). Mais alors d'où vient cette critique ordinaire permanente sur le côté désincitatif à l'activité que représente la fiscalité ? Essentiellement du fait d'une très grande variabilité des taux marginaux d'imposition. Aux deux extrémités de l'échelle des revenus, le taux marginal de l'impôt est trop important. Un allocataire du RMI qui accède à l'emploi perd ses prestations, et cela s'apparente à une taxation marginale de l'ordre de 70 % entre ce qu'il reçoit de ressources supplémentaires (environ 1 500 F par mois) et ce que cela coûte en tout, charges comprises, à son employeur (8 000 F). À l'autre bout de l'échelle sociale, pour celui qui atteint le seuil supérieur de 50 % de l'impôt sur le revenu et qui a dépassé les plafonds d'abattement et de déduction forfaitaire, l'obtention d'une rémunération supplémentaire annuelle nette de 200 000 F nécessite un débours de la part de son employeur de 700 000 F brut, et là encore le taux marginal est de 70 %. Entre les deux situations, les taux sont peu dissuasifs, mais on en parle beaucoup moins. Comme si la critique à l'égard de la fiscalité se nourrissait de ces situations anormales et contre-productives qui se situent aux deux extrémités de l'échelle des revenus, comme si les taux marginaux confiscatoires étaient supposés se rencontrer pour toutes les tranches de revenus, ce qui n'est pas le cas.

Il faudrait donc changer les méthodes de calcul. Bourguignon et Chiappori proposent un impôt payé dès le premier franc de ressources perçues, et à un taux uniforme de 30 % (se substituant à l'ensemble de l'impôt sur le revenu et des charges sociales) avec une surtaxe marginale de 12 % (en réalité de 17 % sur les revenus nets) perçue sur les 20 % de ménages les plus aisés (dont le revenu serait aujourd'hui supérieur à 90 000 F par part de quotient familial). En échange, chacun recevrait un transfert uniforme minimal annuel de 15 000 F par équivalent adulte. Les allocataires du RMI continueraient à toucher plus que cette somme, mais pas plus que ce qu'ils perçoivent aujourd'hui. Le nouveau système est simple, il aboutit à une progressivité accrue des prélèvements et des transferts « dans la plus grande partie de l'éventail des revenus, tout en assurant une baisse sensible du taux marginal de prélèvement [...] non seulement au sommet de la distribution des revenus, mais également dans une zone intermédiaire commençant à environ quatre fois le SMIC pour des célibataires [24] ». Est-ce trop simple pour être applicable ? Le cortège de tous ceux qui bénéficient aujourd'hui de niches ou d'avantages particuliers est-il susceptible d'en empêcher la mise en œuvre ? La réforme fiscale d'envergure dont nous avons besoin nécessitera de toute façon beaucoup de courage et d'opiniâtreté.

Brisant là encore certaines idées reçues qui ont la vie belle, Robert Baconnier, ancien directeur général des impôts, considère

---

24. François Bourguignon, Pierre-André Chiappori, *Fiscalité et redistribution*, *Note de la Fondation Saint-Simon*, n° 88, mars-avril 1997. Pour éliminer tout effet de trappe de pauvreté, c'est-à-dire pour qu'il y ait un effet incitatif significatif à l'activité pour tous, il faudrait en théorie remettre en cause le RMI et s'en tenir au transfert uniforme, ce que ne retiennent pas, avec sagesse, les auteurs.

que, une fois réalisée la réforme Juppé, l'impôt sur le revenu en France sera tout à fait compétitif par rapport à ce qui se passe à l'étranger et notamment au pays voisin de grand libéralisme qu'est l'Angleterre. Précision utile, « la France est surtout compétitive pour les cadres qui ont une famille, à cause du quotient familial ». Par contre, et là c'est beaucoup moins favorable à la classe moyenne, « on a plus touché [... aux niches fiscales...] des classes moyennes qu'à celles utilisées par les catégories les plus aisées ». Car, si les taux sont parfois trop élevés, ils s'appliquent à des assiettes de revenus qui sont « percées [25] », avec des parties importantes de ces revenus pouvant être totalement défiscalisées si l'on investit en conséquence [26].

On ne contribuera pas à la reconstitution d'une classe moyenne sans une fiscalité vigoureuse. Il faut qu'une partie significative des fonds publics soient activée dans l'aide à la constitution des nouvelles entreprises. Dans un rapport de mars 1997, le Commissariat général du Plan suggère une mesure simple : aider chaque créateur d'entreprise par une subvention au démarrage, proportionnelle au montant des capitaux personnels, avec un plafond de 50 000 F, délivrée après un rapport favorable de l'un des organismes qui servent de conseil à la création d'entreprise (chambre de commerce, etc.). Cette somme serait remboursable en cas de survie de l'entreprise au-delà de deux ans [27]. Cela se substituerait aux nombreuses aides qui existent aujourd'hui, mais dont la complexité, là encore, en rend aléatoire le bénéfice.

---

25. *Les Échos*, 24 avril 1997. Robert Baconnier fut membre de la commission La Martinière sur la réforme fiscale. Sa responsabilité professionnelle de président du directoire du bureau d'avocats Francis Lefèbvre ne donne que davantage de poids à ses propos, même si le gouvernement de Lionel Jospin ne mène pas jusqu'à son terme la réforme prévue par son prédécesseur.

26. En 1997, dans un salon des placements destiné aux particuliers (qui disposent d'un revenu confortable), certains stands proposant des investissements dans l'immobilier neuf n'hésitent pas à placarder comme argument publicitaire : « Merci Monsieur Périssol ».

27. Rapport remis au ministre de l'Économie par un groupe d'évaluation présidé par Bertrand Larrera de Morel. Dans ce rapport, un bilan très sévère est fait portant sur les différentes aides « originellement connues pour favoriser la création d'entreprises ». Sans que ces analyses soient infondées, il est probablement exagéré de conclure que l'ACCRE (Aide aux chômeurs créateurs ou repreneurs d'entreprises) se soit transformée en « aide purement sociale ».

Car il y a besoin d'aide au capital de démarrage des PME, si l'on souhaite que les jeunes s'y lancent et si l'on veut rétablir ce qui risque d'être une profonde inégalité des chances entre ceux qui disposent aisément de fonds transmis par leurs parents et grands-parents et ceux dont les ascendants ne sont pas suffisamment aisés pour le faire. La transmission partielle du capital des seniors (les plus de 50 ans disposent, déjà en 1996, de la moitié du patrimoine, et cela devrait sensiblement progresser dans les 15 années à venir) vers les plus jeunes continuera à être encouragée, et c'est heureux, mais ce ne sera pas suffisant.

Encourager une classe moyenne postsalariale, c'est réduire l'écart disproportionné qui sépare l'entrepreneur individuel du salarié, surtout lorsque ce dernier envisage de se mettre à son compte. La Caisse des dépôts et consignations a imaginé un nouveau statut innovateur, celui de « salarié entrepreneur ». Une SCOP (Société coopérative ouvrière de production) a été créée à Lyon, en novembre 1995, pour tester l'idée auprès d'anciens chômeurs désireux de créer leur entreprise. Cette idée est simple : au-delà d'un accompagnement classique et nécessaire, destiné à mettre au point leur projet, les entrepreneurs testent ensuite le lancement de leur activité en devenant salariés de la SCOP. Ils sont payés de 3 000 à 15 000 F par mois en fonction du chiffre d'affaires directement généré par l'activité qu'ils entreprennent. La SCOP assure toutes les démarches administratives, sociales et fiscales et facture les clients. Ensuite, deux cas se produisent. Soit l'activité ne décolle pas et le créateur est alors licencié de la SCOP, ce qui lui procure une prise en charge par les Assedic, soit le projet est viable et l'entrepreneur peut fonder son entreprise. Une variante lui permet également, dans ce dernier cas, de demeurer au sein de la SCOP en devenant salarié-associé [28].

Parmi les branches de la Sécurité sociale, celle des prestations familiales a, par nature, une vocation essentiellement redistributive. Or, depuis de nombreuses années, non seulement son poids ne cesse de décroître par rapport aux retraites et à la maladie, mais elle dérive vers l'assistance. L'État – et non pas les partenaires sociaux ni les associations familiales – a contraint les

---

28. Cf. *Les Échos* du 22 avril 1997.

caisses d'allocations familiales à concentrer leurs moyens vers l'aide aux plus démunis. Certes, cette action était nécessaire, mais il n'est pas sûr qu'elle devait tout concentrer à ce point. Le développement des prestations sous garanties de ressources, la distribution du RMI n'ont pas laissé beaucoup de marge de manœuvre aux CAF en faveur des classes moyennes (mis à part les contrats de petite enfance avec les municipalités, destinés à assouplir les critères d'hébergement en crèches collectives ou familiales), alors que c'était leur vocation. En ne donnant pas à la politique familiale les moyens financiers nécessaires, on n'encourage peut-être pas la natalité (la question est difficile à trancher, mais les études tendent à prouver que les effets sont minimes), en tout cas, on se prive d'un moyen essentiel de redistribution vers les classes moyennes.

La cohésion sociale passera par la consolidation d'une nouvelle classe moyenne. C'est la seule façon d'éviter l'effet de sablier qui nous menace d'une fracture définitive entre les gagnants et les perdants [29]. Il nous faut donc à la fois lutter contre la montée de l'exclusion et le retour des inégalités sociales, ces deux maux dont la concomitance au cours de cette fin de siècle, lorsqu'ils s'agrègent, donne corps à cette trop fameuse « fracture sociale ». Pour cela, nous devons inventer une société « flexible qui ne soit pas précaire [30] », retrouver des formes de stabilité sur les revenus minimaux, sur les possibilités de formation, sur des appuis à l'initiative et à l'alternance des statuts, sur la possibilité de bâtir de nouveau des projets à long terme, même si cela ne peut plus se faire avec la même stabilité que par le passé.

---

29. Cf. Alain Lipietz, *La Société en sablier*, La Découverte, 1997. L'auteur a une belle formule sur la conséquence de cette organisation sociale sur la consommation : « On supplie les gens de consommer davantage. Or seule peut dépenser la " partie haute " du sablier : les riches. Seulement, ces derniers – on le voit bien aux États-Unis – sont capricieux. Soit ils dépensent trop et la production s'emballe ; soit ils épargnent et la production s'enlise », *in Liaisons sociales* de mars 1997.

30. Pour reprendre les termes d'Alain d'Iribarne dans un entretien publié dans *l'Expansion Management Review* de mars 1997.

Chapitre 8

LE BEL AVENIR DU COMMERCE

> C'est presque une règle générale que
> partout où il y a des mœurs douces, il
> y a du commerce ; et que partout où il
> y a du commerce, il y a des mœurs
> douces.
>
> MONTESQUIEU, *De l'esprit des lois.*

Y aura-t-il encore des commerçants demain ? N'est-ce pas une profession du passé ? Le consommateur entrepreneur, fier de son autonomie, n'aura-t-il pas envie de s'en passer totalement, et ce d'autant plus facilement que les techniques modernes proposeront des achats directs par ordinateur connecté sur des réseaux d'échanges de données ou encore par le téléphone ou la télévision ?

Les formes de la distribution vont continuer à se diversifier, mais il serait erroné de penser que cela se fera sans vendeur, bien au contraire. Il en faudra davantage encore. Plus la consommation se complexifie, plus les produits nouveaux échappent à la spontanéité, voire au réflexe du consommateur. Il faut donc acclimater les premiers et apprivoiser le second. Or cela ne peut se faire sans contact humain, car, en ce domaine, tout ne peut pas être dit dans un message électronique ou télévisé plus ou moins long. On commet d'ailleurs une erreur fréquente. Sous prétexte que les produits sont de plus en plus techniques – téléviseur, magnétoscope, ordinateur –, on croit qu'il faut des vendeurs très spécialisés, presque des ingénieurs, en tout cas des techniciens. C'est bien du contraire qu'on a besoin. Plus les produits sont complexes, plus ce qui importe est d'avoir des hommes et des femmes qui soient capables de les expliquer simplement aux clients et surtout qui sachent s'ils correspondent effectivement à leurs attentes [1].

En France, 3 millions de personnes sont actuellement employées dans le commerce. Exactement la moitié d'entre elles exercent dans le détail et dans l'artisanat qui s'apparente à du commerce : charcuterie, boulangerie-pâtisserie... Les autres travaillent dans le commerce de gros et chez les différents intermédiaires. Dans le commerce de détail, les grandes surfaces offrent 22 % des emplois, soit deux fois plus que les boulangeries et les pâtisseries.

Après quatre années, de 1990 à 1993, durant lesquelles le nombre de salariés dans le commerce a régulièrement diminué, celui-ci a recommencé à progresser en 1994 et en 1995, créant 20 000 emplois au total. Et cela va continuer. Si l'on se tourne vers les États-Unis, où la conjoncture économique est très bonne et où il y a déjà beaucoup de vendeurs et de commerçants, eh bien le commerce y crée en ce moment des centaines de milliers d'emplois.

Le jour où le commerce, sous toutes ses formes, ne créera plus d'emplois, on pourra dire qu'on sort de la société de consommation, et ce n'est pas demain la veille ! Par contre, les formes du commerce sont amenées à se transformer. On ne vendra pas demain comme on le faisait hier. C'est là que réside l'ambiguïté de la réaction des petits commerçants. Ils pensent soit que leur sort est définitivement arrêté et qu'ils sont condamnés à disparaître, soit au contraire qu'ils répondent à un besoin permanent et qu'il suffirait de mesures restrictives à l'égard des grandes sur-

---

1. Une étude réalisée par l'institut GFK en mars 1997 nous apprend que 67 % des consommateurs ne comprennent pas les nouvelles fonctions intégrées dans les produits électroniques de loisirs comme les téléviseurs, les magnétoscopes, les combinés téléphoniques modernes... Bien qu'ils aient leur avenir assuré – car, avec toutes leurs potentialités d'usage, ils sont en phase avec l'usage personnalisé qu'en fera le consommateur entrepreneur –, ils laissent les clients bien souvent perplexes. Ceux-ci attendent des explications claires et précises sur ce que les nouvelles technologies, que l'on proclame fièrement issues du « numérique », pourront leur apporter. Cette perplexité, faute de pédagogie suffisante, freine incontestablement la diffusion de ces produits.

faces – accusées de leur faire une concurrence déloyale – pour que leur survie soit assurée. En réalité, on aura toujours besoin de petits commerçants, mais ils devront se moderniser. Beaucoup en ont l'intuition, mais peu acceptent de se remettre en cause suffisamment. L'individualisme continue à régner chez les petits commerçants.

La fin de l'expansion des grandes surfaces

Au début de l'année 1996, on dénombre en France 1 085 hypermarchés [2] sur une surface cumulée de 6,1 millions de m². La surface moyenne du magasin est donc de 5 600 m². On appelle « hypermarché » une grande surface d'alimentation générale dont la surface minimale est de 2 500 m². Entre 400 et 2 500 m², le magasin a le statut de supermarché. Selon les cas, on inclut ou non dans cette catégorie les magasins populaires du type Monoprix ou Prisunic. Les grands magasins – qui se font de plus en plus rares dans les villes de province – sont rangés dans la catégorie du commerce de détail non alimentaire non spécialisé. Enfin, pour compléter ce panorama, il faut y ajouter les petites surfaces d'alimentation générale succursalistes (comme la chaîne Félix Potin qui vient de disparaître) et le grand commerce non alimentaire spécialisé qui est en plein essor dans différents secteurs : électroménager, sport, bricolage, etc. Songeons à des chaînes de magasins comme Conforama, Darty, Décathlon, FNAC, etc.

Le grand commerce, ainsi défini, ne cesse de gagner des parts de marché : en 1995, 47,2 % des achats, contre 43,1 % quatre ans plus tôt. Cela, au détriment du petit et moyen commerce, bien entendu. À titre indicatif, un point de part de marché représente environ 22 milliards de F, toutes taxes incluses.

C'est sur les produits alimentaires que les grandes surfaces se taillent la part du lion : 60,4 % du marché répartis à peu près à égalité entre hypermarchés et supermarchés. Jusqu'en 1995, la loi Royer de 1973 soumettait à autorisation de la commission dépar-

---

2. Statistiques calculées par la division Commerce de l'INSEE sous la direction de Maryvonne Lemaire et publiées dans le rapport établi pour la réunion de la Commission des comptes commerciaux de la nation du 15 novembre 1996.

tementale d'équipement commercial (CDEC) la création de tout magasin de plus de 1 000 m² dans une commune de moins de 40 000 habitants et supérieur à 1 500 m² dans l'ensemble des autres communes. Les extensions de surface de plus de 200 m² étaient soumises à autorisation identique si elles aboutissaient à faire entrer le magasin dans le champ de la loi ou si ce dernier s'y trouvait déjà.

La campagne électorale de Jacques Chirac en 1995 a officialisé une rupture dans le comportement de la classe politique à l'égard de la grande distribution. Encensée dans les années 1970 comme facteur de démocratisation et pour son utilité présumée dans la lutte contre l'inflation, la grande distribution s'est vue progressivement accuser, dans les années 1980, de tuer le petit commerce et, dans la foulée, d'asphyxier les centres-villes. Ces critiques ont redoublé au début des années 1990, au point de faire de la grande distribution le bouc émissaire de la crise économique et sociale. Il faut dire que c'étaient les années durant lesquelles l'ensemble du commerce perdait des emplois.

On peut s'étonner de ce renversement de tendance, mais il s'explique simplement : le commerce est un lieu de *passion* et non pas de rationalité absolue. Il l'a toujours été et le sera vraisemblablement longtemps encore. On l'adule et le hait à la fois, un peu comme la télévision ou la publicité, ou encore la consommation en général. C'est la preuve de la force de l'immatériel dans l'acte d'achat. Prenons un exemple de cette ambiguïté, exemple d'actualité dans ces années 1990 : la promotion par les prix. Depuis le basculement du début de la décennie et la remise en cause de l'hyperindividualisme sur lequel reposait l'immatériel de la consommation des années 1980, les distributeurs ont voulu réagir en étant encore plus agressifs sur les prix. Quand la crise est là, il faut se recentrer sur l'essentiel, et l'essentiel pour la grande distribution, c'est la remise (*discount*), concept qui a provoqué sa naissance.

Ces années se sont donc caractérisées par une surenchère sans précédent sur les prix bas, les prix cassés, les promotions. Certaines enseignes de la grande distribution n'hésitaient pas à accrocher d'immenses calicots sur lesquels on pouvait lire en dehors de toute période de soldes « les prix en baisse », tandis que d'autres, notamment aux États-Unis, affichaient « nos prix ne diminuent plus », comme pour dire aux clients qu'il est inutile d'attendre une baisse supplémentaire pour se décider à acheter. Bien sûr, les consommateurs ont su en jouer, ils sont même devenus experts, en quelque sorte, des différentes stratégies pour payer moins cher. C'est l'une des compétences majeures du consommateur entrepreneur que de savoir optimiser son pouvoir d'achat, et l'une des premières à avoir émergé. Du coup, la consommation est devenue imprévisible à très court terme, le cours des achats est sorti de son lit paisible d'une consommation bien huilée dont les seules péripéties se réduisaient aux calendriers des hausses salariales. Aujourd'hui, le consommateur sait acheter juste à temps pour réaliser de bonnes affaires, c'est-à-dire attendre le temps qu'il faut, épargner quelques mois pour être sûr de faire la meilleure opération et, parfois – mais plus rarement –, anticiper d'un ou deux trimestres un achat important si la campagne en cours est particulièrement séduisante.

Mais, ce faisant, il est simultanément en train de se demander s'il ne se fait pas à nouveau *piéger*. Des prix plus bas, ne serait-ce pas une invention encore plus perverse de la part des distributeurs pour *nous* faire acheter plus, au-delà de nos *besoins* ? Du piège de l'achat gadget et inutile, de l'objet éphémère et jetable des années 1980, ne serions-nous pas en train de tomber dans celui de la recherche systématique de la bonne affaire, tout autant susceptible de nous séduire inutilement ?

C'est d'ailleurs un résultat que l'on retrouve dans le sondage publié par le magazine *LSA* en novembre 1996 [3]. Avec les « queues aux caisses » et l'« absence de conseils et de vendeurs », l'« incitation à dépenser plus qu'on ne voudrait » est l'un des griefs majeurs adressés aux hypermarchés : 53 % des consommateurs le citent dans cette enquête. Selon le commentaire du journaliste, « un Français sur deux fait grief à l'hypermarché de le pousser à la consommation ». On comprend alors très bien que 70 % des enquêtés préfèrent un peu naïvement des « prix bas toute l'année », contre seulement 24 % qui se prononcent pour des « promotions avec des prix encore plus bas, mais seulement à certaines

3. *LSA*, « le journal de la distribution », est l'un des tout principaux magazines spécialisés que lisent les responsables du grand commerce. Sondage BVA sur 980 personnes, publié dans le n° 1512 du 7 novembre 1996.

périodes ». Les ouvriers sont la catégorie la plus intéressée par les promotions périodiques (28 %), suivis par les ruraux (26 %). Ainsi, les campagnes promotionnelles, qui se sont tellement multipliées, sont bien considérées comme un piège par les consommateurs et, tout particulièrement, par ceux qui sont appelés à devenir de véritables consommateurs entrepreneurs.

Afin de réguler les relations qui sont devenues très conflictuelles entre les industriels et les distributeurs, la loi Galland, votée en 1996, a interdit la vente de produits à « des prix anormalement bas ». Une nouvelle comptabilité doit présenter les factures de telle sorte que l'on repère les prix liés à l'achat de chaque produit par le distributeur auprès de l'industriel, et que les remises négociées par le premier auprès du second, notamment liées aux volumes négociés, soient elles aussi clairement identifiables sur la facture. Les grands distributeurs, Michel-Édouard Leclerc en tête, font valoir que ces nouvelles mesures ne pourront qu'aboutir à une augmentation des prix de détail sur les produits courants, défavorable en définitive aux consommateurs. Les défenseurs de la loi répondent que, si hausses des prix il doit y avoir sur certains produits, la concurrence assurera leur compensation par des baisses sur d'autres articles. Leclerc part en campagne, en mars 1997, en publiant les résultats d'une étude, commandée par ses soins auprès de l'institut Nielsen, qui enregistre une progression de 4 % des prix sur un panier de 1 500 produits observés dans toutes les chaînes d'hypermarchés au cours des deux premiers mois de l'année du fait de la nouvelle loi. Beaucoup de spécialistes trouvent cette estimation exagérée. L'ILEC (Institut de liaison et d'étude des industries de consommation), qui représente le camp opposé, celui des industriels, reconnaît un dérapage, même s'il est de moindre ampleur : 2,6 % sur 4 600 produits vendus en hypermarchés. Mais, de son côté, l'INSEE, dans son indice des prix, n'observe pas d'emballement de l'inflation dans les premiers mois de 1997 [4]... bien au contraire, le taux annuel le plus bas depuis quarante ans !

---

4. Cela n'est pas anormal, car les produits de grande consommation n'entrent que pour 20 % dans l'indice général des prix. De plus, ceux-ci ne sont pas exclusivement composés de produits de marques nationales. Il n'est donc pas étonnant que l'effet ne soit finalement que de 0,1 à 0,2 % sur l'indice de l'INSEE.

Fondamentalement, la grande distribution est déstabilisée dès qu'on bride son ressort essentiel depuis toujours : afficher – au moins sur certains produits – les prix les plus bas possible. D'après l'étude commanditée par Leclerc, les produits dont les prix auraient été relevés du fait de la loi sont ceux de très grosses entreprises industrielles. Il est possible que les petits producteurs qui auraient dû être bénéficiaires de ces mesures en soient en réalité les victimes et que leurs produits, qui ne sont pas ceux sur lesquels sont bâties les campagnes de publicité des grands distributeurs, fassent plutôt partie de ceux dont les prix ont dû être compressés pour rétablir un certain équilibre. Si cela devait se vérifier, ce serait une ironie de l'histoire, car la loi prétendait défendre leurs intérêts.

On se prend à rêver de distributeurs qui communiqueraient sur ce thème : « Ici, nous vous garantissons que vous n'achèterez que ce qui vous est nécessaire, utile, ou que vous aurez consciemment choisi ! » C'est bien entendu impossible et ce n'est absolument pas ce que, dans le fond et inconsciemment, en tant que consommateurs, nous souhaitons. Resurgit ici l'ambiguïté du rapport à la consommation et au commerce. Nous voulons malgré tout être surpris et pris au dépourvu. L'achat d'impulsion demeure une dimension essentielle du plaisir de consommer [5].

Soyons clairs et nets : les Français aiment le style de distribution que représentent les grandes surfaces. Elles existent

---

Fin mars 1997, la hausse des prix était de 1,1 % en un an. Il faut remonter à avril 1957 pour trouver mieux (– 0,3 % en un an). Ce niveau particulièrement bas s'explique par la fin de l'effet de la hausse de TVA en août 1995 et par le printemps 1997, particulièrement clément, qui a provoqué une baisse sensible des prix des fruits et légumes.

5. On connaît déjà depuis plus d'une dizaine d'années la pratique dite des « ventes flash » dans les grands magasins, les grandes surfaces spécialisées et parfois dans les magasins populaires. La formule est la suivante : un animateur annonce à l'improviste un rabais exceptionnel de 20 à 30 % pendant 30 minutes, une heure au maximum dans un rayon. Sur quel ressort cela fonctionne-t-il ? Il s'agit de favoriser un achat d'impulsion, de diriger le consommateur vers un rayon où il n'avait pas prévu de se rendre et de le déculpabiliser d'acheter en lui donnant l'opportunité de rationaliser en disant qu'il a fait une très bonne affaire. Il faut surtout que le client n'ait pas trop le temps de réfléchir, sinon il risque de ne pas acheter. D'où la durée très courte de ces ventes flash qui passent d'un rayon à l'autre.

maintenant depuis assez longtemps pour être devenues la forme principale et même *naturelle* du commerce pour au moins deux générations de consommateurs. Celle-ci présente à leurs yeux le maximum d'avantages pour les consommateurs.

Mais, simultanément, les enquêtes montrent qu'ils lui reconnaissent de graves défauts : outre la mort du petit commerce, ils pensent aussi que la grande distribution pressure excessivement les producteurs et tout particulièrement les agriculteurs. Les Français estiment que les bénéfices réalisés par les grandes surfaces sont très importants. À leurs yeux, ceux qui réalisent des marges parfois excessives ne sont plus les petits commerçants, comme après guerre, mais les grands groupes d'hypermarchés. Trois à quatre décennies plus tard, l'arroseur est devenu l'arrosé.

Finalement, l'opinion est majoritairement favorable au contrôle de la grande distribution, c'est-à-dire à la quasi-interdiction d'ouvrir de nouvelles grandes surfaces. Il n'y a par contre qu'une minorité d'avis favorables à l'interdiction de prix jugés « trop bas », le consommateur considérant vraisemblablement que cette forme d'agressivité commerciale lui profite en définitive.

La loi Raffarin, qui abaisse, en 1996, à 300 m² le seuil à partir duquel tout nouveau commerce est soumis à autorisation administrative préalable, est donc bien dans l'air du temps. Comme il se doit, les grands distributeurs ont officiellement protesté mais, en coulisse, certains reconnaissaient qu'ils en seraient au bout du compte les véritables bénéficiaires. Le paysage de la grande distribution va tendre à se figer, et ceux qui sont déjà installés bénéficieront d'une rente de situation. C'est simple à comprendre. Imaginez une ville moyenne qui dispose déjà de trois grandes surfaces à sa périphérie. L'arrivée d'un quatrième larron fera d'abord concurrence aux trois premiers bien plus qu'aux petits commerçants de centre-ville déjà atteints par les implantations précédentes. D'ailleurs, le moins que l'on puisse dire, c'est que les cours boursiers des géants de la grande distribution qui sont cotés (Carrefour, Casino, Promodes...) n'ont pas eu à souffrir de ces dispositions officiellement protectionnistes pour le petit commerce [6].

---

6. Les cours moyens ont progressé de 70 % en moyenne depuis un an, signale Pascal Galinier dans un article paru dans *Le Monde* du jeudi 12 décembre 1996. Ces cours ont été dopés, il est vrai, par les rumeurs et par les réalités d'OPA.

Le choc des titans se passe dorénavant sur deux autres terrains. D'abord, dans les implantations à l'étranger (notamment en Amérique centrale et du Sud, dans le Sud-Est asiatique et, dans une moindre mesure que ce qu'on croyait il y a quelques années, dans les pays d'Europe centrale et orientale, car c'est encore un peu prématuré). Le combat est ensuite de nature cannibale, que l'on appelle pudiquement « restructuration » ou « concentration », les plus gros cherchant à absorber les chaînes de taille intermédiaire. C'est comme cela qu'Auchan a pris le contrôle des Docks de France (magasins Mammouth) dans le courant de l'année 1996. La réplique de Carrefour ne s'est pas longtemps fait attendre. Le numéro un des groupes de grande distribution s'est assuré, à la fin de cette même année, d'une minorité de blocage dans la holding qui possède la chaîne d'hypermarchés Cora et n'a pas caché son intention d'en acquérir très vite la majorité. En conséquence de la loi, lorsqu'un supermarché est en vente, il coûte beaucoup plus cher que par le passé, car il représente d'abord des mètres carrés à récupérer ou à ne pas laisser filer chez le concurrent.

Une autre polémique oppose les pouvoirs publics et les grands distributeurs. Elle porte sur l'emploi. Tandis que ces derniers prétendent embaucher et jouer un rôle dynamique sur ce point, on leur reproche bien volontiers de recruter pour l'essentiel du personnel à temps partiel contraint. Il est vrai que les postes de travail dans la grande distribution sont de moins en moins souvent à temps plein. En 1980, 22 % des emplois en hypermarchés étaient à temps partiel, ils sont 31 % en 1994. L'évolution est plus forte encore dans les supermarchés : 12 % de temps partiels en 1980, 32 % en 1994. Encore faudrait-il, pour que le procès soit justifié, que l'on compare à ce qui se passe dans le petit commerce. Si l'on prend l'exemple des pharmacies – le secteur du petit commerce qui s'en tire le mieux grâce au *numerus clausus* et à la solvabilité tout de même assurée par la Sécurité sociale –, l'évolution est la même : en 1980, 35 % des emplois salariés étaient à temps partiel, et l'on atteint 50 % en 1994.

Dans l'ensemble du commerce de détail, 32 % des emplois salariés sont à temps partiel. Après les pharmacies viennent les boulangeries et pâtisseries (39 %), les charcuteries (37 %), les boutiques de vêtements (36 %), les boucheries (35 %), etc. On le voit, la critique est juste, mais elle est loin de ne valoir que pour les grandes surfaces.

Le renouveau des centres-villes

Depuis longtemps déjà, la tendance paraît claire : les villes perdent leurs petites boutiques au détriment de la périphérie, et l'on annonce ce qui serait en quelque sorte leur mort commerciale programmée. C'est pourtant au contraire que l'on aimerait assister, car on n'a jamais eu autant besoin du commerce de centre-ville. En voici les principales raisons : le vieillissement démographique de la population française, la montée des divorces et celle des ménages monoparentaux qui en découle et dont les achats sont davantage de proximité et en petites quantités, le besoin de rassurance dans une société inquiète et que le petit commerçant permet *a priori* de satisfaire, le retour de valeurs et de services traditionnels : terroir, réparation et entretien des vêtements et des chaussures, aspiration à être *personnellement* reconnu et à bénéficier d'un service sur mesure, caractéristique du consommateur entrepreneur qui se substitue au couple *standardisation-segmentation* du marketing de masse des années antérieures.

Toutes ces tendances sont aujourd'hui avérées, et la plupart perdureront. Il serait pourtant erroné de penser qu'elles joueront mécaniquement en faveur du commerce de centre-ville. Elles ne constituent que des opportunités, c'est-à-dire qu'il faut, pour les commerçants, s'en emparer, les comprendre et développer de réelles stratégies d'adaptation. Il convient par ailleurs de ne pas sous-estimer la capacité de toutes les autres formes de commerce et de distribution à s'y adapter.

Pour l'instant, et depuis quelque temps déjà, le petit commerce dépérit. Des chiffres tout d'abord. Ils donnent une vision sans ambiguïté de la réalité : il y avait 55 000 petits [7] magasins d'alimentation générale en 1981, il n'y en a plus que 32 000 en 1993 :

---

7. On qualifie jusqu'en 1996 de *petits* commerces les surfaces inférieures à 400 m². Depuis l'abaissement à 300 m² du seuil nécessitant autorisation, il faudra peut-être revoir cette nomenclature. Les chiffres sont issus du rapport de la Commission des comptes commerciaux de la nation déjà cité.

la baisse est de 42 % ! On comptait 69 000 boutiques d'alimentation spécialisée (boucheries, boulangeries, primeurs, etc.) en 1981, on en recense 54 000 en 1993 : la perte est de 22 %. La situation n'est pas plus florissante dans les secteurs du commerce non alimentaire. Entre ces deux mêmes années, l'habillement a perdu 12 000 commerces (soit 14 %), l'équipement du foyer, 13 000 boutiques (soit 25 % de l'ensemble) et l'ensemble hygiène, culture, loisirs, environ 12 000 vitrines (soit 13 %). Si l'on tient compte du fait qu'un certain nombre de petits commerces ont ouvert dans les galeries marchandes autour des hypermarchés, la perte pour les centres-villes est encore supérieure à ce que ces chiffres révèlent.

Qui est responsable de cet état de fait ? Un peu tout le monde à la fois. Il est absurde, en tout cas, de chercher à vouloir en rendre coupables les seules grandes surfaces. Les hommes politiques, tout d'abord, ont joué la carte de financements faciles et importants pour leurs communes grâce à la taxe professionnelle payée par les grandes surfaces installées sur leur territoire et... il ne s'agit là que de l'aspect officiel et avouable des choses ! Les petits commerçants ont été des complices involontaires de leur déclin en ne se rendant pas compte qu'ils devaient se remettre en cause et se moderniser d'urgence. Les consommateurs, enfin, se sont poussés par leur instinct grégaire, agglutinés au-delà de toute rationalité dans ces nouveaux centres de vie que sont devenues les galeries commerciales.

Un homme politique de tout premier plan me racontait, il y a peu, ce qui est bien plus qu'une anecdote : « Il y a vingt ans, pour mes campagnes électorales, je distribuais mes tracts à l'entrée de la principale usine de ma circonscription, tandis que mes collègues de très grands centres urbains le faisaient à la sortie des gares de transport en commun ; aujourd'hui, quand c'est nécessaire, je le fais le samedi sur le parking de l'hypermarché. » Il n'est pas regrettable, bien au contraire, que le centre commercial de périphérie, ou qualifié de régional lorsqu'il est plus gros, soit un endroit vivant et attrayant. Il est insupportable par contre que, dans le même temps, les centres-villes se désertifient sans que l'un soit la conséquence mécanique de l'autre.

Il faut redynamiser le cœur des villes, car la société de l'avenir restera toujours aussi urbaine. Comment faire ? La première condition tient à la définition de la ville elle-même : elle doit être un lieu de vie et de creuset social. Il faut pour cela y réintroduire des logements en général et du logement social en particulier. Si le centre-ville de demain ne devait être peuplé que de célibataires et de personnes âgées, le commerce continuerait à dépérir. Certes, ces groupes sociodémographiques constituent déjà une large part de la clientèle des Monoprix, Prisunic et des petites épiceries de dépannage, mais ils ne sont pas suffisants pour *tirer* une zone commerciale équilibrée [8]. L'autre tendance, inverse, à laquelle on assiste aujourd'hui, consiste en la spécialisation des centres-villes en vitrines de luxe. Mais, du coup, cela les transforme en zones de promenade réduites à un ou deux axes principaux et incroyablement fragiles aux aléas de la conjoncture économique : deux ou trois saisons un peu difficiles suffisent à déclencher des dépôts de bilan en cascade.

Rien ne sert non plus de vouloir à tout prix chasser les voitures du cœur des villes. Certes, les zones piétonnes sont souvent agréables, mais il ne faut pas en abuser. Il est préférable qu'elles soient composées d'un nombre limité de rues avec des voies parallèles qui permettent non seulement le stationnement, mais également la circulation à proximité. Sans cela, on exclut du centre un grand nombre de commerces. Il faut également trouver un juste compromis entre la préservation du patrimoine architectural et la modernité du commerce. Lorsqu'un gestionnaire de Monoprix décide de moderniser son magasin, il faut bien souvent sept années entre l'élaboration de son projet et la réalisation finale, la plus grande partie de ce temps étant consacrée à négocier les différentes autorisations administratives. Que la façade de

---

8. Dans les endroits où les bureaux ont chassé les appartements de centre-ville, certaines chaînes de magasins comme Monoprix tentent d'attirer une nouvelle clientèle : celle des femmes actives qui font leurs achats quotidiens à l'heure du déjeuner et qui stockent leurs approvisionnements dans leur voiture. L'argument publicitaire est fort et pertinent : en faisant ainsi, vous retrouverez le plaisir... des samedis qui ne seront plus gâchés par les courses dans l'hypermarché bondé. Et voilà l'argument du « temps libéré ». Mais les consommatrices sont-elles prêtes à grande échelle à payer un peu plus cher les produits achetés en centre-ville quand... elles habitent elles-mêmes en périphérie ? En tout cas, cela ne pourra remplacer l'indispensable retour d'un habitat populaire au cœur des cités.

l'immeuble qui l'héberge date du XVIIIᵉ siècle et on le forcera à la rétablir à l'ancienne, et ce, bien entendu, à ses frais ! Comment veut-on alors que les prix pratiqués dans ce magasin puissent ne pas trop s'écarter de ceux des supermarchés de périphérie ? Et plus le différentiel de prix sera sensible, plus nombreux seront les consommateurs qui fuiront ce magasin, entraînant du coup une baisse de fréquentation du centre-ville. C'est un cercle vicieux !

Peut-on avoir la faiblesse de penser que le commerce est non seulement une partie intégrante, mais encore une composante essentielle du centre-ville ? Est-ce subjectif ? Je dois l'avouer, j'aime les néons multicolores des devantures et des enseignes. Ils forment des mosaïques électriques jamais plus belles que ces soirs d'hiver où les flaques de pluie leur permettent de se mirer, de se démultiplier à l'infini. Il y a par exemple des rues du centre de Lille si admirablement rénovées, qui concilient tellement bien leurs maisons anciennes et leurs éclairages commerciaux... que ce sont celles-là qui grouillent de passants pressés. Il est d'ailleurs frappant de constater que le Nord est à la fois la région de prédilection des grands distributeurs modernes (toute la VPC à Roubaix : La Redoute, Les Trois Suisses... ; tout le groupe appartenant à la famille Mulliez : Auchan, Décathlon...) et une région tellement chaleureuse, sociale et associative. Comme si, une fois encore, les différents sens du mot « commerce » devaient bel et bien se renforcer mutuellement.

Il peut exister assez vite un certain consensus, notamment en matière de fiscalité et d'urbanisme, sur le principe des dispositions techniques que nécessite la rénovation commerciale des centres-villes [9]. On pense notamment à une harmonisation de la taxe professionnelle. Sans qu'il soit réaliste, à court terme, d'en nationaliser le taux, comme l'a suggéré en 1996 le Conseil national des impôts, on doit au moins envisager des taux communs à l'intérieur d'une même agglomération entre la ville du centre et celles de la périphérie, afin de ne pas pénaliser les commerces de la première où les taux sont en général plus élevés. On doit éga-

---

9. Voir par exemple le rapport (décembre 1996) du groupe de travail sur « Le développement des activités commerciales en centre-ville » mis en place par Jean-Pierre Raffarin et présidé par le préfet Jacques Perrilliat, par ailleurs ancien délégué général de l'Institut du commerce et de la consommation.

lement réfléchir à des outils réglementaires plus souples que ceux qui existent aujourd'hui, permettant la récupération de surfaces commerciales de centre-ville qui ne sont plus adaptées et dont on pressent bien, quelques années à l'avance, qu'elles vont péricliter, peut-être devenir des friches et entraîner dans leur chute certains des commerces qui les entourent, pourtant encore très dynamiques. L'ingénierie commerciale doit être mise à contribution. Elle permet de prévoir le nombre, la taille, la complémentarité et le style des commerces à maintenir et à implanter, secteur par secteur. Rien n'est plus regrettable que de voir des villes de taille moyenne disséminer leurs commerces au gré des nouveaux quartiers pavillonnaires. S'il s'agit d'intention louable – jouer la carte de la proximité –, cela produit souvent un effet inverse. Aucune de ces minizones n'est suffisamment consistante pour avoir d'autre fonction que le dépannage et elles affaiblissent l'attractivité du centre naturel.

L'ingénierie commerciale n'existe pratiquement aujourd'hui qu'à travers les chaînes de magasins populaires et de commerces franchisés. C'est insuffisant, elle doit aussi se développer à l'horizontale pour l'ensemble de l'activité commerciale d'un centre-ville donné. Les personnes compétentes amenées à exercer ce type de responsabilité doivent évidemment le faire en parfaite entente avec les commerçants et leurs associations, mais ce serait une erreur que de les rendre totalement dépendantes d'eux. Elles devraient avoir une légitimité extérieure et complémentaire, fondée sur une connaissance de l'ensemble de l'activité commerciale et des aspirations et attitudes des consommateurs. Depuis longtemps, les aménageurs et gestionnaires des grands centres commerciaux interrégionaux le font.

L'émergence du commerce de pauvreté

En novembre 1996, le groupe britannique Thorn implantait son premier magasin Crazy George's en France, plus précisément au centre commercial de Bobigny, en Seine-Saint-Denis, dans un endroit spécialement choisi pour sa population fortement touchée par la crise. Comme il était prévisible, mais comme ne l'avaient semble-t-il pas imaginé une seule minute ses promoteurs, cette ouverture fait immédiatement scandale. Le « supermarché des pauvres », comme le qualifie la presse, est dénoncé par les hommes politiques – certes avec des nuances –, qu'ils soient de droite comme de gauche, par les syndicats et par presque toutes les organisations de consommateurs (à l'exception notable et paradoxale de l'UFC-Que *choisir* ? d'habitude pourtant assez virulente). À la suite d'une enquête éclair menée par les inspecteurs de la DGCCRF (Direction générale de la concurrence, de la consommation et de la répression des fraudes) sur demande expresse du ministère de l'Économie et des Finances, le magasin ferme quelques jours après son inauguration pour *rectifier* son étiquetage. Cela lui prendra deux semaines, le temps d'imprimer de nouvelles étiquettes, de changer de campagne de publicité et... d'espérer que la société médiatique, friande de nouvelles éphémères, sera passée à autre chose. Bien entendu, ce fut le cas, et la seconde ouverture – la bonne – passa pratiquement inaperçue. Venons-en à l'analyse précise de cette affaire, tant elle est révélatrice d'un danger beaucoup plus large qui nous menace dans l'avenir, celui d'un commerce, non plus à visée démocratique, mais fondé sur la nouvelle segmentation sociale ou – pour dire les choses plus crûment – qui fait pousser ses plus belles fleurs sur le terreau de la décomposition des classes moyennes, sur ce que certains dénomment « la fracture sociale ». N'est-ce pas ce que l'on sent profondément à la lecture des grandes affiches placardées à proximité du lieu d'ouverture et qui proclament : « Vous avez du mal à obtenir un crédit ? Pour nous, vous êtes un client idéal » ?

Crazy George's propose l'acquisition de meubles et d'appareils électroménagers par location avec option d'achat (LOA). Ses clients paient à la semaine (ou tous les quinze jours) une somme apparemment modique pour disposer d'un réfrigérateur, d'un téléviseur ou, plus essentiel encore, d'un matelas. Au bout de trois ans et à condition d'avoir été régulier dans ses paiements, le bien appartient définitivement au client. Mais, à la différence de ce qui se passe dans les LOA classiques (notamment pour les automobiles), les prélèvements ne s'effectuent surtout pas de façon automatique sur un compte bancaire. Le client doit s'acquitter en venant déposer son dû régulièrement au magasin. En revanche, point besoin de dossier bancaire classique, dont l'acceptation est préalable à la vente par le magasin. Celui-ci dispose de vendeurs qui doivent seulement vérifier la vraisemblance de revenus réguliers – mais éventuellement très faibles – et surtout obtenir une liste de cinq personnes proches qui se portent cautions morales (et non pas légales) du paiement régulier des échéances.

Les produits sont livrés au domicile du client, ce qui permet bien entendu de vérifier au passage qu'il ne s'agit pas d'une adresse fictive ou de complaisance. Si le client interrompt ses paiements, on vient *gentiment* lui reprendre son appareil qu'il pourra d'ailleurs récupérer dès que sa cassette sera moins désespérément vide.

Cette forme de location-vente destinée à ceux qui seraient interdits d'emprunt classique par les banques est très répandue aux États-Unis. Environ un millier de commerces sont conçus sur ce principe. À elle seule, la chaîne américaine Rent a Center possède 6 500 magasins de ce type. Elle a été rachetée il y a dix ans par le groupe Thorn. La chaîne Crazy George's possède une cinquantaine de magasins outre-Manche répartis dans le Centre et le Nord industriels et en Écosse.

Il est difficile de croire, comme le prétendent ses promoteurs, que cette nouvelle forme de distribution permet aux moins riches d'avoir accès aux bienfaits de la société de consommation qui leur seraient interdits autrement. Il ne faut pas se laisser piéger par une illusion d'optique. Certes, on peut penser que 55 F par semaine c'est relativement peu, mais acquérir en fin de compte pour 8 580 F un réfrigérateur qui coûterait 3 874 F [10] au comptant, c'est faire payer deux fois plus cher, c'est-à-dire exclure encore un peu plus tous ceux qui doivent assumer les prix exorbitants de cette location. Ou bien ils doivent se contenter de ne louer qu'un, voire deux objets, ou bien ils doivent choisir alternativement chaque année les deux ou trois appareils dont ils auront le plus besoin. Crazy George's utilise d'ailleurs une faille du droit actuel de la consommation : autant il existe un taux d'intérêt plafond pour l'achat à crédit, autant il n'y en a pas en ce qui concerne le système de la location avec option d'achat.

Les quelques reportages télévisés diffusés au moment de l'ou-

---

10. Chiffres réels délivrés par le magasin au moment de son ouverture.

verture étaient d'ailleurs révélateurs. Ceux que leur pouvoir d'achat très limité mène chez Crazy George's avaient bel et bien besoin de toute une série de meubles ou d'appareils électroménagers et 30 F + 20 F + 30 F + 50 F... font bien vite une somme qui atteint leur limite de solvabilité. Certes, il peut paraître injuste que les plus démunis soient exclus des achats indispensables, certes, ce n'est pas Crazy George's qui est responsable des 6 millions de pauvres, du million de RMIstes, des 400 000 SDF ou mal logés ; certes, on peut reprocher aux banques d'être trop restrictives dans les crédits qu'elles accordent (il y a quelques années, on leur reprochait le contraire en les accusant de favoriser le surendettement !), mais à de bien tristes problèmes... il peut exister de bien mauvaises solutions.

Les défenseurs de la formule de Crazy George's (il y en a tout de même quelques-uns) y voient une possibilité effective pour les plus démunis de pouvoir disposer immédiatement des objets de consommation courante. Même les locations classiques prévoient en règle générale un dépôt de garantie qui n'est pas sollicité ici, car seul compte le montant de la redevance hebdomadaire. Mais c'est bien là où le bât blesse, là où le système est le plus pervers. Comme l'écrivent eux-mêmes les responsables du groupe Thorn : « N'oublions pas que de plus en plus de gens ne raisonnent plus en termes de coût, mais en fonction de la somme dont ils peuvent disposer chaque mois ! Cette préoccupation majeure les a écartés des circuits classiques de distribution qui n'ont pas su s'adapter à cette clientèle. Le " nouveau système d'achat " Crazy George's répond aujourd'hui à leurs besoins de consommation comme tout le monde [11]. »

Reprenons cette idée plus crûment : il est exact que l'une des caractéristiques des gens en grande difficulté sociale tient au fait qu'ils gèrent leur vie quotidienne au jour le jour. Bien souvent, le basculement dans l'exclusion réside justement dans l'incapacité à se projeter dans l'avenir, à imaginer un futur meilleur. Tout le travail de réinsertion que mènent courageusement les travailleurs sociaux avec ces personnes et ces familles consiste à leur faire redécouvrir la notion du temps, à les aider à bâtir un projet. Or

---

11. Dossier de presse du 6 novembre 1996 présentant le lancement de l'enseigne en France.

que fait Crazy George's ? Exactement le contraire, il exploite la réduction temporelle au seul instant présent. C'est une régression, notamment par rapport à tous les cours d'économie familiale, d'apprentissage à la gestion d'un budget.

L'erreur de communication de Crazy George's est énorme : avoir cru possible de créer un événement suscitant la sympathie des foules par un lancement à grand spectacle, avec sosies de grandes vedettes américaines, d'une forme de commerce segmentée, destinée aux moins solvables. C'est le groupe Thorn qui a tout fait pour attirer la presse à l'inauguration de son magasin de Bobigny. Du point de vue du nombre des articles qui lui ont été consacrés, il n'a pas été déçu. En ce qui concerne leur contenu, c'est autre chose... En mars 1997, le groupe annonçait que l'ouverture de trois nouveaux magasins en France, initialement prévue dans la foulée du premier, était reportée à l'automne prochain. On a également quelques confirmations statistiques à partir des premiers mois d'activité : 70 % des clients ont un revenu mensuel inférieur à 8 000 F. Dans cet ensemble, 12 % sont solvables, bien que ne disposant pas de plus de 4 000 F chaque mois. Le client type s'acquitte de mensualités qui vont de 250 à 300 F, il est salarié, a 36 ans, est célibataire ou divorcé avec souvent au moins deux enfants. Dans un ordre décroissant, il se porte sur le mobilier (table, canapé-lit), l'électroménager de loisirs, puis, assez loin derrière, les appareils dits « blancs » : cuisinière, lave-linge.

Une seconde enseigne commerciale, toujours d'origine anglo-saxonne, est aussi apparue en France pour un créneau de clientèle plus large. Il s'agit des Cash Converter's importés d'Australie. Ces boutiques proposent des articles d'occasion totalement révisés à moitié prix du neuf. Mais cette fois ce sont plutôt les vendeurs qui doivent être vigilants. Payés *cash*, ils doivent accepter des prix de reprise forcément très bas. Les acheteurs, quant à eux, sont en mesure de faire de réelles affaires, d'autant que le matériel est garanti un mois. Le premier magasin a été ouvert en France fin 1994. Un peu plus de deux ans après, il y a déjà 49 franchisés Cash Converter's dans l'Hexagone. Quant à la société mère australienne, elle compte 200 magasins dans le monde, du Canada à la Nouvelle-Zélande en passant par l'Argentine, le Japon et Singapour. Pour recruter de nouveaux franchisés parmi ceux « qui ont l'esprit pionnier et veulent gagner sur un marché émergent », l'enseigne n'hésite pas à proclamer : « Sur cette planète, un nouveau magasin toutes les 36 heures. »

De même que Crazy George's prétend faire accéder les plus démunis à la consommation, Cash Converter's prétend apporter une solution à la *surconsommation*. L'une comme l'autre de ces enseignes énoncent un discours à caractère moral [12]. Pour les Australiens, nous croulerions sous les biens inutiles, et il serait en quelque sorte salutaire de pouvoir nous débarrasser d'objets surabondants tout en en retirant quelques subsides. Ils souhaiteraient en quelque sorte inculquer aux consommateurs de tous les pays riches une sorte de nouveau réflexe : celui de soustraire au prix d'achat d'un appareil neuf le prix de revente à Cash Converter's. Étrange procédé que celui qui, pour combattre la *surconsommation*, l'encourage en fait !

Il serait un peu exagéré de considérer les Cash Converter's comme les chevaliers blancs de l'exploitation des plus démunis par opposition à Crazy George's ; il est toutefois évident que l'on améliore plus le pouvoir d'achat des familles dans le besoin en leur vendant des objets moitié prix qu'en les leur louant pour un coût final qui, au contraire, le multiplie par deux.

Il y a toutefois quelque chose de commun et d'extrêmement frappant dans ces deux chaînes de nouveaux distributeurs : leur affichage sans vergogne d'une culture américaine revendiquée. Elles n'ont pas cherché un seul instant à traduire en français leur enseigne. Dans leur publicité et dans leur logo, c'est pire encore : le « s » de Cash Converter's est en réalité l'abréviation usuelle du dollar : « $ » ; les mots Crazy George's sont écrits sur un fond qui n'est rien d'autre que le drapeau des États-Unis. L'une de ces sociétés est d'origine anglaise, l'autre australienne, mais c'est tout de même le drapeau et le dollar américains (y a-t-il une différence entre les deux ?) qu'elles brandissent comme étendards ! C'est le vaste pays ami dont personne n'oublie en France ni le succès éco-

---

12. Il est frappant de constater à quel point l'innovation commerciale s'est toujours accompagnée d'un discours moral. Déjà le *discount* se voulait une accession *quasi militante* du plus grand nombre aux bienfaits de la consommation de masse. Ce n'est pas un hasard si la plupart des groupes de la grande distribution moderne française ont été créés pour des familles aux convictions catholiques très explicitement affichées.

nomique présent ni le courage militaire passé, auquel nous devons deux fois notre libération mais dont on s'accorde tout de même à reconnaître l'incapacité à enrayer l'exclusion et la pauvreté sur son propre sol, qui devrait nous servir de modèle pour l'accès à la consommation des plus démunis ? On aimerait prendre cela pour une plaisanterie. Mais la réalité est, bien entendu, plus dramatique : il y a aux États-Unis plus de 40 millions de personnes privées d'assurance maladie [13].

Autre coïncidence troublante : à l'époque de la généralisation des moyens de paiement modernes, Cash Converter's achète en liquide jusqu'à 5 000 F et le fait valoir comme un avantage significatif pour le client, de même que Crazy George's se passe des contrôles bancaires classiques. Certes, c'est bien la caractéristique des personnes en situation précaire que de ne pas jongler avec les comptes bancaires qui rapportent et les cartes de crédit de plus en plus souvent bordées de placages dorés, argentés ou platine... Mais ne serait-ce pas aussi tout bonnement un encouragement à l'économie parallèle qui se nourrit du travail au noir et d'absence de traces pour toutes les transactions ?

Interrogés début 1997 par le CRÉDOC dans le cadre de son étude annuelle sur les tendances de la consommation, 6 % des adultes déclarent qu'ils pourraient être intéressés, dans l'avenir, par des magasins qui proposent de louer des appareils électroménagers ou des meubles plutôt que de les acheter (type Crazy George's), contre 93 % qui sont de l'avis contraire (seulement 1 % d'indécis). De même, 6 % de consommateurs disent avoir acheté des appareils d'occasion (dans des boutiques du type Cash Converter's) au cours des six derniers mois. Mais 36 %

---

13. Au printemps 1997, une marque américaine de vêtements, Docker's, inaugure une nouvelle façon originale et astucieuse de se référer au modèle américain. Pour cette filiale du groupe Levi's, spécialisée dans les pantalons de toile moins épaisse que les jean's, il s'agit de se démarquer de ce qui est le plus repoussant dans la culture américaine. Le spot publicitaire présente d'une façon volontaire et grotesque l'ambiance de Las Vegas : sosies rose fluo des vedettes des années 1950, racolage aux abords de casinos, pasteurs psychédéliques des fameuses *wedding chapels*. Ceux qui connaissent cette ville doivent malheureusement reconnaître que c'est très proche de la vérité ! Pour Docker's, il s'agit de suggérer qu'il n'y a pas *une* culture américaine, mais *plusieurs*, et que celle qui fait aimer ses pantalons est celle de l'authenticité et de la simplicité, et non pas celle du grotesque et de l'artificiel. Initiative intéressante.

seraient prêts à être tentés d'acheter ainsi à l'avenir. Dans les deux cas de figure, ce sont les jeunes qui, un peu plus souvent que la moyenne, seraient tentés par ces nouvelles formes d'acquisition de biens de consommation. On note toutefois que l'intérêt pour l'achat d'occasion correspond vraisemblablement à une tendance émergente et durable qui va au-delà des difficultés budgétaires que certains peuvent ressentir. D'une façon générale, ceux qui expriment un point de vue moderniste (intérêt pour l'informatique et pour les nouveaux moyens de communication) se disent également tentés par ces achats de seconde main. Cela fait longtemps que les Nord-Américains pratiquent le vide-grenier lorsqu'ils déménagent...

Les nouvelles enseignes sur lesquelles s'est focalisée la vision d'un commerce pour les plus pauvres ne sont pourtant que l'arbre qui cache la forêt. Cela fait déjà plusieurs années que la distribution se segmente socialement. L'implantation des *hard discounteurs* (que l'on *francise* par *maxi-discompte*) depuis le début des années 1990 correspond en réalité déjà à cette tendance. Mais eux ont eu l'astuce – si l'on peut dire – de s'implanter sans bruit, de ne pas prétendre « tenir un discours social », même s'il n'est « pas à la manière de l'Abbé Pierre », comme le revendique le responsable de la campagne de communication de Crazy George's [14].

Depuis 1992, plus d'un supermarché sur deux qui s'ouvre en France est un maxi-discompte (cette proportion a même atteint le taux record de 82 % en 1994). Il s'est ainsi ouvert 240 supermarchés de ce type en 1992, 251 en 1993, 331 en 1994 et 237 en 1995. Environ la moitié portent des enseignes étrangères : Aldi, Eda, Lidl, Norma, Profi. Les enseignes françaises sont CDM, Dia %, Ed l'Épicier, Europa Discount, Lonc, Leader Price, Le Mutant.

Les supermarchés de maxi-discompte sont de petite taille : ceux qui ont ouvert en 1995 ont une surface moyenne de 673 m². Alors qu'ils n'existaient pratiquement pas avant la fin des années 1980, la part des magasins de maxi-discompte dans la distribution par

---

14. Bruno Lacoste, directeur de la création à l'agence de BL/LB, entretien dans *CB News*, n° 454, du 28 octobre au 3 novembre 1996.

les grandes surfaces frôlerait 20 % en nombre de magasins et 13 % en surface totale de vente calculée en m² [15].

Heureusement, les maxi-discomptes n'accueillent pas seulement les plus démunis. Il arrive même qu'ils jouent un rôle de commerce de proximité fort utile (en région parisienne, notamment, avec la chaîne Ed). Mais ceux qui subissent de très fortes contraintes budgétaires sont deux fois plus nombreux que dans la grande distribution traditionnelle. Et, pour les autres, la tendance à s'approvisionner dans ces magasins est en train de s'essouffler. Elle s'appuyait notamment sur le décalage entre l'offre et la demande à propos des signes de qualité, lorsque ceux-ci ont brusquement changé entre les décennies 80 et 90. L'huile d'arachide achetée dans un maxi-discompte, par refus de choisir entre des marques faussement différenciées, tend dorénavant à se transformer en achat de bouteilles d'huile avec de nouveaux attributs (terroir, santé, écologie...). Nous l'avons déjà dit, l'avenir restera à la recherche d'une optimisation du rapport qualité-prix, en intégrant toutes les caractéristiques nouvelles qui permettent d'estimer cette qualité, et non pas dans une course effrénée au prix le plus bas, qui ne peut que se faire au détriment de la qualité et dans une tendance déflationniste. Les consommateurs expriment d'eux-mêmes ce moindre intérêt pour le seul critère du prix, déconnecté du reste : fin 1996, ils déclarent à 52 % qu'ils comparent davantage les prix des produits qu'ils achètent, alors qu'ils répondaient ainsi à 63 % fin 1995, à 58 % fin 1994 et à 62 % fin 1993. Bien entendu, cela ne les empêche pas de continuer à vouloir profiter toujours plus des soldes pour les achats vestimentaires (68 % le font toujours ou parfois fin 1996, contre 63 % fin 1995), mais dans ce cas ils pensent pouvoir concilier prix et qualité.

Signe des temps, les maxi-discomptes s'implantent également dans d'autres secteurs que les produits alimentaires. On les retrouve dans le vêtement, les chaussures et le mobilier. Là encore, il s'agit de vendre le moins cher possible des produits sans marque. Mais, signe également qu'il n'est plus chic de les fréquenter, Tati, qui avait ouvert une boutique à l'intérieur des Gale-

---

15. *Rapport de la Commission des comptes commerciaux de la nation, op. cit.*

ries Lafayette, à l'enseigne *La rue est à nous*, n'a pas pu prolonger bien longtemps l'expérience : il y avait une contradiction entre son image, ce qu'il représentait (peut-être le tout premier maxi-discompte de vêtements), et celle, bien ancrée elle aussi, du plus célèbre des grands magasins parisiens.

Le commerce électronique ne tuera pas le commerce traditionnel

Nous n'avons présenté, jusqu'ici, que les seules formes traditionnelles du commerce, celles que nous connaissons bien et que nous fréquentons tous les jours. Mais il faut aussi parler de ce qui est nouveau ou de ce qui est... une remise au goût du jour de formes issues du passé. Dans la première de ces catégories figure le commerce électronique, le téléachat, c'est-à-dire les toutes dernières applications de la technique ; dans la seconde, on trouvera le renouveau du commerce à domicile, aujourd'hui dénommé « vente directe ».

Une remarque préalable me semble essentielle : certes, plus nombreuses, les formes de commerce se concurrenceront, mais il serait erroné de croire que certaines seront de ce fait condamnées à disparaître. Le consommateur entrepreneur les utilisera toutes simultanément, selon ce qui l'arrange ou tout simplement selon son gré. Cela prolongera d'ailleurs la tendance déjà observée dans le passé récent à l'égard du commerce *classique*. Par exemple, dans le domaine de ses approvisionnements alimentaires, le consommateur fréquente de plus en plus de commerces différents et tend à segmenter ses attentes vis-à-vis de la distribution.

En 1988, un consommateur fréquentait au moins occasionnellement, en moyenne, trois points de vente différents pour ses achats alimentaires. En 1995, il fait ses achats en moyenne dans quatre lieux différents, et près d'un foyer sur trois fréquente même plus de quatre points de vente (contre seulement un sur cinq en 1988). D'une manière générale, quelle que soit la stratégie d'approvisionnement adoptée et quelles que soient les familles de produits, les consommateurs ont diversifié leurs modes d'approvisionnement.

On peut penser que les efforts de fidélisation engagés par de nombreuses enseignes limiteront à l'avenir l'accentuation de cette tendance, mais il est peu probable qu'elles les inversent.

On assiste parallèlement à une plus grande segmentation des achats en fonction des objectifs des consommateurs : la qualité chez les commerçants spécialisés, le marché et les magasins spécialisés ; les prix dans les maxi-discomptes, mais aussi les hypermarchés et les supermarchés. Ils optimisent donc les critères prix et qualité en diversifiant leurs lieux d'approvisionnement. Que changera l'arrivée des nouvelles techniques de l'information ? Beaucoup de choses à la fois en dehors des boutiques traditionnelles et en leur sein.

Parlons tout d'abord du magasin virtuel. L'idée est simple : de même que la puissance des nouveaux micro-ordinateurs couplés à des lecteurs de CD-Rom et à des branchements sur Internet permettent de visiter le musée du Louvre, le château de Versailles ou la Maison Blanche, ils nous permettront de déambuler demain dans les rayons des grands magasins ou des hypermarchés ou plutôt dans leur représentation numérisée. Ils nous donneront également accès directement à des sites de producteurs en évitant les intermédiaires de la distribution. Ce peut être une opportunité pour certains petits producteurs comme pour des industriels de plus grande taille. Cette idée gagne les esprits plus rapidement qu'on le croit. Ainsi, dans son enquête annuelle sur la consommation, le CRÉDOC enregistre, à la fin de 1996, 44 % de personnes qui pensent qu'elles pourront à l'avenir et grâce au multimédia « acheter ou s'informer sur les produits » de consommation. Déjà, presque un sur deux, alors qu'un an auparavant seulement 18 % des enquêtés répondaient ainsi [16].

La vitesse de diffusion s'explique aisément. Certes, la technique utilisée est moderne, mais la fonction est ancienne : il s'agit d'un élargissement des modalités d'achat depuis le domicile, que rendaient déjà possible la vente sur catalogue, puis la vente par Minitel et par téléphone, parfois en coordination avec des programmes de télévision (le téléshopping).

D'une façon générale, le potentiel de développement de la vente à distance est considérable : seulement 31 % des hommes

---

16. Patrick Babayou, « Vers le cyber-consommateur ? », *Consommation et modes de vie*, CRÉDOC, n° 116, mars 1997.

et 26 % des femmes se déclarent « pas du tout intéressés » par cette forme d'achat. C'est d'ailleurs plutôt sur les types de produits que les différences entre les sexes sont sensibles : les hommes accordent leur préférence pour ce type d'achat au matériel hi-fi ou à la micro-informatique, tandis que les femmes choisissent plutôt les vêtements et les cosmétiques. On voit ainsi que se détachent les produits qui, dans les deux cas, sont très investis par les envies, par le plaisir des consommateurs... Comme si les nouvelles formes de vente réveillaient l'imaginaire des acheteurs, tandis que les plus anciennes, en se banalisant, se prêtent davantage aux achats banals et routiniers. Ce sont les jeunes adultes, les cadres et les professions intermédiaires qui sont prêts à acheter la plus grande variété de biens de consommation depuis leur domicile.

Pour acheter à distance avec les nouvelles technologies de l'information, encore faut-il en être équipé, et l'on sait que la France est en retard dans ce domaine [17]. Seulement 15 % des ménages de l'Hexagone sont dotés d'un ordinateur domestique, contre 18 % en Italie, 23 % en Angleterre, 26 % en Allemagne et surtout 37 % aux États-Unis. Mais tout cela est en train de bouger très vite : les ventes d'ordinateurs ont progressé de 17 % en 1996. Au début de 1997, près d'un ordinateur domestique sur deux dispose d'un lecteur de CD-Rom et, dans près d'un cas sur cinq, il est raccordé au réseau téléphonique. Même le nombre d'accès à Internet progresse très vite en France : 11 % des ordinateurs personnels à cette même date. Ce n'est pas la consommation à distance qui sera l'argument incitant les ménages à rattraper ce retard, mais tout simplement la nécessité croisée de nature professionnelle et d'organisation de la vie privée, bref, ce que nous avons identifié comme un processus conduisant à l'émergence du consommateur entrepreneur [18]. Mais, une fois l'équipement ins-

---

17. Lorsqu'on se lamente sur ce retard, on oublie de préciser qu'il s'explique en partie par l'existence du Minitel, et celui-ci joue un rôle essentiel dans l'achat électronique à distance : en 1996, le chiffre d'affaires passées par Minitel a atteint environ 70 milliards de F (contre 30 millions seulement par Internet).

18. Il y avait, en estimation basse, à peu près 550 000 utilisateurs d'Internet en France en avril 1997 : 400 000 utilisateurs d'abord professionnels, et 150 000 d'abord privés. Source : Thierry Hamelin, consultant chez IDC France (*Le Figaro* du 15 avril 1997). De son côté, la société Médiangles, plus optimiste,

tallé, il entraînera le développement des achats par son intermédiaire. Les grands réseaux du Net comme America on Line ou Infonie se sont très vite ouverts aux boutiques virtuelles. Depuis mai 1996, France Télécom a fait de même avec celui qu'il a créé, Wanadoo. Au début de 1997, il y a déjà plus de quatre-vingts boutiques dans sa galerie commerciale virtuelle. Cela va de Nouvelles Frontières à La Redoute, en passant par Degriftour ou Décathlon. Il y a néanmoins un obstacle, vraisemblablement temporaire, dans le développement de ces services : l'impossibilité d'acheter réellement en ligne faute de modalités de paiement sûres. France Télécom propose un couplage avec le Minitel qui permet, dans certains cas, de contourner cette difficulté, mais cela demeure du bricolage.

Voyons ce qui se passe déjà aux États-Unis. Une étude menée sur les foyers raccordés à Internet montre que 55 % d'entre eux ont effectué au moins un achat *en ligne* en 1996. La moitié d'entre eux y ont dépensé l'équivalent de moins de 500 F, un quart de 500 à 1 300 F et un autre quart plus de 1 300 F. Le cyber-consommateur est en marche ! Les achats les plus courants sur Internet sont les logiciels (53 %), les livres (37 %), les disques compacts et les cassettes (30 %), le matériel informatique (22 %), les billets d'avion (21 %), les vêtements (16 %) et les équipements électroniques (10 %). Dans neuf cas sur dix, le client a été satisfait et six clients sur dix ont déclaré prévoir de dépenser davantage en 1997 sous cette forme [19].

Il est frappant de constater que les achats qui arrivent en tête sont des produits culturels au sens large. Comme s'il s'exprimait ainsi que le grand enjeu des technologies du futur, qui existent déjà aujourd'hui, réside bien dans le changement de nature conceptuelle à l'égard de l'information. Nous sommes passés de la pénurie à l'abondance de produits de consommation tan-

---

a dénombré 1 100 000 internautes français à la même période, soit 2,4 % de la population adolescente et adulte. Pour cette société d'études, la progression a été spectaculaire (160 % en un an) ; en revanche, elle devrait se ralentir (90 % en 1998). D'après cette étude, 100 000 utilisateurs auraient effectué un achat « en ligne » au cours des 30 jours précédant l'enquête (*Libération* du 25 juin 1997).

19. Étude menée par la NFO Research, société américaine spécialisée dans les études de marché. Cf. *La Tribune* du mardi 4 mars 1997.

gibles au cours des trois décennies qui ont suivi la Seconde Guerre mondiale. Il en faut beaucoup moins pour réaliser ce même passage dans l'information, car sa dématérialisation rend possibles et presque gratuits sa duplication immédiate et son transport instantané. Dès lors, la nouvelle richesse réside dans la capacité de savoir l'organiser, la trier, la hiérarchiser. Ou n'est-ce pas la définition la plus simple de la notion contemporaine de la culture ? Les réseaux ne jouent pas contre la culture, ils en modifient profondément l'appréhension, parfois l'appauvrissent (dans le règne sans partage de l'anglais sur Internet), plus souvent la libèrent et la développent. Ignacio Ramonet, directeur du *Monde diplomatique*, est fier du succès de son site Internet : 180 000 connexions par semaine. Et il précise : « Si notre site ne nous rapporte rien, il nous permet de connaître nos lecteurs, de susciter des abonnements et d'être en contact avec le monde entier [...] en l'absence d'infrastructures fiables, on a observé une explosion de la téléphonie mobile comme technologie de rechange dans les pays du Sud en Amérique latine [... et concernant l'Afrique...]. On trouve des milliers de personnes aptes à s'équiper, et les rapports d'étude montrent que, dans ces milieux-là, tout va très vite [20]. »

Revenons à l'étude américaine sur l'usage d'Internet. Elle est également très intéressante par ce qu'elle révèle de l'attitude générale de ces cyber-consommateurs. Seulement un tiers d'entre eux ont indiqué avoir réduit leurs achats dans les boutiques traditionnelles. Autrement dit, ces achats à distance sont venus en supplément et non en concurrence directe avec les commerces habituels (du reste, les produits achetés sont d'abord destinés à entretenir et à potentialiser l'équipement informatique lui-même). C'est d'ailleurs avec les autres formes de vente à distance, et notamment celle à base de catalogue, qu'il y a pour l'instant la substitution la plus importante. On comprend en conséquence qu'il soit stratégique pour les géants de la vente sur catalogue d'être présents le plus tôt possible sur le Net. Quels sont les arguments donnés par les consommateurs pour justifier leurs achats de cette manière ? La comparaison des prix tout d'abord, en surfant d'un

---

20. Entretien dans *La Tribune* du 25 avril 1997.

site à l'autre ; le gain de temps ensuite (même si les connexions sont parfois capricieuses et lentes, les embouteillages virtuels sur le Net feront vite perdre moins de temps que les embouteillages bien réels sur les autoroutes des différentes conurbations américaines !) ; la capacité de dénicher des produits qui ne sont pas vendus à proximité du domicile ; enfin la possibilité de faire ses courses 24 heures sur 24 et 7 jours sur 7.

La vente par les réseaux informatiques est donc tout à la fois un élargissement considérable de la vente à distance sur des produits classiques puisqu'il n'est plus nécessaire de disposer d'un catalogue [21], et c'est aussi une stimulation à la consommation de choses nouvelles pour le moins congruentes, si ce n'est en continuité directe avec l'utilisation de l'ordinateur et des nouveaux systèmes de communication. Le nouveau média induit une nouvelle consommation culturelle qui correspond à la demande d'un citoyen consommateur entrepreneur. Car, au-delà des achats au sens traditionnel du terme, l'ordinateur connecté permet à la fois le télétravail, les activités de loisirs, la communication, l'information, l'éducation... L'outil est ainsi parfaitement adapté à la période, c'est la forme parfaitement adéquate à la logique marchande de la satisfaction de ces besoins. C'est ce qui explique d'ailleurs les visions différentes, en fonction de l'âge et du sexe, de l'usage à venir de cet outil : 26 % des hommes contre 20 % des femmes pensent qu'ils pourront télétravailler grâce à ces nouvelles technologies ; 37 % des 18-24 ans, 34 % des 25-34 ans, mais seulement 23 % des 35-64 ans et 4 % des plus de 65 ans croient à la possibilité de « communiquer davantage ». Les femmes sont d'abord intéressées par les pratiques culturelles traditionnelles et par l'éducation : 22 % d'entre elles croient à la possibilité d'avoir accès à des loisirs « intelligents » et à la « visite de musées », et 29 % envisagent le développement des activités « d'instruction et d'éducation » (les taux respectifs à ces deux questions chez les hommes sont 17 % et 19 %). Certes, la possibilité d'acheter davantage est la première des fonctionnalités attribuées à ces nouvelles technologies, mais, plus l'âge augmente, plus elle apparaît comme

---

21. Lorsque la FNAC ouvre son site Web au début de 1997, elle propose un choix de 200 000 références dont 80 000 disques !

leur principal usage et même quasiment comme le seul possible, passé le cap des 65 ans [22].

Un autre facteur technologique accélérera le commerce électronique, à savoir la fusion de la télévision et de l'ordinateur (ce que certains n'hésitent pas à appeler « l'écran cathodique universel »). C'est l'avènement de la télévision numérique qui ouvre d'ores et déjà cette possibilité. En France, les deux opérateurs TPS et Canal Satellite ont déjà des projets qui devraient voir le jour très vite. Il s'agit de permettre l'interactivité grâce à l'arrivée de l'information chez l'abonné à grande vitesse, tandis que le retour vers l'ordinateur serveur se fera grâce à l'utilisation d'une simple connexion téléphonique. Sur les quatre chaînes interactives que Canal Satellite envisage de lancer, l'une sera consacrée au téléachat. De plus, les abonnés auront la possibilité d'avoir un accès limité à Internet sans ordinateur en utilisant la télécommande et le décodeur numérique. Au-delà de la performance technique, c'est surtout une réaction de la part de diffuseurs de programmes de télévision pour ne pas perdre de clients. On découvre en effet que la connexion aux réseaux concurrence l'écoute des programmes traditionnels de télévision, notamment chez les jeunes [23]. D'une façon générale, le développement des Web TV qui permettront de généraliser le branchement sur le Net, *via* son téléviseur, contournera les difficultés liées à la proportion importante des ménages qui ne disposeront pas d'ordinateur.

Si, dans un premier temps, la concurrence des achats sur les réseaux ne se fait pas d'abord au détriment des boutiques traditionnelles, il est clair toutefois que ce sera assez vite le cas. Le cyber-consommateur ne désertera vraisemblablement pas les boutiques, il est même assez peu probable qu'il fasse une majorité de ses achats sur les réseaux, mais, peu à peu, il prendra l'habitude de vérifier ses choix ou, au contraire, de les préparer en consultant différents sites. Le commerce électronique pourra

---

22. Patrick Babayou, « La consommation en 1997. Vers le cyber-consommateur », CRÉDOC, *Cahier de recherche*, avril 1997.

23. La lecture, peut-être parce qu'elle a été suffisamment mise à mal par la progression du temps passé devant le petit écran, ne semble pas particulièrement souffrir de l'arrivée des réseaux d'informations. Elle pourrait même y gagner par la possibilité d'avoir accès aux catalogues des éditeurs et de commander directement les ouvrages de son choix.

ainsi favoriser la vente sans être le lieu où elle s'effectuera. Mais l'inverse est possible également, qu'il fasse ses comparaisons dans des boutiques traditionnelles, là où il pourra bénéficier d'un service humanisé, d'un contact direct avec le vendeur, pour finalement conclure son achat à distance, parce qu'il aura déniché un site sur lequel le produit est moins cher.

Il est d'ailleurs absurde de considérer que l'utilisation des réseaux d'achats se passe de rapports humains avec les vendeurs. On pourra très bien mettre en place, parallèlement à la connexion sur Internet, des standards téléphoniques qui permettent de bénéficier de renseignements complémentaires au moment de prendre sa décision (c'est par exemple ce qui se pratique déjà avec les formules de « banques directes » sans guichet ou bien encore d'« assurance directe »). Par ailleurs, il sera vite possible de dialoguer sur l'écran avec un interlocuteur dont on recevra l'image en direct, tandis que lui, grâce à une petite caméra numérique branchée sur l'ordinateur du client, verra bel et bien avec qui il converse.

Les commerçants traditionnels ne doivent pas partir battus dans cette nouvelle concurrence. Il faut, au contraire, qu'ils comprennent que ces nouvelles technologies peuvent également les aider à se moderniser. Peu à peu, en équipant leur boutique en conséquence, ils permettront à leurs clients tout à la fois de bénéficier de leurs services habituels, mais aussi d'en augmenter considérablement le potentiel. La numérisation d'une photographie des pièces de l'appartement de son client permettra au vendeur de meubles ou d'autres accessoires de maison de démultiplier les propositions commerciales en ajoutant aux produits physiquement présents dans les rayons toutes les variantes qu'il sera possible de commander. On pourra à la fois se rendre compte sur place, par exemple en touchant les matériaux ou en jugeant de la qualité des finitions, et voir sur un écran l'effet de telle ou telle variante. Le professionnel pourra disposer d'une machine informatique consacrée à ses produits, ce qui en fournira une visualisation de bien meilleure qualité que sur l'ordinateur personnel de son client. Cela vaut aussi bien pour les vêtements, le bricolage, le jardinage... Certains commerçants d'accessoires spécialisés offriront à leurs clients de préparer leurs commandes en se branchant sur le site qu'ils auront créé à cet effet. Cela fera gagner un temps fou en permettant de connaître la compatibilité de certaines pièces détachées les unes avec les autres, de savoir si elles sont disponibles avant d'aller les chercher au magasin.

L'arrivée de ces nouvelles technologies concernera aussi la grande distribution. Ce sera peut-être, pour les hypermarchés, une façon de réussir à concilier enfin vente économique en libre-service et développement du service au client. Imaginez, par exemple, le rayon des vins fins d'un hypermarché. Mis à part la période de la foire aux vins dont on connaît le succès, mais qui ne dure qu'une ou deux quinzaines par an, il n'y a pas d'œnologue sur place. Pourtant, le consommateur gourmet souhaite consommer tout au long de l'année, soit un grand cru de temps en temps, soit un « bon petit vin » au rapport qualité/prix idéal. Il sera possible, demain, d'équiper le rayon d'une borne interactive connectée à un site central. Le consommateur pourra interroger ainsi un spécialiste qui travaillera alternativement avec l'ensemble des hypermarchés de la même enseigne. Après lui avoir posé sa question, le client verra, sur l'écran de la borne dévolue au rayon des vins, un œnologue lui répondre très clairement et lui conseiller l'achat de telle bouteille de tel millésime dont il saura, grâce aux banques de données auxquelles il sera lui-même connecté, qu'elle est bel et bien disponible dans les rayons. Après avoir satisfait le client du magasin de la banlieue de Reims, le spécialiste se tournera aussitôt vers celui de Poitiers.

On le voit, les cyber-consommateurs, comme les cyber-commerçants, en devenant plus nombreux, seront d'abord des clients et des marchands comme les autres, qui auront su ajouter une corde à leur arc. Cela n'empêchera ni de nouveaux opérateurs d'entrer sur le marché ni d'anciens commerces de disparaître. Plus qu'une rupture dans le commerce, l'arrivée de ces nouvelles technologies sera avant tout l'occasion de dynamiser et de développer les autres caractéristiques qui définissent le consommateur entrepreneur.

Le potentiel de la vente directe

Autre forme de commerce certainement destinée à progresser également : la vente directe. Apparemment, c'est une forme diamétralement opposée à la précédente puisqu'il s'agit ici de vendre avec un contact tout ce qu'il y a de plus physique, le vendeur se rendant au domicile du client pour effectuer la transaction. Il y a pourtant un point commun de taille : cela se passe sans boutique (ou plutôt en dehors de la boutique), et, dans les deux cas de figure, le client ne se déplace pas. C'est le commerçant qui vient chez lui, soit par les réseaux numériques (la cyber-consommation), soit tout ce qu'il y a de plus matériellement en se déplaçant lui-même (la vente directe). Gageons d'ailleurs que ces deux formes seront très complémentaires. On imagine aisément un vendeur direct équipé d'un micro-ordinateur portable muni d'un modem relié à un téléphone mobile lui permettant de se brancher sur le serveur de sa maison mère depuis le domicile du client.

En France, le poids de la vente directe est encore très faible : l'activité ne concerne que près de 300 000 vendeurs pour un chiffre d'affaires hors taxes de 7 milliards de F. Aux États-Unis, ce sont plus de 5 millions de personnes qui y sont employées pour une activité totale qui dépassait les 70 milliards de F en 1994.

La vente directe est encombrée d'images soit caricaturales, soit franchement négatives. Au nombre des premières, figurent sans nul doute les fameuses réunions où des femmes se sont laissé embarquer pour faire plaisir à une amie insistante, et auxquelles on redoutait finalement de participer, par crainte de se faire forcer la main en articles ménagers et accessoires de cuisine divers. Pour ce qui est des secondes, c'est l'arnaque des fameuses ventes dites « pyramidales » désormais tout à fait illégales. Leur principe est simple : il consiste à convaincre une personne recrutée comme vendeur qu'il lui faut à son tour recruter d'autres vendeurs, et cela indéfiniment, ce qui se traduirait en fin de compte par un plus grand nombre de vendeurs que de clients. Malheureusement, beaucoup se sont laissé prendre à ce piège. Bien entendu, pour que ce système profite à celui qui l'organise, il faut vendre au premier vendeur soit un kit prétendu pédagogique, soit un premier stock de produits à écouler.

Heureusement, dans la grande majorité des cas, les entreprises de vente directe sont parfaitement honnêtes ; il y a même parmi elles certaines marques tout à fait renommées : cela va des Encyclopædia Universalis (Britanica), Bordas, Hachette ou Larousse à la marque de prêt-à-porter ou de lingerie de haut de gamme Solfin en passant par les vins Henri Maire ou, plus récemment, les câblo-opérateurs comme Paris TV Câble. Certains distributeurs ou éditeurs de presse sont aussi des vendeurs directs bien que leurs réunions aient lieu ailleurs qu'au domicile des clients. C'est le cas, par exemple, de l'OFUP (Office universitaire de presse) dans les universités ou de Bayard Presse auprès des parents d'élèves. Le Syndicat de la vente directe joue un rôle d'intermédiaire tout à fait efficace entre les entreprises de ce secteur et les pouvoirs publics, pour promouvoir des règles strictes de déontologie, comme le fait de son côté le Syndicat de la vente par correspondance et à distance. Il est clair que l'intérêt bien compris de ces professions est de combattre tout ce qui peut ternir leur image.

Mais ce qui nous intéresse tout particulièrement dans la vente directe, c'est le rapprochement singulier qu'elle occasionne entre le vendeur et le client. Ce qui fait sa faiblesse fait aussi sa force. Dans la plupart des cas, le vendeur (qui est en général une vendeuse) est recruté sur un profil assez proche de celui de ses futurs clients. Il s'agit de favoriser une complicité. Ce qui, bien entendu, ne signifie pas qu'il faille négliger le besoin de formation. Il faut dire, par ailleurs, que le métier de vendeur direct est assez peu rémunérateur dans l'immense majorité des cas et qu'il correspond plus à une activité complémentaire qu'à un réel travail à plein-temps. C'est aussi assez souvent ce qui rebute les éventuels candidats. Le métier de vendeur direct n'a plus grand-chose à voir avec le salariat traditionnel. Nous sommes, c'est clair, dans le postsalariat, avec tout ce que cela implique en termes de fragilité de l'emploi et de nécessité de se battre soi-même pour obtenir les résultats escomptés. D'ailleurs, un accord signé en juillet 1995 entre l'Unedic et le Syndicat de la vente directe prévoit la mise en place d'un régime spécial et d'un statut spécifique de vendeur à domicile indépendant. À la suite de cet accord, un demandeur d'emploi peut continuer à bénéficier des Assedic tout en travaillant dans une entreprise de vente directe. Pour les femmes, la vente directe est souvent une activité à temps partiel qui, pour la grande autonomie qu'elle permet, s'apparente réellement à du temps choisi... même si elle n'est pas suffisamment lucrative [24].

La vente directe se développera forcément par l'augmentation du nombre de personnes retraitées prêtes à goûter au plaisir de cette forme souvent conviviale de commerce à domicile. Dans cer-

---

24. Anne Vallès et Rémi Noëlle, *Gagner sa vie avec la vente directe*, Édition Rebondir, mai 1996.

tains cas, ce n'est pas sans rappeler les camelots des marchés de jadis qui ont aujourd'hui presque complètement disparu, avec la nécessité de faire la démonstration de la qualité du produit que l'on propose et de faire preuve d'un véritable talent d'orateur, voire de tribun, et d'une psychologie très fine. Gageons qu'il y aura aussi, surtout dans les secteurs où la durée hebdomadaire du travail baissera significativement, des vendeurs directs qui cumuleront cette activité d'appoint avec un emploi salarial classique.

Signalons enfin une dernière forme de commerce appelée à se développer et qui colle, elle aussi, tout à fait à la figure du consommateur entrepreneur. Il s'agit de la vente officiellement destinée aux professionnels, mais qui sert aussi les besoins des particuliers. De plus en plus de travailleurs indépendants (ou de vendeurs directs) s'approvisionneront dans les *cash and carry*. On constate un très fort développement de cette forme de commerce, souvent en entrepôt, aux États-Unis. En France, elle se développera d'autant plus qu'elle pourra permettre de contourner les dispositions de la loi Raffarin : ouvrir des surfaces de vente sans autorisation, car, officiellement, il s'agira d'une entreprise qui fait du *B. to B. (business to business)* et non pas d'une surface commerciale classique. Bien entendu, en pratique, ce seront à la fois des professionnels et des particuliers (au besoin avec des cartes de comité d'entreprise) qui se rendront dans ces magasins-entrepôts. Il est vrai, d'ailleurs, que, même en tant que particulier, le client aura besoin de se réapprovisionner en rouleaux encreurs de télécopie, en ramettes de papier et en disquettes informatiques. Une fois ces produits dans son caddy, pourquoi ne pas en profiter pour acheter dans la foulée... les packs de canettes de Coca-Cola, les biscuits apéritifs et les mouchoirs jetables, quitte à être contraint de devoir les acheter en un peu plus grande quantité que dans un supermarché ordinaire [25] ?

---

25. Dans son catalogue de mars 1997, le distributeur allemand Metro, leader en France des entrepôts pour achats professionnels, fait des promotions sur des produits aussi divers que des polos à mailles piquées ou des chemises Oxford ! En entrée de catalogue, il vend à un prix particulièrement attractif des jeans Levi's 501 et, en dernière page de couverture, des chaussures Cat (Caterpillar) et des Doc Martens, trois produits vestimentaires très à la mode dont la particularité commune réside dans leur usage originel de nature professionnelle.

CONCLUSION

Notre société bascule avec douleur dans le postsalariat. Nous voyons bien tout le cortège de souffrances et d'inquiétudes que cela charrie : chômage, précarité, exclusion, inégalités...

L'ensemble de ces changements est terrible pour nous, Français, qui avions inventé un modèle de société encore plus centralisé, organisé et protecteur que les autres, avec un État puissant, une protection sociale généreuse et un droit du travail extrêmement élaboré ; et si nous donnons l'impression d'aller vers l'avenir à reculons, c'est tout simplement parce que nous sommes le peuple qui a sûrement le plus à perdre dans cette libéralisation du monde, au moins à court terme. Bien sûr, beaucoup de nos interrogations sont légitimes, mais nous devons savoir que les sociétés n'espèrent dans leur futur que si elles croient déjà en leur présent. Tout se passe comme si, à cause de nos soucis actuels, notre société absorbait dorénavant toute prévision positive de l'avenir comme les trous noirs de l'univers engloutissent la lumière qui passe à proximité.

Pourtant, alors que nous pensons faire du sur-place, notre société se transforme tous les jours et nous allons bel et bien vers un nouveau monde, même s'il nous fait peur. Quel est le ressort fondamental de cette évolution ? Le plus évident de tous est celui qu'on oublie pourtant toujours : le relais des générations. Un dixième de la population environ se renouvelle tous les dix ans. C'est considérable.

Les 20-30 ans des dix dernières années ont eu du mal à trouver leur place, coincés qu'ils étaient entre le monde nouveau dont les chausse-trapes sont la précarité, l'imprévisibilité et la réversibilité des situations, et un monde passé dont leurs parents ont savouré le miel des certitudes, la liberté individuelle, les acquis sociaux et le sens de l'Histoire. Pour ces jeunes, le monde ancien n'avait pas tout à fait disparu mais leur était déjà interdit, tandis que le monde nouveau, au stade de larve informe, ne se laissait guère désirer et entrevoir. Plutôt que de les encourager aux expériences nouvelles, leurs parents – soixante-huitards quelque peu rigidifiés – se sont mis à plaindre leurs enfants, à se lamenter sur leur sort, à les qualifier injustement et cruellement de « génération sacrifiée [1] », de « génération sans avenir ». C'était le pire service à leur rendre : un abonnement à « Famille Assistance ». Retardés dans leur départ pour la grande aventure de la vie adulte, les voici déjà vieux alors qu'ils n'étaient plus tout à fait jeunes. Voilà le souvenir que laisseront, après coup, les années 1990.

Les 20-30 ans des dix années à venir n'auront plus les mêmes hésitations. La nostalgie régressive du passé, à mesure que celui-ci s'éloignera, deviendra de moins en moins prégnante. L'ouverture internationale généralisée, les nouvelles technologies, le boom économique de certaines régions du monde et le décollage progressif de nombreuses autres seront des réalités tangibles, visibles. Le train sera lancé. Il ne sera plus temps de piétiner sur le quai de la gare. Heureusement, certains d'entre eux sont déjà à bord !

Il y a l'énergie du vivant dans la société. Elle finit toujours par l'emporter. Il faut être heureux, ici et maintenant. En 1995 et en 1996, contre toute attente, un peu plus de bébés sont nés ! Sur quelques sujets de société, le pessimisme ambiant a marqué le pas, au moins provisoirement, dans les sondages d'opinion au car-

---

1. Comme si l'on pouvait savoir avant 30 ans qu'une génération était sacrifiée ! Ceux que l'on dit aujourd'hui « génération dorée », sous prétexte que leur retraite est confortable et qui sont – il faut le reconnaître – les gagnants des évolutions récentes, ont a peu près 70 ans. Il y a cinquante ans, à 20 ans ils sortaient d'une adolescence volée par les années de guerre et d'Occupation, il y a quarante ans, c'étaient les guerres coloniales... N'auraient-ils pas pu être qualifiés à cette époque de « génération sacrifiée » ?

refour de ces deux années. Il y a eu des frémissements. On a vu reprendre le désir de consommer. Oh, ce n'est pas le retour de l'optimisme béat, loin s'en faut ! Les enquêtes du CRÉDOC continuent à montrer qu'en 1997 le pessimisme collectif est encore solidement ancré dans nos mentalités, il a rejoint d'ailleurs en début d'année son niveau de 1995, au moment de la campagne présidentielle. Mais, alors que le CRÉDOC observait une montée régulière des inquiétudes à l'égard de nombreux sujets de société, celles-ci ont enregistré une baisse, pour la première fois depuis quinze ans, dans les premiers mois de 1997. Ce sont peut-être les prémices d'un renversement de tendance, la découverte qu'il n'y a rien à attendre et qu'il faut se remettre en route, un point c'est tout. Il suffit de faire des conférences dans les universités, dans les écoles, pour voir que peu à peu les jeunes adultes commencent de nouveau à faire des projets. Dans les enquêtes qualitatives, lorsqu'on cherche à comprendre ce léger redémarrage de la natalité, la réponse fuse, comme allant presque de soi : « Si l'on doit attendre d'être sorti de l'auberge, d'avoir un CDI et un revenu suffisant pour faire notre premier enfant, on risque d'attendre encore longtemps, alors on a décidé d'y aller. » Le pari du bonheur, sans attendre encore, ça marche !

Les jeunes ne sont pas malheureux, ils construisent un bonheur pragmatique. Ils n'ont plus l'ambition de changer le monde comme c'était le cas il y a trente ans, mais ils ne sont plus aussi fatalistes qu'il y a seulement dix ans. Il existe un champ du possible, au périmètre restreint, il englobe le petit cercle des proches, famille et amis, qui produit ce qu'on appelle parfois « la socialisation en tribus ». À plusieurs, pas extrêmement nombreux et surtout pas dans une logique d'appartenance à une institution, il est possible de chercher à redonner du sens à la vie. En toile de fond, certaines valeurs sont partagées par le plus grand nombre : ouverture aux peuples et aux civilisations du monde, écologie, tolérance, authenticité...

Les nouveaux points d'appui

Lorsque le cap du millénaire sera franchi, on ne pourra plus définir la société par ce qu'elle a cessé d'être : la fin du salariat, la fin de la consommation de masse, la fin des certitudes, la fin de l'histoire... Combien de livres sur ces thèmes ? Tout cela est morbide. Il faudra retrouver la foi des bâtisseurs. Sur quoi peut-elle reposer ? En quoi est-il possible de croire, dès aujourd'hui ?

Dans la capacité des hommes à relever le pari de l'autonomie et de la responsabilité pour sortir de l'impasse de l'individualisme. Passer de l'individu condamné à la solitude à la personne reliée aux autres, voilà une belle perspective. Mine de rien, cela change beaucoup de choses dans le travail, dans les modes de vie et la consommation.

Dans la création de richesses ensuite, toujours possible, dont les ressorts sont dorénavant la communication généralisée les uns avec les autres et l'entretien des corps et des esprits au fur et à mesure que s'allonge la durée de la vie. Quand la société doute d'elle-même, elle ne croit plus à la croissance économique. Mais, heureusement, ce n'est que temporaire. De toute façon, le monde entre dorénavant dans une phase de croissance globale comme il n'en a peut-être encore jamais connu. Quel sens y aurait-il de s'en tenir à l'écart ?

Au principe de solidarité, c'est-à-dire à l'incomplétude fonda-mentale de la personne humaine, à son besoin des autres. Une société comportant un trop grand nombre de gens malheureux ne peut pas être une société heureuse. L'Europe, et la France en particulier, a en ce domaine une mission historique redevenue d'une actualité brûlante, face à la vague ultra-libérale anglo-saxonne qui semble submerger le monde. Malheureusement, pour beaucoup, la solidarité ne va plus de soi. En témoigne, par exemple, le rejet épidermique et quasi général de la fiscalité. Même les Américains, qui pourtant paient peu d'impôts, consi-dèrent que c'est encore trop ! Nous ne sommes pas devant un phénomène rationnel et objectif mais face à une mode idéolo-gique qui se diffuse largement.

Enfin, à la capacité d'articuler les trois idées précédentes, de telle sorte que chacun retrouve un sens à la vie collective et sociale. Cela ne sera pas facile, car une société en profonde muta-tion redistribue toujours les cartes et laisse, au moins temporai-rement, du monde sur le bord de la route. Éviterons-nous de le faire ?

La nouvelle consommation

Nous avions, jusqu'à présent, des vies compartimentées : le travail d'un côté, avec ses règles, ses horaires et ses lieux bien spécifiques ; la vie privée et familiale de l'autre, dans laquelle s'insérait la consommation. Ces deux moments de la vie devaient être le plus indépendants possible, presque étanches sauf pour quelques professions comme les petits commerçants ou les médecins. Cette séparation est en cours de disparition. Nous entrons dans le postsalariat qui annonce l'ère du consommateur entrepreneur, où l'autonomie et la responsabilité s'accompagneront d'un amoindrissement de tous ces cloisonnements. C'est à la fois difficile à croire et pourtant déjà repérable dans des cas chaque jour plus nombreux. Nous aurons des lieux dans lesquels nous travaillerons et nous vivrons, des voitures qui seront tout autant des bureaux ou des ateliers mobiles que des univers privés et familiaux, des téléviseurs qui nous serviront à regarder un film d'auteur, une émission populaire ou à suivre un reportage utile pour notre compétence professionnelle, quelle qu'en soit l'heure.

La consommation sera une coproduction entre celui qui fabrique et l'utilisateur final, et de ce fait un facteur de satisfaction plus grande pour ce dernier. Mais ce sera aussi une obligation qu'imposera la nouvelle vie professionnelle. Avant, il fallait attendre les premières feuilles de paie pour s'offrir les premiers plaisirs de consommer. Demain, il faudra au contraire être déjà équipé de son micro-ordinateur domestique pour espérer avoir accès à un emploi, comme aujourd'hui un coursier doit posséder un scooter ou une moto avant de se faire embaucher. Avant, on travaillait pour consommer, demain il faudra d'abord consommer pour travailler. Mais ce schéma est trop réducteur. En fait, on travaillera et on consommera à la fois. C'est cette complexité qui risque de marginaliser et d'exclure certains. Que deviendront-ils ? Subsistera-t-il un secteur protégé pour les accueillir – c'est ce à quoi il faut nous engager –, ou seront-ils les vagabonds errants de demain qui croiseront les nomades affairés plus ou moins fiers de leur réussite, mais surtout préoccupés d'en assurer la pérennité alors qu'elle est sans cesse remise en cause ?

On l'aura compris, ce ne sera ni la fin du travail ni la fin de la consommation, mais bel et bien la fin de leur séparation. Ce sera le temps des arbitrages permanents entre ce que l'on fait par soi-même et ce que l'on achète aux autres, entre ce que l'on fait pour soi-même et ce que l'on fait pour les autres, entre ce que l'on fait contre rémunération et ce que l'on fait bénévolement, entre ce que l'on achète pour une satisfaction immédiate ou bien pour renforcer ses atouts selon une logique d'investissement. Travailler et consommer tout à la fois, comme deux facettes qui ne s'opposent plus, qui ne se juxtaposent même plus, mais au contraire se complètent.

Ce changement-là ne se commande pas. Il faut le comprendre et s'y adapter. Il est la conséquence d'un long processus sur lequel il est peu probable que nous revenions : celui de la libération de l'action individuelle, de la promotion de l'aspiration à l'autonomie. Il est le résultat d'une convergence de facteurs : émancipation vis-à-vis des institutions collectives, suppression des frontières entre les États, élimination du travail répétitif et de pure exécution, élévation du niveau d'éducation, diversification des croyances. Chacun a désormais, ici et maintenant, la responsabilité de s'assumer et de se construire un avenir sans pouvoir croire un seul instant qu'une structure quelque part s'en chargera à sa place. Mais, une fois cela compris, il doit pouvoir compter sur l'appui des autres pour réaliser son projet, de même qu'il doit s'engager, par réciprocité, à cette démarche en retour.

Lorsqu'un modèle socio-économique des modes de vie et de la consommation devient dominant, cela signifie que l'essentiel des innovations se fait sur son registre et que, grâce à lui, on dispose d'une explication cohérente de la direction empruntée. En quelque sorte, d'un « paradigme ». Cela n'empêche pas de voir continuer, durant un certain temps au moins, des modes de fonctionnement qui furent dominants dans le passé. Ainsi, le consommateur entrepreneur ne supprimera pas la rassurance – modèle dominant des années 1990 –, même s'il s'inscrit aussi en opposition à son égard (en privilégiant une capacité d'initiative contre une tendance au repli régressif caractéristique de la rassurance) et qu'en conséquence il la relativise, la fait passer au second plan. De même, il reste encore des traces de la consommation comme signe de promotion sociale, modèle dominant des années 1950-

1960 et encore de l'individualisme ostentatoire des décennies 1970 et 1980. Toutes ces époques qui se sont succédé se superposent dorénavant dans notre imaginaire et guident encore nos pratiques.

Toutes les strates de modèles successifs de consommateurs coexistent en chacun de nous, à des degrés certes distincts, chacun fabriquant ses pondérations. Ainsi, un jeune entrepreneur individuel qui gagne beaucoup d'argent pourra s'acheter une voiture décapotable et exposer avec fierté sa réussite selon un modèle digne des années 1960, tandis que le reste de sa vie se fera conformément au comportement du consommateur entrepreneur. À l'inverse, tout semble pousser le retraité à rester dans une logique de rassurance. Pourtant, le désir soudain de réveiller le routard qui sommeille en lui ou l'initiative professionnelle de l'un de ses enfants qui sollicite son aide, et le voilà devenu un dynamique consommateur entrepreneur.

La vie quotidienne n'est pas régie par une logique formelle mais par une logique floue où les contraires ne s'excluent pas forcément mais se combinent plus ou moins harmonieusement.

La consommation n'est pas une nécessité ou un plaisir, elle est les deux à la fois. L'alimentation n'est pas une recherche de saveurs – authentiques ou naturelles – opposée à une conception plus sanitaire qui incorpore des bienfaits préventifs ou thérapeutiques, elle est les deux à la fois. La formation continue n'est plus à opposer aux loisirs et la maison au bureau. Tout cela s'entremêle. Et en allant jusqu'au bout de ce que recèle le consommateur entrepreneur, il n'y a plus, d'un côté, des producteurs et, de l'autre, des consommateurs, mais une coproduction de la consommation qui se fait entre les différents acteurs.

La consommation de masse de plus en plus segmentée avait conforté l'individu, la révolution des rapports au travail fait émerger un consommateur plus autonome et responsable : une personne. Il en découle un projet ambitieux et exaltant pour tous ceux dont le métier se situe dans la chaîne de la production et de la consommation des biens et des services : accompagner la construction de cette personne. Cela va bien au-delà de l'obéissance au précepte classique selon lequel il faut toujours chercher à répondre aux besoins et aux attentes de ses clients. Cela donne un sens à la vie économique, ce dont notre société a bien besoin.

Reconnaître le primat de la personne dans le consommateur auquel on s'adresse, c'est faire un pas de plus dans une démarche humaniste. Santé, culture, éducation, télécommunication, transport, tous ces marchés dont on sait qu'ils progresseront très fortement dans les années à venir rejoignent ce qu'il y a de plus essentiel dans l'homme, sa capacité à rester debout et à s'enrichir des rapports avec ses semblables.

Les risques de cette nouvelle consommation

Mais plus il s'agit de l'homme et de son intimité, plus il doit être question de respect à son égard. Les deux premiers auteurs américains qui ont publié en 1993 un livre annonçant cette révolution du marketing s'intéressant à chaque consommateur pour lui-même – le *one to one* – mettent en garde : « *Big Brother* est presque là. Sa sœur est une opératrice de vente au téléphone qui vous a appelé chez vous hier soir pendant le dîner. Son neveu organise un concours qui vous promet de gagner monts et merveilles en vous suggérant de vous abonner à un magazine [...]. Chaque fois qu'il vous arrive de remplir un bon de garantie, de vous abonner à un magazine, de payer par carte de crédit, d'utiliser un numéro vert, d'acheter une voiture, d'avoir un bébé, de divorcer, de déménager, de faire un chèque sans provision, une société spécialisée quelque part en a fait un enregistrement magnétique et l'a vendu à d'autres sociétés qui vont chercher à exploiter cette information[2]. »

Il y a un risque évident à se précipiter sur cette personnalisation des relations entre le vendeur et le consommateur pour une rentabilité immédiate, et le faire sans nuance, en violant l'intimité de celui que l'on veut fidéliser. Cela devrait au contraire s'effectuer avec précaution et se bâtir dans la confiance.

Plus la consommation occupe de place dans notre vie – et l'arrivée du consommateur entrepreneur lui fait faire un nouveau bond en avant –, plus il est nécessaire d'y réfléchir d'une façon globale, interdisciplinaire. Les sujets ne manquent pas. Plusieurs

---

2. Don Peppers et Martha Rogers, *The One to One Future, Building Relationships One Customer at a Time*, New York, Currency Doubleday, 1993.

ont été abordés dans les pages qui précèdent : une telle person-nalisation des achats et de la conception des produits que la consommation risque de ne devenir qu'un miroir où chacun quête sans fin son identité ; un commerce des pauvres qui peu à peu s'accommode d'une fracture sociale devenue par là même une fracture sociétale ; un développement certain du marché de la santé des corps qui peut déraper pour devenir – cela se voit dans certains exemples américains – une manipulation des esprits.

Certes, il existe déjà de nombreuses hautes autorités chargées peu ou prou de ces divers aspects. En France, le Comité national d'éthique a des choses à dire sur la santé, le Conseil supérieur de l'audiovisuel a un rôle à jouer à l'égard des nombreux réseaux de programmes, la Commission nationale informatique et liberté également, à propos de ces mégabases de données qui nous pro-mettent de savoir bientôt tout sur tous. Dans les autres pays, des autorités régulatrices existent en général avec des prérogatives assez proches. Mais ce n'est pas suffisant. Il y a une spécificité de la consommation : son aspect marchand qu'il faut reconnaître et traiter comme tel. Ce à quoi nous pourrions aspirer, c'est à une réflexion éthique qui se situe au carrefour de toutes ces questions fondamentales et des enjeux économiques, et des stratégies commerciales que mobilise la logique marchande. Plus ce qui touche à notre vie est appelé à s'acheter et à se vendre, plus cela nécessite une réflexion. Avec un seul but : s'assurer que, finale-ment, toutes ces évolutions recèlent un potentiel favorable à l'épanouissement réel de l'humanité, que les hommes et les femmes de chair et de sang soient en mesure de les réaliser. La seconde de ces conditions est au moins aussi importante que la première.

Et puis on se prend à s'interroger sur le point de savoir s'il ne faudrait pas également protéger le consommateur contre lui-même, contre l'égoïsme qui le hante peut-être plus encore qu'hier : pire que l'individualisme, le fait de pouvoir s'assumer au point de se suffire à soi-même ; la tentation de savourer le plaisir de ne dépendre de personne à partir du moment où l'on aura surmonté tous les obstacles du chemin de l'autonomie. C'est pour-tant ce que laisse entrevoir la redoutable publicité pour le nou-veau produit de la Française des jeux : le Watoo. Lorsque le gagnant se précipite sous les cocotiers, il y va seul, presque heureux de ne pas avoir de conjoint pour l'accompagner. Ou celle des parfums Bourjois qui mettent en scène une belle jeune femme qui se maquille et semble vouloir accorder peu d'importance à son fiancé qui attend derrière la porte. Certes, on a le droit de réagir avec humour. Mais, c'est clair, l'égoïsme, qu'il soit individuel ou collectif, est l'un des avatars possibles du consommateur entrepreneur, au contraire de ce dont il a réellement besoin : la solidarité et les valeurs partagées.

Cependant, signe de la complexité moderne, la tendance inverse s'observe également, portée par les nouveaux systèmes de communication. Pour les prosélytes d'Internet, suffisamment passionnés pour y passer l'essentiel de leur temps libre, il se vit là une nouvelle utopie, celle de la liberté absolue qui dépasse le cadre des rapports économiques. Car Internet est à la fois le lieu du « payant » – et l'on sait les marchés considérables qui s'y feront dans les années à venir –, mais c'est aussi le lieu du « gratuit », avec les possibilités de pages personnelles, de forums de discussions. Car au plus profond de la modernité technologique et économique resurgit à la fois le besoin de l'informalité, de ce qui s'échange sans se vendre et sans s'acheter, et celui d'être en relation avec les autres, de communiquer, d'échanger. Inquiétude et espoir, suscités par un monde qui renouvelle sans cesse ses potentialités, s'entremêlent inexorablement.

Les phases de la société de consommation

Période	Rapport au travail	Système de valeurs	Immatériel dominant dans la consommation
Années 1950 et 1960	Fordisme (salariat intégrateur)	Classes sociales hiérarchisées, organisation familiale	Passage de la pauvreté à l'aisance. Fierté d'arborer les signes de l'enrichissement (biens durables, départs en vacances...)
Années 1970 et 1980	Tertiarisation, qualification de la main-d'œuvre, mobilité	Individualisme	Toute-puissance de l'individu flatté dans son narcissisme : hypersegmentation, prolifération artificielle de l'offre
Années 1990	Chômage massif	Société d'inquiétude, suspicion à l'égard de l'avenir	Rassurance : santé, famille, terroir, tradition, solidarité...
Décennie 2000 (?)	Modèle de l'entrepreneur individuel qui s'étend à toutes les situations (y compris salariat)	Autonomie, responsabilité	Consommateur entrepreneur : réponse simultanée à ses besoins professionnels et d'épanouissement personnel. Passage de l'individu à la personne, généralisation du sur mesure...

BIBLIOGRAPHIE

AFFICHARD, Joëlle, et FOUCAULD, Jean-Baptiste (de) (dir.), *Justice sociale et inégalités*, Paris, Édition Esprit, 1992.

AMBRY, Margaret, *Consumer Power, Hour Americans Spend*, Chicago, Probus Publishing Company, 1992.

ANTOINE, Jacques, *Valeurs de société et stratégies des entreprises*, Paris, PUF, 1996.

ATTIAS-DONFUT, Claudine (coll.), *Les Solidarités entre générations*, Paris, Nathan, 1995.

BARTHES, Roland, *Système de la mode*, Paris, Seuil, 1967.

BAUDELOT, Christian, et ESTABLET, Roger, *Maurice Halbwachs. Consommation et société*, Paris, PUF, 1994.

BAUDRILLARD, Jean, *Le Système des objets*, Paris, Gallimard, 1968 ; Gallimard, coll. Tel, 1978.

BAUDRILLARD, Jean, *La Société de consommation*, Paris, Denoël, 1970 ; Éd. de poche Folio essais, 1986.

BAUDRILLARD, Jean, *Cool Memories 1980-1985*, Paris, Galilée, 1987.

BELLANGER, François, et MARZLOFF, Bruno, *Transit : les lieux et les temps de la mobilité*, Paris, L'Aube-Media Mundi, 1996.

BELLET, Maurice, *La Seconde Humanité : de l'impasse majeure de ce que nous appelons l'économie*, Paris, Desclée de Brouwer, 1993.

BENOIT, Philippe, et TRUCHOT, Didier, *Affiches de pub 1983/85*, Paris, Chêne, 1986.

BOURDIEU, Pierre, *La Distinction, critique sociale du jugement*, Paris, Minuit, 1979.

BOURDIEU, Pierre, *Questions de sociologie*, Paris, Minuit, 1980.

BOYER, Robert, et DURAND, Jean-Pierre, *L'Après-fordisme*, Paris, Syros, 1993.

BRENDER, Anton, *L'Impératif de solidarité*, Paris, La Découverte, 1996.

CATHELAT, Bernard, et EBGUY, Robert, *Styles de pub, 60 manières de communiquer*, Paris, Les Éditions d'Organisation, 1988.

CATHELAT, Bernard, *Sociostyles système*, Paris, Les Éditions d'Organisation, 1990.

CAZENEUVE, Jean, *Six Grandes Notions de la sociologie*, Paris, Seuil, coll. Points, 1976.

CHOMBART DE LAUWE, Paul-Henry, *La Vie quotidienne des familles ouvrières*, CNRS, Paris, 1ʳᵉ édition, 1956.

COHEN, Ben, et GREENFIELD, Derry, *Double-Dip, Lead with your Values and Make Money, too*, New York, Simon and Schuster, 1997.

COHEN, Daniel, *Richesse du monde, pauvreté des nations*, Paris, Flammarion, 1997.

CSERC, *Inégalités d'emploi et de revenu : les années 90*, Paris, La Documentation française, 1996.

DEATON, Angus S., *Models and Projections of Demand in Post-War Britain*, Londres, 1974.

DEATON, Angus S., *Understanding Consumption*, Oxford, Oxford University Press, 1992.

DIRN, Louis, *La Société française en tendances*, Paris, PUF, 1990.

DUBOIS, Bernard, *Comprendre le consommateur*, Paris, Dalloz, 2ᵉ éd., 1994.

FORD, Henry, *Ma vie et mon œuvre*, Paris, Payot, 1925.

FOUCAULD, Jean-Baptiste (de), et PIVETEAU, Denis, *Une société en quête de sens*, Paris, Odile Jacob, 1995.

FOURASTIÉ, Jean, *Le Grand Espoir du xxᵉ siècle : progrès technique, progrès économique, progrès social*, Paris, PUF, 1958.

FOURNIES, Ferdinand F., *Why Customers Don't Do What You Want Them to Do, and What to Do about It ?*, New York, Mc Graw Hill, 1994.

FRAISSE, Robert, et FOUCAULD, Jean-Baptiste de (dir.), *La France en prospectives*, Paris, Odile Jacob, 1996.

GOFFMAN, Erving, *La Mise en scène de la vie quotidienne*, Paris, Minuit, 1973 (1. *La présentation de soi*, 2. *Les relations en public*).

HALBWACHS, Maurice, *La Classe ouvrière et les niveaux de vie*, Paris, Félix Alcan, 1913.

HERPIN, Nicolas, et VERGER, Daniel, *La Consommation des Français*, Paris, La Découverte, coll. Repères, 1988.

JANDT, Fred, *The Customer is Usually Wrong*, Indianapolis, Park Avenue, 1995.

JULIEN, Pierre-André, et MARCHESNAY, Michel, *L'Entrepreneuriat*, Paris, Economica, 1996.

KAPFERER, Jean-Noël, *Les Marques, capital de l'entreprise. Les chemins de la reconquête*, Paris, Les Éditions d'Organisation, 1995.

KAUFFMANN, Jean-Claude (coll.), *Faire ou faire faire ?*, Rennes, Presses universitaires de Rennes, 1996.

KUTTNER, Robert, *Everything for Sale, the Virtues and Limits of Markets*, New York, Alfred A. Knopf, 1997.

LANCASTER, K., *Consumer Demand : a New Approach*, Columbia University Press, 1971.

LECLERC, Michel-Édouard, *La Fronde des caddies*, Paris, Plon, 1994.

LENDREVIE, Jacques, et LINDON, Denis, *Mercater : théorie et pratique du marketing*, Paris, Dalloz, 4ᵉ éd., 1993.

MASLOW, Abraham H., « A Theory of Human Motivation », *Psychological Review*, vol. 50, 1943, p. 370-396.

MATTELART, Armand, *La Publicité*, Paris, La Découverte, coll. Repères, 1990.

MÉDA, Dominique, *Le Travail, une valeur en voie de disparition*, Paris, Alto-Aubier, 1995.

MENDRAS, Henri, et FORSÉ, Michel, *Le Changement social*, Paris, Colin, 1983.

MENDRAS, Henri, *La Seconde Révolution française*, Paris, Gallimard, 1988.

MÉRAUD, Jacques, *L'Évolution et les perspectives des besoins des Français et leur mode de satisfaction*, Avis et rapports du Conseil économique et social, Paris, *Journal officiel*, 1989.

MERMET, Gérard, *Francoscopie*, Paris, Larousse, 1995.

MERMET, Gérard, *Le Nouveau Consommateur*, Paris, Larousse, 1996.

MORIN, Edgar, *Introduction à la pensée complexe*, Paris, ESF, 1990.

MORIN, Edgar, et NAÏR, Sami, *Une politique de civilisation*, Paris, Arléa, 1997.

NODET-LANGLOIS, Fabrice, et RIZET, Laurence, *La Consommation*, Paris, Marabout-Le Monde Éditions, 1995.

PEPPERS, Don, and ROGERS, Martha, *The One to One Future, Building Relationships One Customer at a Time*, New York, Currency Doubleday, 1993.

PEREC, Georges, *Les Choses ; une histoire des années soixante*, Paris, Julliard, 1965.

PERRET, Bernard, *L'Avenir du travail*, Paris, Seuil, 1995.

PIORE, Michael J., SAVEL, Charles F., *Les Chemins de la prospérité*, Paris, Hachette, 1984.

PIRIOU, Jean-Paul, *L'Indice des prix*, Paris, La Découverte, coll. Repères, 1986.

POPCORN, Faith, *Clicking*, New York, Harper Collins, 1996.

POPCORN, Faith, *The Popcorn Report*, New York, Harper Business, 1992.

RAWLS, John, *Théorie de la justice*, Paris, Seuil, 1987.

RAY, Michael, et RINZLER, Alan (dir.), *The New Paradigm in Business*, New York, Torcher-Putnam, 1993.

RIFFAULT, Hélène (coll.), *Les Valeurs des Français*, Paris, PUF, 1994.

ROCHEFORT, Robert, *La Société des consommateurs*, Paris, Odile Jacob, 1995.

SCARDIGLI, Victor, *La Consommation, culture du quotidien*, Paris, PUF, 1983.

SCARDIGLI, Victor, *L'Europe des modes de vie*, Paris, Éditions du CNRS, 1987.

SOLOMON, Michael R., *Consumer Behavior*, New Dersey, Third Edition, 1996.

STOETZEL, Jean, *Les Valeurs du temps présent : une enquête européenne*, Paris, PUF, 1983.

TEDLOW, Richard S., *L'Audace et le marché, l'invention du marketing aux États-Unis*, Paris, Odile Jacob, 1997.

The Council on Economic Priorities, *Shopping for a Better World*, San Francisco, Science Club Books, 1994.

TRÉGUER, Jean-Paul, *Le Senior marketing*, Paris, Dunod, 1994.

VALETTE-FLORENCE, Pierre, *Les Styles de vie. Bilan critique et perspectives*, Paris, Fernand Nathan, 1994.

WALKER SMITH, J., et CLURMAN, Ann, *Rocking the Ages, the Yankelovich Report on Generational Marketing*, New York, Harper Business, 1997.

YONNET Paul, *Jeux, mode et masse*, Paris, Gallimard, 1985.

TABLE

CET OUVRAGE A ÉTÉ TRANSCODÉ
ET ACHEVÉ D'IMPRIMER SUR ROTO-PAGE
PAR L'IMPRIMERIE FLOCH À MAYENNE
EN SEPTEMBRE 1997

N° d'impression : 41960.
N° d'édition : 7381-0511-X.
Dépôt légal : septembre 1997.

Imprimé en France.